#시험대비
#핵심정복

7일 끝
중간고사
기말고사

Chunjae
Makes
Chunjae

▼

개발총괄	김덕유
편집개발	중등 사회팀
제작	황성진, 조규영

발행일	2021년 3월 15일 초판 2021년 3월 15일 1쇄
발행인	(주)천재교육
주소	서울시 금천구 가산로9길 54
신고번호	제2001-000018호
고객센터	1577-0902
교재 내용문의	(02)3282-1780

※ 정답 분실 시에는 천재교육 홈페이지에서 내려받으세요.

7일 끝으로 끝내자!

7 고등 사회·문화

BOOK 1

이 책의 구성과 활용

시험 공부 시작

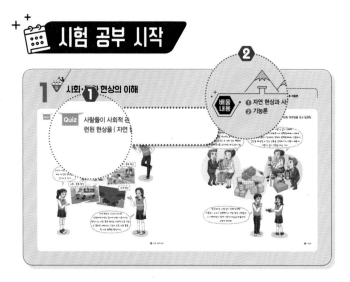

퀴즈로 생각 열기

공부할 내용을 만화로 가볍게 살펴보며 학습을 준비해 보세요.

❶ 생각 열기 | 만화 내용을 가볍게 보고 퀴즈를 풀면서 학습 목표를 떠올려 보세요.

❷ 배울 내용 | 공부할 내용을 살피며 핵심 학습 요소를 확인해 보세요.

본격 공부 중

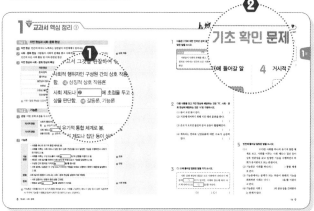

교과서 핵심 정리 + 기초 확인 문제

꼭 알아야 할 교과서 핵심 내용을 익히고 기초 확인 문제를 풀며 제대로 이해했는지 확인해 보세요.

❶ 빈칸 문제를 채우며 교과서 핵심 내용을 다시 한 번 체크해 보세요.

❷ 교과서 핵심과 관련된 기초 확인 문제를 풀며 공부한 내용을 확인해 보세요.

내신 기출 베스트

다양한 유형의 문제를 풀어 보며 공부한 내용을 점검해 보세요.

❶ 대표 예제 문제를 풀며 시험에 잘 나오는 문제를 확인 보세요.

❷ 개념 가이드를 보며 시험에 잘 나오는 용어나 개념을 익히거나 문제 해결의 힌트를 얻어 보세요.

시험 공부 마무리

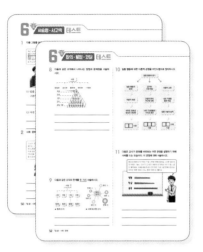

누구나 100점 테스트

앞에서 공부한 내용을 바탕으로 기초 이해력을 점검해 보세요.

서술형·사고력 테스트 / 창의·융합·코딩 테스트

서술형 문제를 집중적으로 풀고, 다양한 자료들을 활용한 문제를 풀며 사고력을 길러 보세요.

학교 시험 기본 테스트

시험 문제에 가까운 예상 문제를 풀며 실전에 대비해 보세요.

틈틈이·짬짬이 공부하기

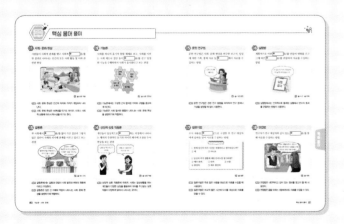

💎 핵심 용어 모아 보기

교과별 핵심 용어를 담은 핵심 용어 풀이를 보며 어휘력을 길러 보세요.

💎 핵심 정리 총집합 카드

카드를 휴대하며 이동할 때나 시험 직전에 활용해 보세요.

이 책의 차례

우리 학교 시험 범위 확인

교과서 단원		교재
Ⅰ. 사회·문화 현상의 탐구	1. 사회·문화 현상의 이해	☐ BOOK❶ 1일, 6일 1회, 7일
	2. 사회·문화 현상의 탐구 방법	☐ BOOK❶ 2일, 6일 1회, 7일
	3. 사회·문화 현상의 탐구 절차와 태도	☐ BOOK❶ 2일, 6일 1회, 7일
Ⅱ. 개인과 사회 구조	1. 인간의 사회화	☐ BOOK❶ 3일, 6일 1회, 7일
	2. 사회 집단과 사회 조직	☐ BOOK❶ 4일, 6일 1회, 7일
	3. 일탈 행동의 원인과 대책	☐ BOOK❶ 5일, 6일 2회, 7일
Ⅲ. 문화와 일상생활	1. 문화의 이해	☐ BOOK❶ 5일, 6일 2회, 7일
	2. 하위문화와 대중문화	☐ BOOK❷ 1일, 6일 2회, 7일
	3. 문화의 변동	☐ BOOK❷ 2일, 6일 2회, 7일
Ⅳ. 사회 계층과 불평등	1. 사회 불평등 현상과 계층	☐ BOOK❷ 3일, 6일 1회, 7일
	2. 다양한 사회 불평등 양상	☐ BOOK❷ 4일, 6일 1회, 7일
	3. 사회 복지와 복지 제도	☐ BOOK❷ 4일, 6일 1회, 7일
Ⅴ. 현대의 사회 변동	1. 사회 변동과 사회 운동	☐ BOOK❷ 5일, 6일 2회, 7일
	2. 저출산·고령화와 다문화적 변화	☐ BOOK❷ 5일, 6일 2회, 7일
	3. 세계화·정보화와 전 지구적 수준의 문제	☐ BOOK❷ 5일, 6일 2회, 7일

사회·문화 현상의 이해

일

Quiz 사람들이 사회적 관계를 맺고 사회적 상호 작용을 한 결과로 나타나는 인간의 모든 사회 활동 및 이와 관련된 현상을 (자연 현상 , 사회·문화 현상)이라고 한다.

답 사회·문화 현상

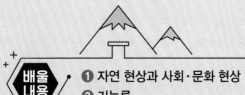

Quiz 사회를 하나의 유기적 통합 체계로 보고, 사회를 이루는 사회 제도나 집단 등이 상호 연관성을 갖고 일정한 기능을 수행하면서 사회가 유지된다고 보는 관점은?

답 기능론

교과서 핵심 정리 ①

개념 1 **자연 현상과 사회·문화 현상**

1 **자연 현상** 인간의 의지나 노력과는 상관없이 자연계에서 일어나는 현상

2 **사회·문화 현상** 사람들이 사회적 관계를 맺고 사회적 **❶** [   ]을/를 한 결과로 나타나는 인간의 모든 사회 활동 및 이와 관련된 현상

❶ 상호 작용

3 **자연 현상과 사회·문화 현상의 특징**

자연 현상	사회·문화 현상
존재 법칙	당위 법칙
몰가치성	가치 함축성
필연성의 원리	개연성과 확률의 원리
보편성	보편성 + 시공간적 특수성
고정성, 불변성	유동성, 가변성
인과 법칙	자유 법칙

예 사회·문화 현상은 인간의 의지, 가치, 신념, 감정 등이 반영되어 일어난다.

개념 2 **기능론**

1 **관점** 어떤 것에 초점을 두고서 그것을 관찰하여 인식할 때 이해하는 태도나 방향

미시적 관점	사회적 행위자인 구성원 간의 상호 작용에 초점을 맞추어 사회·문화 현상을 판단함. 예 상징적 상호 작용론
거시적 관점	사회 제도나 **❷** [ ]에 초점을 두고 사회라는 큰 체계 속에서 사회·문화 현상을 판단함. 예 갈등론, 기능론

❷ 구조

2 **기능론**

기본 입장	• 사회를 하나의 유기적 통합 체계로 봄. • 사회를 이루는 사회 제도나 집단 등이 상호 연관성을 갖고 일정한 기능을 수행하면서 사회가 유지된다고 봄. • 사회를 이루는 구성 요소들이 서로 **❸** [ ]와/과 균형을 이룬다고 봄. • 개인은 사회 질서를 위하여 사회 속의 한 부분으로서 기능을 담당한다고 봄. • 구성원 간의 합의된 가치와 **❹** [ ]을/를 중시함. • 사회 문제나 갈등은 각 구성 요소가 주어진 역할을 제대로 수행하지 못했기 때문에 발생한다고 봄.
장점	사회 질서와 통합이 나타나는 사회·문화 현상을 설명하기에 적합함.
한계	• 사회 갈등이나 변동의 중요성을 간과함. • 혁명과 같은 **❺** [ ]을/를 설명하기 어려움.

❸ 조화

❹ 규범

❺ 사회 변동

예 기능론은 사회를 하나의 유기적 통합 체제로 보고, 사회를 구성하는 제도나 집단 등이 상호 의존하면서 각자의 기능을 수행함으로써 사회가 유지된다고 보는 관점이다.

1 다음은 (가)에 대한 인터넷 검색 결과이다. (가)에 들어갈 알맞은 말을 쓰시오.

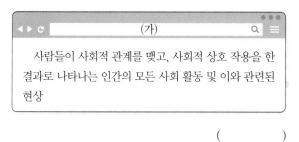

사람들이 사회적 관계를 맺고, 사회적 상호 작용을 한 결과로 나타나는 인간의 모든 사회 활동 및 이와 관련된 현상

(   )

2 다음 내용을 읽고 자연 현상에 해당하는 것은 '자', 사회·문화 현상에 해당하는 것은 '사'로 구분하시오.

(1) 봄이 오면 꽃이 핀다.   (   )

(2) 지진에 대비하기 위해 지진 대피 훈련을 한다.

(   )

(3) 온도가 오르면 물질의 분자 운동이 활발해진다.

(   )

(4) 계속되는 한파로 난방용품에 대한 수요가 급증하였다.   (   )

3 ㉠, ㉡에 들어갈 알맞은 말을 각각 쓰시오.

사회·문화 현상인 결혼은 모든 사회에서 나타나기 때문에   ㉠   이/가 있지만, 시대와 장소에 따라 다르게 나타나므로   ㉡   을/를 지닌다.

㉠ (   ), ㉡ (   )

4 거시적 관점에 해당하는 이론을 〈보기〉에서 모두 고르시오.

┌─────────────── 보기 ┐
ㄱ. 기능론
ㄴ. 갈등론
ㄷ. 상징적 상호 작용론
└──────────────────┘

(   )

5 빈칸에 들어갈 알맞은 말을 쓰시오.

(1) (   )(이)란 사회를 하나의 유기적 통합 체계로 보고, 사회를 이루는 사회 제도나 집단 등이 상호 연관성을 갖고 일정한 기능을 수행하면서 사회가 유지된다고 보는 관점이다.

(2) 기능론은 사회를 하나의 (   ) 통합 체계로 본다.

(3) 기능론에서는 문제가 되는 부분이 원래의 기능을 회복하면 사회는 다시 (   )을/를 이룬다고 본다.

(4) 기능론은 사회 (   )의 중요성을 간과한다는 한계가 있다.

개념 3 갈등론

기본 입장	• 한 사회에서 재화나 권력 같은 **❶** 을/를 많이 가진 집단과 그렇지 않은 집단이 지배와 피지배 관계를 이루고 있다고 보는 관점 • 한 사회의 재화나 권력 같은 희소가치가 배분되는 과정에서 집단 간의 대립과 갈등이 나타난다고 봄. • 사회의 안정과 유지는 지배 집단이 자신들의 **❷** 을/를 유지하는 데 유리한 규범이나 사회 제도 등을 통해 피지배 집단을 억압한 결과라고 봄. • 갈등은 피지배 집단이 지배 집단의 억압에 저항하는 과정에서 나타나는 것이라고 봄. • **❸** 와/과 대립이 사회 발전과 변화의 원동력이라고 주장함. • 사회 운동이 사회 집단 간의 지배와 억압을 해결하는 데 중요한 역할을 한다고 봄.
장점	집단 간 지배와 억압이 나타나는 사회·문화 현상을 설명하기에 적합함.
한계	사회 구성 요소가 조화와 균형을 이루면서 사회가 안정적으로 유지되는 상황을 설명하기 어려움.

❶ 희소가치

❷ 기득권

❸ 갈등

예 갈등론은 사회적 희소가치가 배분되는 과정에서 갈등이 발생한다고 보며, 이러한 갈등과 대립이 사회 변동의 원동력이라고 본다.

개념 4 상징적 상호 작용론

기본 입장	• 개인들이 일상적으로 상호 작용하는 과정에서 나타나는 행위의 주관적인 동기와 의미의 **❹** 에 초점을 두어 현상을 보는 관점 • 사회는 일상생활을 하는 개인들이 다양한 상징을 활용하여 의미를 주고받는 **❺** 이/가 다양하게 얽혀서 나타나는 곳이라고 봄. • 상징은 사물이나 인간의 동작에 특정한 의미를 부여하여 공유하는 것이라고 봄. • 사회 구성원은 자신의 상황에 대해 각자의 의미를 부여하고 해석하는 **❻** 을/를 통해 행동한다고 봄.
장점	인간이 가진 상징과 개인의 능동성을 강조함.
한계	개인 행위자의 상호 작용에 영향을 미치는 사회 구조나 제도의 힘을 경시함.

❹ 해석
❺ 상호 작용

❻ 상황 정의

예 상징적 상호 작용론에서는 인간은 자신이 처한 상황에 대한 정의를 바탕으로 각자의 주관적인 신념과 가치에 따라 행동한다고 본다.

6 ㉠, ㉡에 들어갈 알맞은 용어를 각각 쓰시오.

> 갈등론은 한 사회에서 ㉠ 을/를 많이 가진 집단과 그렇지 않은 집단이 지배와 피지배 관계를 이루고 있다고 보는 관점이다. 사회의 안정과 유지는 지배 집단이 자신들의 ㉡ 을/를 유지하는 데 유리한 규범이나 사회 제도 등을 통해 피지배 집단을 억압한 결과라는 것이다.

㉠ (   ), ㉡ (   )

8 다음 의견에서 주장하는 노인 문제의 원인이나 대책이 어떤 관점에 기초를 두고 있는지 쓰시오.

> 우리 사회에서는 일반적으로 경제력을 가진 사람이 중요한 사회적 결정을 합니다. 그런데 대다수 노인 단독 가구의 경제력은 낮기 때문에 사회적으로 그 중요성을 인정받기 어렵고, 이로 인해 고독하고 우울해지기 쉽습니다. 따라서 노인들의 경제적 불평등을 해소할 수 있는 방안을 세워야 합니다.

(   )

7 괄호 안의 내용 중 알맞은 말을 골라 ○표 하시오.

(1) (기능론 , 갈등론)은 한 사회에서 희소가치를 많이 가진 집단과 그렇지 않은 집단이 지배와 피지배 관계를 이루고 있다고 본다.

(2) (기능론 , 갈등론)은 사회 갈등이나 변동의 중요성을 간과하며, 혁명과 같은 사회 변동을 설명하기 어렵다는 한계가 있다.

(3) (기능론 , 상징적 상호 작용론)은 개인들이 일상적으로 상호 작용하는 과정에서 나타나는 행위의 주관적인 동기와 의미의 해석에 초점을 두어 현상을 보는 관점이다.

9 빈칸에 들어갈 알맞은 말을 쓰시오.

(1) (   )(이)란 사물이나 인간의 동작에 특정한 의미를 부여하여 공유하는 것으로, 몸짓이나 기호, 언어, 문자, 옷차림 등 그 종류가 다양하다.

(2) 상징적 상호 작용론에서는 사회 구성원이 자신의 상황에 대해 각자의 의미를 부여하고 해석하는 (   )을/를 통해 행동한다고 본다.

대표 예제 1 — 자연 현상과 사회·문화 현상

밑줄 친 ㉠~㉣ 중 사회·문화 현상을 옳게 짝지은 것은?

> 지구 온난화로 인해 빙하가 점점 줄어들고 있다. 그런데 ㉠ 지구 온난화로 빙하가 무너져 내릴수록 ㉡ 빙하 주변 지역의 관광객은 오히려 증가하고 있다. 즉, ㉢ 이산화 탄소를 배출하는 인간의 활동에 의해 지구 온난화가 일어나고, ㉣ 지구 온난화에 따라 변화하는 자연의 모습을 보기 위해 사람들은 자동차와 비행기를 타고 오면서 또다시 이산화 탄소를 배출한다.

① ㉠, ㉡ ② ㉠, ㉢ ③ ㉡, ㉢
④ ㉡, ㉣ ⑤ ㉢, ㉣

개념 가이드

사회·문화 현상이란 사람들이 ❶ [　　　] 을/를 맺고, 사회적 ❷ [　　　] 을/를 한 결과로 나타나는 인간의 모든 사회 활동 및 이와 관련된 현상이다. 답 ❶ 사회적 관계 ❷ 상호 작용

대표 예제 3 — 기능론

사회·문화 현상을 바라보는 을의 관점으로 옳은 것은?

> (갑) 뉴스를 보니까 청년 실업률이 역대 최대치를 기록했대. 청년 실업 문제가 심각해.

> (을) 청년 실업은 일시적인 병리 현상이야. 자신의 적성을 파악하고 이에 맞는 능력을 갖추기 위해 청년층이 스스로 노력하고, 정부의 적극적인 대책이 마련되면 청년 실업 문제는 해결될 수 있어.

① 기능론 ② 갈등론
③ 교환 이론 ④ 깨진 창문 이론
⑤ 상징적 상호 작용론

개념 가이드

기능론은 사회를 하나의 ❺ [　　　] 통합 체계로 보고, 사회 제도나 집단 등이 상호 ❻ [　　　] 을/를 갖고 일정한 기능을 수행하면서 사회가 유지된다고 본다. 답 ❺ 유기적 ❻ 연관성

대표 예제 2 — 거시적 관점과 미시적 관점

㉠, ㉡에 들어갈 이론을 옳게 연결한 것은?

> [　㉠　] 관점에서는 사회 제도나 구조에 초점을 두고 사회라는 큰 체계 속에서 사회·문화 현상을 파악한다. 주로 갈등론과 [　㉡　] 에서 거시적 관점이 많이 나타난다.

	㉠	㉡
①	거시적	기능론
②	거시적	상징적 상호 작용론
③	미시적	기능론
④	미시적	상징적 상호 작용론
⑤	중립적	기능론

개념 가이드

❸ [　　　] 관점은 사회 제도나 구조에 초점을 두고, ❹ [　　　] 관점은 사회적 행위자인 구성원 간의 상호 작용에 초점을 맞춘다. 답 ❸ 거시적 ❹ 미시적

대표 예제 4 — 기능론

기능론의 관점에서 ㉠~㉢에 들어갈 대답을 옳게 연결한 것은?

질문	대답
사회 변동보다 사회 안정을 지향하는가?	㉠
사회 제도가 지배 집단에게 유리하게 구성되었다고 보는가?	㉡
사회 변동을 설명하기 어려운가?	㉢

	㉠	㉡	㉢
①	예	예	예
②	예	아니요	예
③	예	아니요	아니요
④	예	예	아니요
⑤	아니요	예	예

개념 가이드

기능론은 사회 갈등이나 변동의 중요성을 간과하며, 혁명과 같은 ❼ [　　　] 을/를 설명하기 어렵다는 한계가 있다. 답 ❼ 사회 변동

대표 예제 5 갈등론

다음 의견에서 교육 제도를 바라보는 관점으로 옳은 것은?

> 우리 사회의 기득권층이 요구하는 내용을 배우는 과정이 교육이라고 생각 해요. 예를 들어, 사회에서 강조하는 기본 습관, 즉 "다른 사람과 충돌하지 마라.", "과제는 정해진 시간 안에 해야 한다."라고 하는 것도 산업 현장에서 기득권층이 요구하는 대로 일할 수 있도록 준비시키려는 거죠.

① 기능론 ② 갈등론
③ 교환 이론 ④ 깨진 창문 이론
⑤ 상징적 상호 작용론

개념 가이드

갈등론은 한 사회에서 **❽** 을/를 많이 가진 집단과 그렇지 않은 집단이 지배와 피지배 관계를 이루고 있다고 보는 관점이다.

답 ❽ 희소가치

대표 예제 6 갈등론의 한계

다음은 갈등론의 한계를 서술한 갑과 을의 답안이다. 옳게 서술한 학생은?

> • 갑 답안
> 개인 행위자의 상호 작용에 영향을 미치는 사회 구조나 제도의 힘을 경시 한다.

> • 을 답안
> 사회 구성 요소가 조화와 균형을 이루면서 사회가 안정적으로 유지되는 상황을 설명하기 어렵다.

( )

개념 가이드

갈등론은 사회가 **❾** 으로 유지되는 상황을 설명하기 어렵다는 한계가 있다.

답 ❾ 안정적

대표 예제 7 상징적 상호 작용론

노인 문제를 바라보는 을의 관점으로 옳은 것은?

> 최근 노인 단독 가구가 증가하고 있는데, 이는 가정이 노인을 봉양 하는 역할을 제대로 하지 못해 발생한 결과야. 따라서 가정의 노인 부양 기능을 다시 회복할 수 있는 방안이 필요해.

> 그것보다 현재 우리 사회에서 노인의 의미, 그리고 어른의 의미가 무엇인지 다시 생각해 보아야 해. 특히 젊은 사람들이 나이 든 부모나 노인을 어떻게 이해하는지 파악해야 해.

갑 을

① 기능론 ② 갈등론
③ 교환 이론 ④ 깨진 창문 이론
⑤ 상징적 상호 작용론

개념 가이드

상징적 상호 작용론에서는 개인들이 일상적으로 상호 작용하는 과정에서 나타나는 행위의 주관적인 **❿** 와/과 의미의 해석에 초점을 둔다.

답 ❿ 동기

대표 예제 8 상징적 상호 작용론

다음 글에 나타난 사회·문화 현상을 바라보는 관점에 대한 설명으로 옳은 것은?

> 사회는 주변의 모든 것에 의미를 부여하는 개인이나 집단들에 의해 구성되며, 사회 문제는 사회 구성원이 서로 공유하는 의미가 무엇이냐에 따라 다르게 규정된다.

① 인간의 자율성을 경시한다.
② 사회 질서와 통합을 중시한다.
③ 사회 구조의 강제력을 강조한다.
④ 사회 변동을 설명하기 어렵다는 한계가 있다.
⑤ 사회적 행위의 동기에 대한 해석을 중시한다.

개념 가이드

상징적 상호 작용론에서는 사회 구성원이 자신의 상황에 대해 각자의 의미를 부여하고 해석하는 **⓫** 을/를 통해 행동한다고 본다.

답 ⓫ 상황 정의

2 ^일 사회·문화 현상의 탐구 방법과 태도

Quiz (면접법 , 참여 관찰법)은 연구자가 연구 대상자와 깊이 있는 대화를 통해 자료를 수집하는 방법이다.

답 면접법

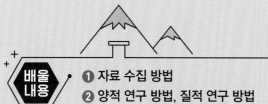

Quiz 가치 함축적인 사회·문화 현상은 자연 현상과 본질적으로 다르기 때문에 다른 방법으로 연구해야 한다는 방법론적 이원론에 기초한 사회·문화 현상의 탐구 방법은?

답 질적 연구 방법

2일 교과서 핵심 정리 ①

개념 1 **자료 수집 방법**

1 문헌 연구법

의미	일상에 대한 기록, 통계 자료 등 기존 문헌에서 자료를 수집하는 방법
장점	시간과 비용을 절약할 수 있음. 시간과 공간의 제약을 극복할 수 있음.
단점	기존 자료의 신뢰성에 문제가 있을 수 있음. 연구자의 주관이 개입될 수 있음.

2 실험법

의미	계획적으로 어떤 조건을 만들어 변화를 주고, 그에 따른 변화를 관찰하여 자료를 수집하는 방법
장점	❶ [ ]을/를 파악할 수 있음. 실증적이고 객관화된 자료를 구하는 데 활용할 수 있음.
단점	윤리 문제가 발생할 수 있음. 통제된 실험 내용을 일상생활에 적용하기 어려움.

❶ 인과 관계

3 질문지법

의미	조사 내용을 질문으로 구성한 후 ❷ [ ]이/가 기입하게 하는 방법
장점	시간과 비용을 절약할 수 있음. 통계적인 분석과 비교 분석이 용이함.
단점	결과가 왜곡될 수 있음.

❷ 연구 대상자

4 면접법

의미	연구자가 연구 대상자와 깊이 있는 ❸ [ ]을/를 통해 자료를 수집하는 방법
장점	문맹자에게 사용할 수 있음. 심층적인 정보를 얻을 수 있음.
단점	연구에 적합한 대상을 찾기 어려움. 시간과 비용이 많이 듦. 연구자의 주관이 개입될 수 있음.

❸ 대화

5 참여 관찰법

의미	연구자가 연구 대상과 함께 생활하거나 연구 대상의 활동에 참여하면서 현상을 직접 ❹ [ ]하여 자료를 수집하는 방법
장점	❺ [ ]이/가 어려운 집단에 사용할 수 있음. 생동감 있고 깊이 있는 정보를 파악할 수 있음.
단점	시간과 비용이 많이 듦. 연구자의 주관이 개입될 수 있음. 예상하지 못한 변수가 발생할 수 있음.

❹ 관찰
❺ 의사소통

정답과 해설 **65**쪽

1 빈칸에 들어갈 알맞은 말을 쓰시오.

(1) ( )은/는 사회·문화 현상을 연구한 보고서, 일상에 대한 기록, 통계 자료 등 기존 문헌에서 자료를 수집하는 방법이다.

(2) ( )은/는 연구자가 연구 대상자와 깊이 있는 대화를 통해 자료를 수집하는 방법이다.

2 다음 내용에 해당하는 자료 수집 방법을 〈보기〉에서 고르시오.

┌─────────── • 보기 •───────────┐
  ㄱ. 실험법   ㄴ. 면접법
  ㄷ. 질문지법   ㄹ. 문헌 연구법
  ㅁ. 참여 관찰법
└───────────────────────────────┘

(1) 계획적으로 어떤 조건을 만들어 변화를 주고, 그에 따른 변화를 관찰하여 자료를 수집하는 방법
( )

(2) 조사 내용을 질문으로 구성한 후 연구 대상자가 기입하게 하여 자료를 수집하는 방법 ( )

(3) 연구자가 연구 대상과 함께 생활하거나 연구 대상의 활동에 참여하면서 현상을 직접 관찰하여 자료를 수집하는 방법 ( )

3 괄호 안의 내용 중 알맞은 말을 골라 ○표 하시오.

(1) 질문지법은 조사 결과의 통계적인 분석과 비교 분석이 (쉽다 , 어렵다).

(2) 문헌 연구법은 문헌 자료의 (신뢰성 , 객관성)이 낮으면 문제가 생길 수 있다.

(3) 실험법은 (실증적 , 주관적)이고 객관화된 자료를 구하는 데 활용할 수 있다.

4 제시문에서 연구자 갑이 사용한 자료 수집 방법을 쓰시오.

┌──┐
│ 연구자 갑은 2006년 등교 시간, 쉬는 시간, 체육 │
│ 시간, 점심시간, 방과 후 시간에 중학교 운동장에 │
│ 서 학생들의 활동에 참여하며 직접 관찰하여 운동 │
│ 장이 학생들에게 어떤 공간인지를 연구하였다. │
│ 1년 동안 매주 세 번 이상 관찰하였고, 관찰 내용은 │
│ 바로 기록하였으며, 기록을 보완하기 위해 수시로 │
│ 학생들의 활동을 촬영하였다. │
└──┘

( )

개념 2 양적 연구 방법, 질적 연구 방법

구분	양적 연구 방법	질적 연구 방법
전제	방법론적 일원론	방법론적 이원론
탐구절차	연구 문제 인식 → 가설 설정 → 연구 설계 → 자료 수집 → 자료 분석 → 가설 검증 및 결론 도출	연구 문제 인식 → 연구 설계 → 자료 수집 → 자료 분석 → 결론 도출
특징	사회·문화 현상의 양적 수치화를 위해 개념의 ❶ [　　　] 과정을 거침.	사회적 맥락에서 관찰 행위에 대한 의미 해석을 시도함.
장점	연구자의 주관 개입 통제, 정확하고 정밀한 연구 가능, 일반화나 인과 법칙 발견 용이	행위 이면에 담긴 의미 이해에 유용함.
한계	내면세계에 대한 연구가 어려움.	연구자의 ❷ [　　　] 이/가 개입될 수 있음. 일반화나 법칙 발견이 어려움.

❶ 조작적 정의

❷ 주관

개념 3 사회·문화 현상을 이해하는 태도와 윤리

1 사회·문화 현상의 탐구 태도

객관적 태도	연구 과정에서 자신의 주관이나 가치, 이해관계를 떠나 제삼자의 관점에서 있는 그대로 현상을 관찰하려는 태도
개방적 태도	연구를 진행하면서 편협한 주장이나 이론에 빠지지 않고, 연구 결과에 대하여 다른 연구자의 ❸ [　　　] 을/를 허용하는 태도
상대주의적 태도	사회·문화 현상이 지닌 고유한 의미와 가치를 해당 사회 집단의 맥락이나 환경을 고려하여 이해하려는 태도
성찰적 태도	사회·문화 현상의 이면의 의미를 살펴보거나, 연구 진행 과정을 제대로 수행하고 있는지 되짚어 보려는 태도

❸ 비판

2 가치 중립과 가치 개입

가치 중립	사회·문화 현상을 탐구할 때, 연구자의 주관적인 가치와 이해관계를 배제하는 태도 → 자료 수집 및 ❹ [　　　], 가설 검증 및 결론 도출 과정에서 필요함.
가치 개입	연구 과정에서 연구 문제와 목적을 정할 때 연구자의 주관이나 가치를 고려하는 태도 → 문제 인식 및 가설 설정, 연구 설계, 연구 결과 활용 과정에서 허용됨.

❹ 자료 분석

3 연구 윤리 연구 대상의 사적인 정보 유출 금지 등 ❺ [　　　] 보호, 자료 수집 과정에서 자료 조작 금지, 연구 결과 발표 과정에서 왜곡 금지, 연구 결과를 도용하는 ❻ [　　　] 침해 금지, 연구 결과의 윤리적 활용 등

예 연구자의 주관적 가치 때문에 연구 과정이나 결과가 왜곡되어서는 안 된다.

❺ 사생활

❻ 저작권

정답과 해설 **65**쪽

5 다음 그림에 해당하는 사회·문화 현상의 연구 방법을 쓰시오.

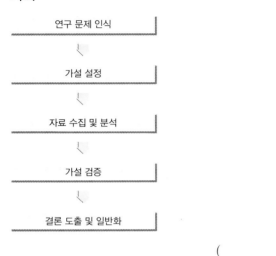

연구 문제 인식

↓

가설 설정

↓

자료 수집 및 분석

↓

가설 검증

↓

결론 도출 및 일반화

(   )

6 괄호 안의 내용 중 알맞은 말을 골라 ○표 하시오.

(1) (양적 연구 방법 , 질적 연구 방법)에서는 개념의 조작적 정의가 필수적이다.

(2) 질적 연구 방법은 (방법론적 일원론 , 방법론적 이원론)을 기초로 한다.

(3) 자료 수집 및 자료 분석 단계에서는 (가치 개입 , 가치 중립)을 지켜야 한다.

7 다음 설명에 해당하는 사회·문화 현상의 탐구 태도를 〈보기〉에서 고르시오.

━━━━━━━━━━ • 보기 •

ㄱ. 객관적 태도   ㄴ. 개방적 태도

ㄷ. 성찰적 태도   ㄹ. 상대주의적 태도

(1) 사회·문화 현상을 있는 그대로 받아들이기보다는 그 이면의 의미를 살펴보거나, 연구 진행 과정을 제대로 수행하고 있는지 되짚어 보려는 태도이다.

(   )

(2) 연구를 진행하면서 편협한 주장이나 이론에 빠지지 않고, 연구 결과에 대하여 다른 연구자의 비판을 허용하는 태도이다. (   )

(3) 사회·문화 현상이 지닌 고유한 의미와 가치를 해당 사회 집단의 맥락이나 환경을 고려하여 이해하려는 태도이다. (   )

8 다음은 베버와의 가상 대화이다. 빈칸에 공통으로 들어갈 알맞은 말을 쓰시오.

대담자: 사회 과학 연구에서 연구자의 ⬜⬜⬜⬜ 이/가 필요한 까닭은 무엇인가요?

베버: 연구에 가치나 감정이 개입되면 과학적 지식을 얻을 수 없으므로 ⬜⬜⬜⬜ 이/가 필요합니다.

(   )

대표 예제 1 질문지법

다음과 같은 특징을 가진 자료 수집 방법은?

> • 시간과 비용이 절약된다.
> • 자료의 비교와 분석이 쉽다.
> • 응답지 회수율이 낮을 수 있다.
> • 성의 없는 답변의 우려가 있다.

① 실험법   ② 면접법
③ 질문지법   ④ 문헌 연구법
⑤ 참여 관찰법

개념 가이드

질문지법은 조사 내용을 ❶ _____ (으)로 구성한 후 연구 대상자
가 기입하게 하여 자료를 수집하는 방법이다.   답 ❶ 질문

대표 예제 3 자료 수집 방법

자료 수집 방법에 대한 옳은 설명을 〈보기〉에서 고른 것은?

> ● 보기 ●
> ㄱ. 실험법은 자료 수집 상황에 대한 통제 수준과 경제성
> 이 모두 낮다.
> ㄴ. 질문지법은 자료 수집 상황에 대한 통제 수준은 높고,
> 경제성은 낮다.
> ㄷ. 참여 관찰법은 자료 수집 상황에 대한 통제 수준과 경
> 제성이 모두 낮다.
> ㄹ. 질문지법은 실험법이나 참여 관찰법에 비해 대규모 집
> 단을 대상으로 한 자료 수집에 적합하다.

① ㄱ, ㄴ   ② ㄱ, ㄷ   ③ ㄴ, ㄷ
④ ㄴ, ㄹ   ⑤ ㄷ, ㄹ

개념 가이드

실험법은 조건을 엄격히 통제하기 때문에 ❸ _____ 을/를 명확히
파악할 수 있다.   답 ❸ 인과 관계

대표 예제 2 자료 수집 방법

A~C의 자료 수집 방법을 옳게 연결한 것은?

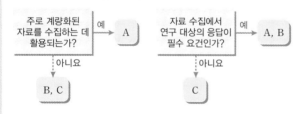

※ A~C는 각각 질문지법, 면접법, 참여 관찰법 중 하나임.

	A	B	C
①	면접법	질문지법	참여 관찰법
②	면접법	참여 관찰법	질문지법
③	질문지법	면접법	참여 관찰법
④	질문지법	참여 관찰법	면접법
⑤	참여 관찰법	면접법	질문지법

개념 가이드

연구 대상과 상호 작용을 하는 자료 수집 방법인 ❷ _____ 과 참
여 관찰법은 연구 대상과 연구자 간의 신뢰감 형성이 자료 수집에 큰
영향을 미친다.   답 ❷ 면접법

대표 예제 4 면접법과 질문지법

(가)에 들어갈 수 있는 질문으로 가장 적절한 것은?

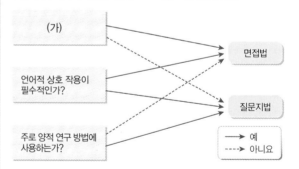

① 접근이 어려운 지역을 조사하기에 용이한가?
② 연구 대상자와의 정서적 교감을 중시하는가?
③ 실험 상황을 만들어 인위적인 조작을 가하는가?
④ 연구자가 현상이 발생하는 현지에서 연구하는가?
⑤ 주로 기존의 연구 동향을 파악하려고 사용하는가?

개념 가이드

질문지법은 주로 ❹ _____ 연구 방법에, 면접법은 주로
❺ _____ 연구 방법에 사용한다.   답 ❹ 양적 ❺ 질적

대표 예제 5 참여 관찰법

다음과 같은 자료 수집 방법에 대한 설명으로 옳지 <u>않은</u> 것은?

> 문화 인류학자 갑은 5년간 아프리카의 원시부족을 찾아가 그들과 함께 생활하면서 보고 듣고 느낀 점을 바탕으로 책을 출간하였다.

① 시간과 비용이 많이 든다.
② 연구자의 주관이 개입될 수 있다.
③ 자료의 실제성을 확보하기 어렵다.
④ 예측하지 못한 상황을 통제하기 어렵다.
⑤ 의사소통이 어려운 집단을 조사할 때 유용하다.

개념 가이드

❻ ☐☐☐☐☐은 연구자가 연구 대상과 함께 생활하거나 연구 대상의 활동에 참여하면서 현상을 직접 관찰하여 자료를 수집하는 방법이다.
답 ❻ 참여 관찰법

대표 예제 6 양적 연구 방법과 질적 연구 방법

사회·문화 현상의 연구 방법 (가), (나)에 대한 설명으로 옳은 것은?

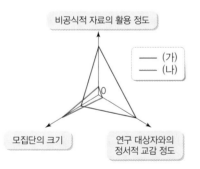

① (가)는 방법론적 일원론에 기초한다.
② (가)는 일반화나 법칙 발견에 어려움이 있다.
③ (가)는 개념의 조작적 정의 과정을 거친다.
④ (나)는 방법론적 이원론에 기초한다.
⑤ (나)는 관찰 행위에 대한 의미 해석을 시도한다.

개념 가이드

방법론적 ❼ ☐☐☐에 기초한 것이 양적 연구 방법이고, 방법론적 ❽ ☐☐☐에 기초한 것이 질적 연구 방법이다.
답 ❼ 일원론 ❽ 이원론

대표 예제 7 사회·문화 현상의 탐구 태도

밑줄 친 '이 태도'로 가장 적절한 것은?

> 사회·문화 현상의 연구에서 현상 이면의 의미를 살펴보려는 <u>이 태도</u>를 갖기 위해서는 '사회학적 상상력'이 요구된다. 사회학적 상상력이란 관련 주제를 확대하면서 다양한 연구 질문을 통해 특정 현상에 대해 이해하는 것을 말한다.

① 객관적 태도   ② 개방적 태도
③ 성찰적 태도   ④ 상대주의적 태도
⑤ 가치 중립 태도

개념 가이드

❾ ☐☐☐ 태도에서는 아무런 의문이나 반성 없이 연구 과정을 수용하면 사회·문화 현상의 발생 원인이나 의미를 파악하기 어렵다는 점을 고려한다.
답 ❾ 성찰적

대표 예제 8 가치 중립

다음 글에 나타난 연구 과정의 문제점으로 가장 적절한 것은?

> 연구자 갑은 면접법을 사용하여 학교 폭력에 대한 연구를 하였다. 그런데 갑은 학교 폭력 가해자를 면접하는 과정에서 어렸을 때 자신을 괴롭혔던 친구의 얼굴이 떠올랐다. 결국 갑은 학교 폭력 가해자에게 나타나는 폭력성을 강하게 부각한 연구 결과를 제시하였다.

① 타인의 연구 결과를 도용하였다.
② 연구 결과를 사회적으로 악용하였다.
③ 연구 대상자의 사생활을 보호하지 않았다.
④ 타인의 주장을 수용하여 연구를 진행하였다.
⑤ 자료 수집 과정에서 자신의 경험을 개입시켰다.

개념 가이드

연구 문제와 목적을 정할 때는 가치 개입이 허용되지만, 자료 수집·분석, 결론 도출 단계에서는 ❿ ☐☐☐☐이/가 필요하다.
답 ❿ 가치 중립

3 ^일 인간의 사회화

Quiz 기초적인 생활 방식을 익히고, 기본 인성과 가치관이 형성되는 유아기와 아동기에는 (가족, 학교)이/가 가장 중요한 사회화 기관이다.

가족은 유아기와 아동기에 가장 중요한 사회화 기관이다. 가족 구성원과의 상호 작용을 통해 언어, 예절 및 의식주 습관 등 기본적인 생활 양식을 습득한다.

또래 집단은 아동기를 거쳐 청소년기에 들어서면서 영향력이 커진다. 또래 집단과의 상호 작용을 통해 집단생활의 규칙을 습득하고 또래 문화를 공유한다.

학교는 학생들의 발달 단계에 맞추어 사회 구성원으로 살아가는 데 필요한 내용을 선별하여 가르친다. 학생들은 학교생활을 통해 사회적 관계나 집단생활의 규칙을 습득한다.

직장에서 개인은 직업 활동을 수행하는 데 필요한 지식, 가치, 태도 등을 형성해 나간다.

대중 매체는 사회 구성원들에게 새로운 정보를 제공하고 변화된 삶의 방식을 소개한다. 이를 통해 사회 구성원들은 사회 공통의 행동 양식과 사고방식 등을 배울 수 있다.

답 가족

Quiz 개인이 사회 속에서 차지하는 위치를 가리키는 사회학적 용어는?

자원봉사자

성취 지위

동아리 부원

성취 지위

사회 안에서 모든 구성원들은 일정한 사회적 지위를 갖게 돼.

지위에는 선천적으로 주어지는 귀속 지위와 후천적으로 얻게 되는 성취 지위가 있어.

누나

귀속 지위

고등학생

성취 지위

답 사회적 지위

개념 1 개인과 사회의 관계를 바라보는 관점

구분	사회 실재론	사회 명목론
의미	사회는 개인의 외부에 실제로 존재한다고 보는 관점	사회는 개인의 합에 이름을 붙인 것으로 실제로 존재하지 않는다는 관점
기본 입장	• 사회는 개인으로 환원할 수 없는 고유한 성격을 가짐. • 사회는 개인의 사고와 행위의 한계를 정하고 구속함.	• 사회는 명목상으로 존재함. • 실제로 존재하는 것은 사회가 아니라 ❶ 에 따라 행동하는 개인임.
장점	개인이 ❷ 의 영향을 받아 사고하고 행동한다는 점을 잘 설명함.	개인이 능동적인 존재이며 사회를 변화시키는 원동력이 될 수 있다는 점을 인정함.
한계	개인이 자율성을 갖고 사회를 변화시킬 수 있는 존재라는 점을 간과할 수 있음.	사회가 개인에게 미치는 영향을 간과할 수 있음.

❶ 자유 의지

❷ 사회

개념 2 사회화와 사회화 기관

1 사회화 자신이 속한 사회의 행동 방식과 사고방식을 ❸   하는 과정

❸ 학습

2 사회화 기관 개인의 ❹   에 영향을 미치는 기관

❹ 사회화

가족	유아기와 아동기에 가장 중요한 기관으로 기본적인 생활 양식을 습득함.
또래 집단	청소년기에 또래 집단과의 결속력이 자아 정체성 형성에 큰 영향을 미침.
학교	사회 구성원으로 살아가는 데 필요한 내용을 배우고, 사회적 관계나 집단생활의 규칙을 습득함.
직장	직업 활동을 수행하는 데 필요한 지식이나 가치, 태도 등을 형성함.

3 사회화 기관의 유형 및 특징

(1) ❺   에 따른 분류

❺ 형성 목적

공식적 사회화 기관	사회화 자체를 목적으로 형성된 기관 ⓔ 학교, 직업 훈련소 등
비공식적 사회화 기관	사회화를 목적으로 형성된 기관은 아니지만 사회화가 이루어지는 기관 ⓔ 가족, 직장 등

(2) 사회화의 ❻   에 따른 분류

❻ 내용

1차적 사회화 기관	자아와 인성의 기본 틀을 형성하고 사회생활의 기초적인 행동 양식을 습득하는 데 영향을 미치는 기관 ⓔ 가족, 또래 집단 등
2차적 사회화 기관	전문적인 지식과 정보 등을 사회화하는 기관 ⓔ 학교, 직장 등

1 빈칸에 들어갈 알맞은 말을 쓰시오.

(1) (   )은/는 사회가 개인의 속성과는 구별되는 독립적인 실체이며, 개인의 외부에 실제로 존재한다고 보는 관점이다.

(2) (   )은/는 사회가 개인의 합에 이름을 붙인 것으로 실제로 존재하지 않는다는 관점이다.

2 다음은 (가)에 대한 인터넷 검색 결과이다. (가)에 들어갈 알맞은 말을 쓰시오.

◀ ▶ C	(가) Q ☰

인간은 태어나 다른 사람들과 생활하면서 자신이 속한 사회의 언어, 행동 양식, 규범 등을 익히며 성장해 나간다. 이처럼 (가) 은/는 인간이 사회생활에 필요한 것을 학습하면서 사회적 존재로 성장해 나가는 과정이다.

(   )

3 빈칸에 공통으로 들어갈 알맞은 사회화 기관을 쓰시오.

      은/는 유아기와 아동기에 가장 중요한 사회화 기관이다. 인간은   구성원과의 상호 작용을 통해 언어, 예절 및 의식주 습관 등 기본적인 생활 양식을 습득한다.

(   )

4 사회화 기관과 그 내용을 바르게 연결하시오.

(1) 가족 •   • ㉠ 직업 활동에 필요한 지식이나 가치, 태도 등 형성

(2) 학교 •   • ㉡ 사회적 관계나 집단생활의 규칙 습득

(3) 직장 •   • ㉢ 기본적인 생활 양식 습득

5 다음 〈보기〉에 나타난 사회화 기관을 유형에 따라 구분하시오.

• 보기 •
ㄱ. 가족   ㄴ. 학교
ㄷ. 직장   ㄹ. 또래 집단

(1) 1차적 사회화 기관   (   )

(2) 2차적 사회화 기관   (   )

(3) 공식적 사회화 기관   (   )

(4) 비공식적 사회화 기관   (   )

3일 교과서 핵심 정리 ②

개념 3 **사회적 지위**

1 의미 개인이 사회 속에서 차지하는 ❶ [　　　]

2 유형

귀속 지위	개인의 의지나 노력과 상관없이 선천적으로 주어지는 지위 **예** 남자, 여자, 장녀, 막내아들 등
성취 지위	개인의 의지와 노력을 통해 ❷ [　　　](으)로 획득한 지위 **예** 어머니, 아버지, 운동선수, 대학생 등

예 전통적 신분 사회에서는 귀속 지위가 중요했지만, 현대 사회에서는 성취 지위의 중요성이 더 커지고 있다.

❶ 위치

❷ 후천적

개념 4 **역할과 역할 행동**

1 역할 지위에 따라 사회적으로 기대하는 ❸ [　　　]

2 역할 행동 개인이 사회적 역할을 수행하는 방식

예 역할 행동이 잘 이루어지면 보상이 주어지지만, 기대하는 바를 수행하지 못하면 제재가 가해진다.

❸ 행동 양식

개념 5 **역할 갈등**

1 역할 갈등 한 개인이 동시에 두 가지 이상의 서로 다른 ❹ [　　　]에 따른 역할을 수행하고자 할 때, 역할 간에 충돌이 발생하는 것

> 직장인으로서 맡은 업무를 처리하기 위해 회사에 출근해야 할까, 부모로서 아들의 학교 운동회에 참석해야 할까?

❹ 지위

2 역할 갈등의 해결

개인적 해결	역할의 우선순위를 정하여 더 중요한 역할을 선택함.
❺ [　　　] 해결	사회 구성원들이 역할 갈등을 겪지 않도록 예방하고 지원하는 제도나 시설을 마련함.

예 역할의 우선순위는 사회·문화적 맥락이나 개인의 가치관에 따라 달라질 수 있다.

❺ 사회적

6 ㉠~㉣을 귀속 지위와 성취 지위로 구분하시오.

㉠ 여성

㉡ 딸

나

㉢ 학생

㉣ 봉사단원

(1) 귀속 지위   (   )

(2) 성취 지위   (   )

8 빈칸에 들어갈 알맞은 사회학적 개념을 쓰시오.

> 갑과 을은 같은 학교에서 각각 다른 반의 담임교사를 맡고 있다. 훌륭한 학급을 만들기 위해 갑은 엄격한 통제 방식으로 학급을 운영하는 데 비해, 을은 학생들의 참여와 화합을 바탕으로 학급을 운영한다. 이처럼 역할이 같더라도 □□□□은/는 개인마다 다를 수 있다.

(   )

3일

7 빈칸에 들어갈 알맞은 말을 쓰시오.

(1) 개인이 사회 속에서 차지하는 위치를 (   )(이)라고 한다.

(2) (   )(이)란 지위에 따라 사회적으로 기대하는 행동 양식을 말한다.

(3) 개인이 사회적 역할을 실제로 수행하는 방식을 (   )(이)라고 한다.

(4) 한 개인이 동시에 두 가지 이상의 서로 다른 (   )에 따른 역할을 수행하고자 할 때, 역할 간에 충돌이 발생하는 것을 역할 갈등이라고 한다.

9 괄호 안의 내용 중 알맞은 말을 골라 ○표 하시오.

(1) 사회가 다원화되고 개인의 사회적 지위가 다양해지면서, 개인은 더 많은 (귀속 지위 , 역할 갈등)을 경험하게 된다.

(2) 역할 갈등을 해결하기 위해 (개인적 , 사회적)으로는 역할의 우선순위를 정하여 더 중요한 역할을 선택할 수 있다.

(3) 역할 갈등을 해결하기 위해 (개인적 , 사회적)으로는 사회 구성원들이 역할 갈등을 겪지 않도록 예방하고 지원하는 제도나 시설을 마련해야 한다.

대표 예제 1 사회 명목론

을과 같이 개인과 사회의 관계를 바라보는 관점은?

> 갑: 회사 실적이 계속 떨어져서 큰일이군요. 우리 회사를 어떻게 변화시켜야 할까요?
> 을: 무엇보다 중요한 것은 직원 개개인의 능력입니다. 변화가 필요한 곳에 능력이 뛰어난 사람을 배치한다면, 반드시 좋은 성과를 낼 수 있을 것입니다.

(   )

개념 가이드

개인과 사회의 관계를 바라보는 관점에는 **❶**⬚⬚⬚⬚ 와/과 사회 명목론이 있다.
답 ❶ 사회 실재론

대표 예제 2 사회화

다음 글을 통해 설명할 수 있는 사회학적 개념으로 가장 적절한 것은?

> 소설 『정글북』의 주인공 모글리는 갓난아이일 때부터 숲에서 늑대와 함께 성장한다. 어느 날 모글리는 자신이 동물들과 다른 존재라는 것을 깨닫고 사람들이 사는 마을로 내려와 한 부부와 살게 된다. 하지만 숲 속 동물들처럼 행동하던 모글리는 사람들의 생활 방식에 맞춰 살아가는 것에 어려움을 겪는다.

① 역할   ② 사회화   ③ 재사회화
④ 역할 갈등   ⑤ 역할 행동

개념 가이드

모글리는 성장하면서 인간다운 인간이 되는 데 필요한 **❷**⬚⬚⬚⬚ 과정을 경험하지 못했기 때문에 어려움을 겪었다.
답 ❷ 사회화

대표 예제 3 사회화 기관

다음 사회화 기관에 대한 설명으로 옳은 것은?

① 기본적인 생활 양식을 습득한다.
② 사회화를 목적으로 형성되지 않는다.
③ 사회적 관계나 집단생활의 규칙을 습득한다.
④ 모든 사회 구성원에게 새로운 정보를 제공한다.
⑤ 유아기와 아동기에 가장 중요한 사회화 기관이다.

개념 가이드

개인의 사회화에 영향을 미치는 기관을 **❸**⬚⬚⬚⬚ (이)라고 하는데, 가족, 또래 집단, 학교, 직장 등이 있다.
답 ❸ 사회화 기관

대표 예제 4 사회화 기관

A~C에 해당하는 사회화 기관의 유형은?

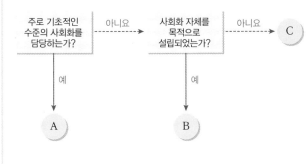

개념 가이드

사회화 기관은 **❹**⬚⬚⬚⬚ 에 따라 공식적 사회적 기관과 비공식적 사회화 기관으로 나뉘고, **❺**⬚⬚⬚⬚ 에 따라 1차적 사회화 기관과 2차적 사회화 기관으로 나뉜다.
답 ❹ 형성 목적 ❺ 사회화의 내용

 사회화 기관

밑줄 친 ㉠~㉤ 중 공식적 사회화 기관에 해당하는 것은?

〈오늘의 일정〉

2021년 ○월 ○일

09:00	㉠ ○○ 대학 신입생 오리엔테이션
11:00	'청소년기에 ㉡ 또래 집단이 인격 형성에 미치는 영향력'을 주제로 한 모둠별 발표 준비 모임
13:00	고등학교 ㉢ 동문회 점심 약속
15:00	일류 ㉣ 기업 CEO의 강연 참석
19:00	할아버지 칠순 기념 ㉤ 가족 모임

① ㉠   ② ㉡   ③ ㉢   ④ ㉣   ⑤ ㉤

개념 가이드

공식적 사회화 기관은 ❻ [   ]을/를 목적으로 형성된 기관으로, 학교나 직업 훈련소 등이 있다.

답 ❻ 사회화

대표 예제 6 사회적 지위

밑줄 친 ㉠~㉤ 중 귀속 지위에 해당하는 것은?

① ㉠   ② ㉡   ③ ㉢   ④ ㉣   ⑤ ㉤

개념 가이드

사회적 지위에는 선천적으로 주어지는 ❼ [   ]와/과 개인의 의지와 노력을 통해 후천적으로 획득하는 ❽ [   ]이/가 있다.

답 ❼ 귀속 지위 ❽ 성취 지위

대표 예제 7 역할 갈등의 의미

을이 겪고 있는 상황을 설명할 수 있는 사회학적 개념은?

(   )

개념 가이드

한 개인이 동시에 두 가지 이상의 서로 다른 지위에 따른 역할을 수행하고자 할 때, 역할 간에 충돌이 발생하는 것을 ❾ [   ](이)라고 한다.

답 ❾ 역할 갈등

대표 예제 8 역할 갈등의 해결

다음 사례에 대한 설명으로 옳은 것은?

대기업에 근무하는 갑은 영업팀 ㉠ 팀장으로서 중요한 프로젝트를 준비하느라 팀원들과 함께 계속 야근을 해야 하는데, 오늘 마침 자신이 ㉡ 회장을 맡고 있는 고등학교 동창회의 모임이 있어서 어떻게 해야 할지 고민하고 있다.

① ㉠은 귀속 지위이다.
② ㉡은 지위에 따른 역할 행동에 해당한다.
③ 갑은 하나의 지위를 가지고 있다.
④ 갑은 역할 갈등을 경험하고 있다.
⑤ 갑이 역할을 제대로 수행하지 못해 제재를 받고 있다.

개념 가이드

역할 갈등을 해결하려면 개인적으로는 역할의 ❿ [   ]을/를 정하여 더 중요한 역할을 선택할 수 있다.

답 ❿ 우선순위

4 일 사회 집단과 사회 조직

Quiz 다양한 사회 집단 중에서 한 개인이 자신의 행동과 판단의 기준으로 삼는 집단을 (내집단 / 준거 집단)이라고 한다.

내집단과 외집단

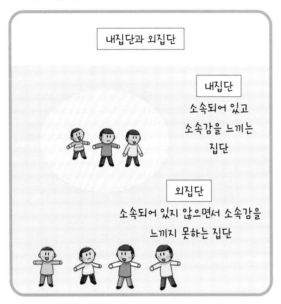

내집단
소속되어 있고
소속감을 느끼는
집단

외집단
소속되어 있지 않으면서 소속감을
느끼지 못하는 집단

1차 집단과 2차 집단

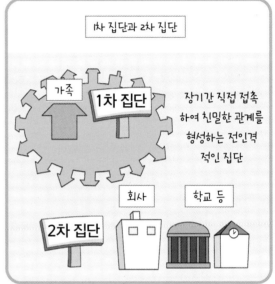

가족
1차 집단

장기간 직접 접촉
하여 친밀한 관계를
형성하는 전인격
적인 집단

회사   학교 등

2차 집단

공동체와 결사체

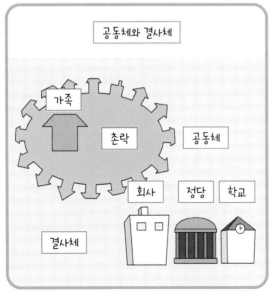

가족
촌락   공동체

결사체   회사   정당   학교

준거 집단

명문 S대학교

나도 열심히
공부해서 내년에
꼭 입학해야지.

답 준거 집단

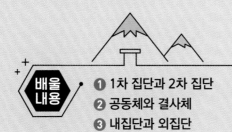

배울 내용

❶ 1차 집단과 2차 집단
❷ 공동체와 결사체
❸ 내집단과 외집단

❹ 준거 집단
❺ 공식 조직과 비공식 조직
❻ 관료제 조직과 탈관료제 조직

Quiz (관료제 조직 / 자발적 결사체)은/는 특정 목표를 달성하기 위해 구성원의 역할을 명확하게 구분하고 공식적인 규칙과 규정에 따라 운영하는 대규모 위계 조직이다.

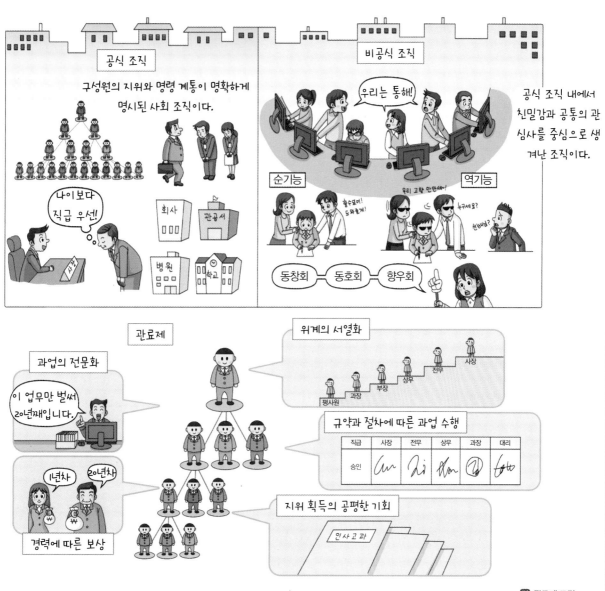

답 관료제 조직

개념 1 　사회 집단의 의미

1 **의미** 같은 집단의 구성원이라는 정체성을 가지고 지속적으로 **❶** 　　　　하는 사람들의 무리

2 **성립 요건** 둘 이상의 사람, 구성원들의 지속적인 상호 작용, 구성원들의 집단에 대한 소속감

3 **기능** 개인의 **❷** 　　　 형성에 영향을 미침. 사회 집단 내에서 개인 간, 사회 집단 간의 상호 작용은 사회를 움직이는 힘으로 작용할 수 있음.

　📘 사회 집단은 개인의 정체성 형성에 큰 영향을 미친다.

❶ 상호 작용

❷ 정체성

개념 2 　사회 집단의 유형

1 **1차 집단과 2차 집단** 구성원 간의 **❸** 　　　　와/과 친밀도에 따른 분류

1차 집단	• 구성원들이 대체로 장기간 직접 접촉하며 친밀한 관계를 형성하는 전인격적 집단　📘 가족 등 • 규모가 작고, 개인의 자아 및 정체성에 큰 영향을 주는 집단 • 구성원 간의 인간관계 그 자체를 목적으로 함.
2차 집단	• 구성원들이 간접적이고 부분적으로 접촉하며 상호 친밀감이 약한 집단　📘 회사, 학교 등 • 규모가 크고, 특정 이익이나 목적을 달성하기 위해 만들어진 집단 • 구성원 간의 인간관계가 수단적이고 형식적임.

❸ 접촉 방식

2 **공동체와 결사체** 구성원의 **❹** 　　　　에 따른 분류

공동체	• 인간의 본질적이고 자연적인 의지에 따라 자연 발생적으로 형성된 사회 집단 　📘 가족, 친족 등 • 구성원 간의 관계가 친밀하고 정서적이며 상호 신뢰와 협동심이 강함.
결사체	• 인간의 합리적이고 선택적인 의지에 따라 특정 목적을 위해 의도적으로 만들어진 사회 집단　📘 회사, 학교 등 • 공식적인 계약과 규칙에 따라 운영됨. 구성원 간의 관계가 타산적이고 목표 지향적임.

❹ 결합 의지

3 **내집단과 외집단** 구성원의 **❺** 　　　　에 따른 분류

내집단	• 개인이 소속되어 있으며, 소속감을 느끼고 있는 집단(우리 집단) • 구성원들이 서로에 대해 동료애와 유대감을 느낌.
외집단	• 개인이 소속되어 있지 않으면서, 소속감을 느끼지 못하는 집단(그들 집단) • 이질감을 넘어 경쟁이나 적대감의 대상이 됨.

❺ 소속감

4 **준거 집단**

(1) 의미: 한 개인이 자신의 행동과 판단의 **❻** 　　　　(으)로 삼는 집단

(2) 영향: 개인에게 생각이나 행동의 옳고 그름을 판단하는 지침을 제공함.

(3) 특징: 자신이 속한 집단과 준거 집단이 일치하면 소속 집단에 대한 만족감이 높아지고, 소속 집단과 준거 집단이 일치하지 않을 경우에는 상대적 박탈감을 느낄 수 있음.

　📘 사회 집단은 다양한 기준으로 구분할 수 있다.

❻ 기준

1 빈칸에 들어갈 알맞은 말을 쓰시오.

(1) (　　　　　)은/는 같은 집단의 구성원이라는 정체성을 가지고 지속적으로 상호 작용하는 사람들의 무리를 말한다.

(2) 사회 집단의 성립 요건은 둘 이상의 사람, 구성원들의 지속적인 (　　　　　), 구성원들의 집단에 대한 소속감이다.

(3) 다양한 사회 집단 중에서 한 개인이 자신의 행동과 판단의 기준으로 삼는 집단을 (　　　　　)(이)라고 한다.

3 다음 내용에 해당하는 사회 집단을 〈보기〉에서 고르시오.

보기

ㄱ. ▲ 가족　　ㄴ. ▲ 직장
ㄷ. ▲ 학교　　ㄹ. ▲ 또래 집단

(1) 직접적이고 전인격적인 접촉 방식을 바탕으로 한다. (　　　　　)

(2) 간접적이고 형식적인 접촉 방식을 바탕으로 한다. (　　　　　)

2 괄호 안의 내용 중 알맞은 말을 골라 ○표 하시오.

(1) (1차 집단 , 2차 집단)은 구성원들이 대체로 장기간 직접 접촉하며 친밀한 관계를 형성하는 전인격적인 집단이다.

(2) (공동체 , 결사체)는 인간의 합리적이고 선택적인 의지에 따라 특정 목적을 위해 의도적으로 만들어진 사회 집단이다.

(3) (내집단 , 외집단)은 개인이 소속되어 있지 않으면서 소속감을 느끼지 못하는 집단이다.

4 다음 글에 나타난 갑의 준거 집단을 쓰시오.

> 고등학생인 갑은 작가가 되는 것이 꿈이다. 자신이 쓴 글을 통해 사람들에게 감동을 준다는 일이 정말 멋지다고 느꼈기 때문이다. 그래서 창작 글쓰기 교실도 다니고, 작가와 함께하는 독서 모임에 참석하여 작가의 체험을 들어 보기도 한다. 때로는 글을 쓰는 것이 힘들게 느껴지기도 하지만, 자신이 쓴 글을 누군가 읽고 있는 모습을 상상하면 다시 힘이 생긴다.

(　　　　　)

개념 3 사회 조직

1 의미 특정 목적을 달성하기 위해 비교적 분명한 위계와 절차에 따라 소속감을 느끼고 집합적인 활동에 참여하는 사람들의 결합

2 유형

(1) 공식 조직과 비공식 조직

구분	공식 조직	비공식 조직
의미	특정 목적을 달성하기 위해 의도적으로 만들어진 조직 **예** 학교, 회사 등	**❶** 내에서 구성원들이 친밀한 인간관계를 바탕으로 서로 상호 작용을 하며 형성된 것 **예** 회사 내 동창회 등
특성	명확한 **❷** 및 절차를 가지고 있음. 구성원은 조직에서의 지위와 역할에 따라 수단적이며 공식적인 관계를 형성함.	공식 조직에서의 긴장감을 줄임. 공식 업무와 관련된 문제를 수월하게 해결함. 업무의 공정성을 저해할 수 있음.

❶ 공식 조직

❷ 규칙

(2) 자발적 결사체

의미	공동의 관심사나 이해관계를 가진 사람들이 공동의 목표를 달성하기 위하여 **❸** (으)로 형성한 조직
특징	자발적 참여를 통한 운영, 자유로운 가입과 탈퇴, 조직의 목표에 대한 구성원들의 뚜렷한 신념, 조직원들의 적극적 참여 등
사례	친목 집단, 이익 집단, 시민 단체 등

❸ 자발적

(3) 관료제 조직

의미	특정 목표를 달성하기 위해 구성원의 역할을 명확하게 구분하고 공식적인 규칙과 규정에 따라 운영하는 대규모 **❹** 조직
특징	분화되고 전문화된 업무, 효율적인 업무 처리, 권한과 책임에 따른 지위의 위계 서열화, 규칙과 절차에 따른 업무 수행, 조직의 안정성 유지, 몰인격적인 인간관계, 전문성을 기준으로 하는 구성원 선발, 연공서열에 따른 승진 기회 제공 등
문제점	인간 소외 현상, 구성원의 자율성과 창의성 저해, 목적과 수단이 뒤바뀌는 **❺** 현상, 권력의 독점과 남용 발생, 무사안일주의 팽배 등

❹ 위계

❺ 목적 전치

(4) 탈관료제 조직

의미	관료제의 문제점을 극복하기 위해 대안적으로 나타난 새로운 조직 형태
장점	환경 변화에의 유연한 대응, 조직 목표의 효율적 달성
한계	조직의 안정성 유지가 어려움.

5 밑줄 친 ㉠~㉣ 중 비공식 조직을 모두 고르시오.

> 고등학생 갑은 요즘 너무 바빠서 정신이 없다. 오늘 아침에는 ㉠ 교내 독서 토론 동아리 자료를 깜빡 잊고 집에 놓고 왔고, ㉡ 학생회가 주관하는 캠페인에도 늦을 뻔했다. ㉢ 가족과 함께 아침밥을 먹어 본 게 언제인지 모르겠다. 내일은 ㉣ 군대에 간 오빠가 휴가를 받아 집으로 오는 날이니 오랜만에 온 가족이 모여 저녁을 먹게 될 것 같다.

(   )

6 괄호 안의 내용 중 알맞은 말을 골라 ○표 하시오.

(1) (비공식 조직 , 자발적 결사체)은/는 공식 조직 안에서 구성원들의 개인적인 관심과 취미 또는 의사에 따라 형성되어 구성원의 사기와 만족감을 놓인다.

(2) (자발적 결사체 , 관료제 조직)은/는 공동의 목표나 이해관계를 가진 사람들로 구성되고, 구성원의 자발적인 참여로 운영된다.

(3) 탈관료제 조직은 (공식 조직 , 관료제 조직)에서 나타난 문제점을 극복하기 위해 대안적으로 나타난 새로운 조직 형태이다.

7 관료제 조직의 장점을 〈보기〉에서 모두 고르시오.

>   ● 보기
> ㄱ. 창의성 증대
> ㄴ. 효율적인 업무 처리
> ㄷ. 조직의 안정성 유지
> ㄹ. 권한과 책임의 명확화

(   )

8 다음 글을 통해 직접 알 수 있는 관료제 조직의 문제점을 쓰시오.

> 병원은 환자를 치료하는 것이 목적이지만, 응급 환자라도 수술에 앞서 신원 보증과 치료비 수납이 이루어지지 않으면 수술을 받기가 어렵다. 왜냐하면 병원 책임자 혹은 의사가 자신이 책임지는 것을 피하고 지위를 유지하기 위해 규칙과 규정에 얽매이기 때문이다.

(   )

9 다음 사례들에 공통으로 나타난 사회 조직의 유형을 쓰시오.

> • 환경 운동가들이 모여 공업용 폐수를 바다에 불법 배출하는 행위를 근절하기 위한 활동을 한다.
> • 같은 동네에 사는 학생들이 모여 마을 봉사단을 만들었다. 이들은 봉사단을 통해 자신의 동네에서 할 수 있는 봉사 활동에 대한 정보를 교환하고 단체 봉사 활동을 계획하기도 한다.

(   )

내신 기출 베스트

사회 집단의 성립 요건

사회 집단을 이루기 위한 조건으로 옳은 것만을 〈보기〉에서 있는 대로 고른 것은?

┌─────────────── 보기 ───┐
ㄱ. 둘 이상의 사람
ㄴ. 일정한 모임 장소
ㄷ. 지속적인 상호 작용
ㄹ. 구성원들의 집단에 대한 소속감
└────────────────────────┘

① ㄱ
② ㄱ, ㄴ
③ ㄱ, ㄴ, ㄷ
④ ㄱ, ㄷ, ㄹ
⑤ ㄱ, ㄴ, ㄷ, ㄹ

 개념 가이드

❶ [   ] 은/는 같은 집단의 구성원이라는 정체성을 가지고 지속적으로 상호 작용하는 사람들의 무리를 말한다. **답 ❶** 사회 집단

사회 집단의 유형

밑줄 친 ㉠~㉣ 중 1차 집단을 모두 고르시오.

이번 주 할 일

월 수행 평가 과제

화 ㉠ 우리 학교 피구 경기 응원

수

목 ㉡ 어머니 회사 견학

금 ㉢ 친구들과 영화 관람

토

일 가족들과 ㉣ 성당 미사 참여

(   )

개념 가이드

사회 집단은 구성원 간의 ❷ [   ] 와/과 친밀도에 따라 1차 집단과 2차 집단으로 구분할 수 있다. **답 ❷** 접촉 방식

공동체와 결사체

A, B에 해당하는 사례를 옳게 연결한 것은?

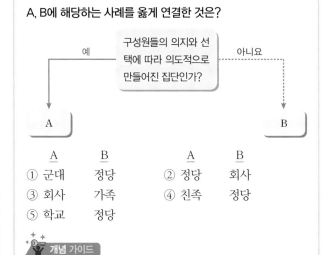

구성원들의 의지와 선택에 따라 의도적으로 만들어진 집단인가?

예 → A

아니요 → B

	A	B		A	B
①	군대	정당	②	정당	회사
③	회사	가족	④	친족	정당
⑤	학교	정당			

개념 가이드

사회 집단은 구성원의 ❸ [   ] 에 따라 공동체와 결사체로 구분할 수 있다. **답 ❸** 결합 의지

준거 집단

밑줄 친 '이 집단'에 대한 설명으로 옳은 것은?

┌──────────────────────────────────┐
이 집단은 다양한 사회 집단 중에서 한 개인이 자신의 행동과 판단의 기준으로 삼는 집단이다.
└──────────────────────────────────┘

① 현재 개인이 속해 있는 집단이다.
② 개인이 소속되어 있으며 소속감을 느끼고 있는 집단이다.
③ 생각이나 행동의 옳고 그름을 판단하는 지침을 제공한다.
④ 소속 집단과 일치할 경우 상대적 박탈감을 느낄 수 있다.
⑤ 소속 집단과 일치할 경우 소속 집단에 대한 만족감이 낮아질 수 있다.

 개념 가이드

자신이 소속한 집단과 ❹ [   ] 이/가 일치하면 만족감이 높아지고, 불일치하면 상대적 박탈감을 느낄 수 있다. **답 ❹** 준거 집단

4일

대표 예제 5 공식 조직과 비공식 조직

밑줄 친 ㉠, ㉡에 대한 설명으로 옳은 것은?

> ㉠ ○○ 노동조합은 창립 10주년 기념행사를 개최하
> 고자 합니다. 아래 사항을 승인해 주시기 바랍니다.
> • 회사 시설: 복지관 대운동장
> • 사용 이유: ㉡ 사내 체육 동호회 활동

① ㉠은 비공식 조직이다.
② ㉡은 공식 조직이다.
③ ㉠은 1차 집단의 성격이 강하다.
④ ㉠은 특정 목적의 달성을 위해 의도적으로 만들어졌다.
⑤ ㉠과 ㉡을 구분하는 기준은 소속감이다.

❺ ⬚ 은/는 특정 목적을 달성하기 위해 의도적으로 만들어진
조직이다.
답 ❺ 공식 조직

대표 예제 7 관료제 조직

다음 조직의 특징으로 옳지 <u>않은</u> 것은?

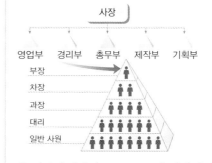

① 업무의 세분화 　　② 위계의 서열화
③ 조직의 안정성 　　④ 능력에 따른 승진
⑤ 규칙과 절차에 따른 업무 수행

❼ ⬚ 은/는 특정 목표의 달성을 위해 공식적인 규칙과 규정
에 따라 운영하는 대규모 위계 조직이다.
답 ❼ 관료제 조직

대표 예제 6 사회 조직의 유형

A~C에 해당하는 사회 조직의 유형을 옳게 연결한 것은?

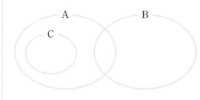

※ A~C는 공식 조직,
비공식 조직, 자발
적 결사체 중의 하
나임.

	A	B	C
①	공식 조직	비공식 조직	자발적 결사체
②	공식 조직	자발적 결사체	비공식 조직
③	비공식 조직	공식 조직	자발적 결사체
④	자발적 결사체	비공식 조직	공식 조직
⑤	자발적 결사체	공식 조직	비공식 조직

공동의 관심사나 이해관계를 가진 사람들이 공동의 목표를 달성하기
위하여 자발적으로 형성한 조직을 ❻ ⬚ (이)라고 한다.
답 ❻ 자발적 결사체

대표 예제 8 탈관료제 조직

다음 조직의 특징으로 옳은 것을 〈보기〉에서 고른 것은?

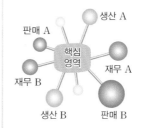

보기
ㄱ. 업무의 세분화
ㄴ. 능력에 따른 보상
ㄷ. 유연한 조직 운영
ㄹ. 몰인격적 인간관계

① ㄱ, ㄴ 　　② ㄱ, ㄷ 　　③ ㄴ, ㄷ
④ ㄴ, ㄹ 　　⑤ ㄷ, ㄹ

❽ ⬚ 은/는 관료제 조직의 전형적인 문제점을 극복하기 위해
대안적으로 나타난 새로운 조직 형태이다.
답 ❽ 탈관료제 조직

5 _일 일탈 행동과 문화

Quiz (차별 교제 이론 / 낙인 이론)에서는 일탈 행동은 개인이 일탈에 우호적인 일탈자와 접촉하면서 그들의 문화와 행동을 학습하여 사회화한 결과라고 본다.

답 차별 교제 이론

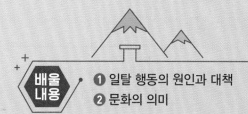

❶ 일탈 행동의 원인과 대책 ❸ 문화의 속성
❷ 문화의 의미 ❹ 문화 이해 태도

Quiz 문화는 태어날 때부터 지니고 있는 것이 아니라 (선천적 / 후천적)으로 습득된다.

김치로 알아보는 문화의 속성

공유성

우리나라에서는 늦가을에서 초겨울 무렵을 김장철이라고 부른다.

총체성

김치는 이웃과 일을 나누어 하는 품앗이 전통과 밀접하게 연관되어 있지.

학습성

매운 김치 맛이 점점 익숙해지네요.

축적성

현재의 김치는 조상의 지혜와 경험이 쌓인 산물이면서 시간의 흐름 속에서 발전해 온 우리나라의 대표적인 음식 문화이다.

변동성

고추가루가 들어가니 한결 맛있군.

임진왜란 무렵에 고추가 전래되고 김치를 담그는 데 고춧가루가 양념으로 들어가면서, 지금처럼 빨간 김치를 먹게 되었다.

답 후천적

개념 1   일탈 행동의 이해

1 의미 한 사회에서 일반적으로 받아들여지는 **❶**   에 어긋나는 행동

2 특성 일탈 행동에 대한 규정은 시대나 사회에 따라 다른 **❷**   을/를 가짐.

3 영향

  (1) 개인적 차원: 개인의 창의성을 발휘하는 통로가 될 수 있음. 지속할 경우 사회 부적응에 빠질 수 있음.

  (2) 사회적 차원: 기존의 사회 질서나 규범의 모순과 문제점을 드러냄. 증가하면 사회 질서의 유지가 어려워질 수 있음.

    예 일탈 행동은 행동이 이루어지는 상황이나 문화, 시대에 따라 다르게 판단될 수 있다.

❶ 사회 규범

❷ 상대성

개념 2   일탈 행동에 대한 이론적 관점

1 아노미 이론 아노미 상태에서 일탈 행동이 일어난다고 봄.

원인	• 뒤르켐: 기존의 사회 규범이 약화되거나 부재하지만 이를 대체할 새로운 규범과 기준이 없는 상태를 **❸** (으)로 규정함. • 머튼: 한 사회의 **❹** 목표와 그 목표를 달성하기 위해 제도적으로 인정하는 수단 사이의 불일치를 아노미로 규정함.
해결 방안	새로운 규범을 정립하거나 사회 구성원에게 목표 달성을 위한 공평한 기회를 제공하도록 제도를 개선함.

❸ 아노미

❹ 문화적

2 차별 교제 이론

원인	개인이 **❺** 에 우호적인 일탈자와 접촉하면서 그들의 문화와 행동을 학습하여 사회화한 결과임.
해결 방안	일탈 집단 구성원과의 접촉이나 교류를 차단함.

❺ 일탈

3 낙인 이론

원인	특정 행동을 일탈 행동으로 규정한 후, 그러한 행동을 한 사람을 일탈자로 **❻** 찍었기 때문에 일탈 행동이 발생함.
해결 방안	불필요한 낙인을 줄이려는 노력, 일탈 행동을 신중하게 규정하려는 사회적 합의가 필요함.

❻ 낙인

    예 일탈 행동에 대한 효과적인 대책을 마련하기 위해서는 다양한 이론적 측면에서의 검토가 필요하다.

1 다음은 (가)에 대한 인터넷 검색 결과이다. (가)에 들어갈 알맞은 말을 쓰시오.

| (가) |

한 사회에서 일반적으로 받아들여지는 사회 규범에 어긋나는 행동

(   )

5일

3 다음 설명에 해당하는 이론적 관점을 〈보기〉에서 고르시오.

●보기●
ㄱ. 낙인 이론
ㄴ. 아노미 이론
ㄷ. 차별 교제 이론

(1) 기존의 사회 규범이 약화되거나 부재하지만 이를 대체할 새로운 규범과 기준이 없는 상태에서 일탈 행동이 일어난다. (   )

(2) 특정 행동을 일탈 행동으로 규정한 후, 그러한 행동을 한 사람들을 일탈자로 낙인찍었기 때문에 일탈 행동이 발생한다. (   )

(3) 일탈 행동은 개인이 일탈에 우호적인 일탈자와 접촉하면서 그들의 문화와 행동을 학습하여 사회화한 결과이다. (   )

2 괄호 안의 내용 중 알맞은 말을 골라 ○표 하시오.

(1) 일탈 행동에 대한 규정은 시대나 사회에 따라 (절대성 , 상대성)을 가진다.

(2) (개인적 , 사회적) 차원에서 보면 개인과 집단의 일탈 행동이 기존 사회 질서나 규범의 모순과 문제점을 표면에 드러내는 역할을 수행할 수 있다.

4 일탈 행동에 대한 이론적 관점과 일탈 행동의 대책을 바르게 연결하시오.

(1) 낙인 이론   •   •㉠ 불필요한 낙인 줄이기

(2) 아노미 이론   •   •㉡ 일탈 집단 구성원과의 접촉 차단

(3) 차별 교제 이론 •   •㉢ 목표 달성을 위한 공평한 기회 제공

개념 3 문화의 의미와 속성

1 문화의 의미

좁은 의미	교양 있거나 세련된 상태, 예술 활동이나 작품
넓은 의미	한 사회의 구성원들이 만들어 낸 공통의 ❶

❶ 생활 양식

2 문화의 속성

학습성	문화는 태어날 때부터 지니고 있는 것이 아니라 ❷ (으)로 습득됨.
공유성	문화는 한 사회의 구성원들이 공통으로 가지고 있는 생활 양식임.
변동성	문화는 ❸ 이/가 흐르면서 그 모습이나 내용, 의미 등이 변화함.
축적성	문화는 한 세대에서 다음 세대로 전승되면서 기존의 문화에 새로운 요소가 더해져 더욱 풍부해지고 다양해짐.
총체성	문화는 여러 구성 요소가 상호 유기적인 관련을 맺음.

❷ 후천적

❸ 시간

⑳ 의식주, 언어, 종교 등과 같이 한 사회의 구성원들이 만들어 낸 공통의 생활 양식을 문화라고 한다.

개념 4 문화를 바라보는 관점과 문화 이해 태도

1 문화를 바라보는 관점

총체론적 관점	특정 문화 요소를 다른 문화 요소와 관련지어 전체적인 틀 안에서 이해하는 관점
비교론적 관점	문화 간에 나타나는 유사성과 차이점을 살펴봄으로써 문화의 보편성과 ❹ 을/를 파악하는 관점

❹ 특수성

2 문화를 이해하는 태도

자문화 중심주의	자신의 문화를 우월한 것으로 여기고, 그것을 기준으로 다른 문화를 수준이 낮거나 미개하다고 판단하는 태도
문화 사대주의	다른 사회의 문화를 우월한 것으로 여기고 추종하면서 자신의 문화를 ❺ 하다고 생각하는 태도
문화 상대주의	어떤 사회의 특수한 자연환경, 역사적 전통, 사회적 맥락 등을 고려하여 그 사회의 문화를 이해하는 태도 → 극단적 문화 상대주의는 경계해야 함.

❺ 열등

⑳ 문화 상대주의는 여러 문화가 공존할 수 있는 기초가 된다.

기초 확인 문제

정답과 해설 69쪽

5 빈칸에 들어갈 알맞은 말을 쓰시오.

(1) (　　　　　)은/는 넓은 의미에서 의식주, 가치 및 규범 등과 같이 한 사회의 구성원들이 만들어 낸 공통의 생활 양식을 말한다.

(2) 문화의 여러 구성 요소가 상호 유기적인 관련을 맺으며, 부분이 아닌 하나의 전체로서 존재하는 것은 문화의 속성중 (　　　　　)을 의미한다.

7 괄호 안의 내용 중 알맞은 말을 골라 ○표 하시오.

(1) 총체론적 관점은 문화의 여러 요소가 상호 유기적인 관계를 맺으면서 (부분 , 전체)(으)로서 하나의 문화를 이루고 있다는 점을 강조한다.

(2) 비교론적 관점은 문화 간에 나타나는 유사성과 차이점을 살펴봄으로써 어떤 문화의 특징을 (객관적 , 주관적)으로 파악할 수 있다고 본다.

6 문화의 속성과 그 사례를 바르게 연결하시오.

(1) 공유성 ·

▲ 날씨가 추워지면 김장을 떠올리는 우리나라 사람들

(2) 변동성 ·

· ㉠

▲ 우리나라에서 생활하다가 김치를 좋아하게 된 외국인

(3) 학습성 ·

· ㉢

▲ 원래 하얗다가 고추가 전래된 이후 빨갛게 된 김치

8 다음 설명에 해당하는 문화 이해의 태도를 〈보기〉에서 고르시오.

┌─ 보기 ─┐
ㄱ. 문화 사대주의
ㄴ. 문화 상대주의
ㄷ. 자문화 중심주의
└─────┘

(1) 사회의 특수한 자연환경, 역사적 전통, 사회적 맥락 등을 고려하여 그 사회의 문화를 이해하는 태도이다. (　　　　)

(2) 다른 사회의 문화를 우월한 것으로 여기고 추종하면서 자신의 문화를 열등하다고 생각하는 태도이다. (　　　　)

(3) 자신의 문화를 우월한 것으로 여기면서, 그것을 기준으로 다른 문화를 수준이 낮거나 미개하다고 판단하는 태도이다. (　　　　)

5일 내신 기출 베스트

대표 예제 1 · 일탈 행동

교사의 질문에 대한 대답으로 옳은 것은?

> (가)는 한 사회에서 일반적으로 받아들여지는 사회 규범에 어긋나는 행동을 의미합니다. (가)의 특징에 대해 말해 볼까요?

① (가)는 범죄입니다.
② (가)는 개인에게 긍정적인 영향만 미칩니다.
③ (가)는 사회적으로 영향을 미치지 않습니다.
④ (가)에 대한 규정은 문화에 상관없이 동일합니다.
⑤ (가)에 대한 규정은 시대나 상황에 따라 달라집니다.

개념 가이드

❶　　　　　은/는 한 사회에서 일반적으로 받아들여지는 사회 규범에 어긋나는 행동을 의미한다. **답** ❶ 일탈 행동

대표 예제 2 · 아노미 이론

다음은 어느 학자가 일탈 행동이 일어나는 이유를 정리한 것이다. 이 학자가 제시한 일탈 행동의 원인으로 가장 적절한 것은?

> 사회 구조의 급격한 변화 → 무규범 상태 → 소속감을 느끼지 못하고 정신적으로 불안한 상태 → 일탈 행동 발생

① 법 위반
② 아노미 현상
③ 집단 간 상호 작용
④ 특정 행동에 대한 사회적 낙인
⑤ 일탈자와 비일탈자의 상호 작용

개념 가이드

뒤르켐은 아노미를 기존의 **❷**　　　　　이/가 약화되거나 부재하지만 이를 대체할 새로운 규범과 기준이 없는 상태로 설명한다.
답 ❷ 사회 규범

대표 예제 3 · 차별 교제 이론

다음 사례에서 갑의 부모님이 일탈 행동을 바라보는 관점으로 가장 적절한 것은?

> 고등학생 갑은 최근 학교에서 교칙 위반으로 여러 번 징계를 받게 되었다. 이에 대해 갑의 부모님은 갑이 요즘 들어 불량한 친구들과 어울리게 된 것이 교칙을 위반하게 된 이유라고 생각하였고, 그 친구들과 어울리지 말라고 훈계하였다.

① 낙인 이론　　　　　② 사회 실재론
③ 사회 명목론　　　　④ 아노미 이론
⑤ 차별 교제 이론

개념 가이드

❸　　　　　에서는 일탈 행동은 개인이 일탈에 우호적인 일탈자와 접촉하면서 그들의 문화와 행동을 학습하여 사회화한 결과라고 본다. **답** ❸ 차별 교제 이론

대표 예제 4 · 낙인 이론

다음과 같은 상황의 해결책으로 가장 적절한 것은?

> 갑은 학교 밖 공원에서 담배를 입에 물고만 있었는데 선생님께 걸려서 벌점을 받았다. 벌점이 20점을 넘어 교내 봉사 활동을 하고 있으니 불량 학생이라는 꼬리표가 붙게 되었고, 점점 학교생활이 힘들어져 무단 지각·결석·조퇴를 하게 되었다.

① 비행 청소년들과의 상호 작용을 최소화한다.
② 교칙을 만드는 과정에 학생의 의견을 반영한다.
③ 벌점을 부과할 때 공정하고 신중하게 판단한다.
④ 벌점을 받은 학생을 대상으로 재교육을 실시한다.
⑤ 교칙 세부 조항의 의미와 필요성에 대해 안내한다.

개념 가이드

❹　　　　　에서는 일탈 행동에 대한 대책으로 낙인을 줄이기 위한 노력과 일탈 행동을 신중하게 규정하려는 사회적 합의를 강조한다. **답** ❹ 낙인 이론

5일

대표 예제 5 · 문화의 의미

밑줄 친 ㉠~㉣ 중 '문화'가 좁은 의미로 사용된 것을 고르시오.

> 갑: 여름 방학에 뭐 할 거니?
> 을: ㉠ 문화생활을 즐길 겸 미술관에 가려고 해. 너는?
> 갑: 나는 미국에서 온 친구와 ㉡ 우리나라 전통문화 체험
>   행사에 갈 거야. 그리고 생일 선물로 받은 ㉢ 문화 상
>   품권으로 책을 사러 서점에 갈 거야.
> 을: 그렇구나. 다음 주 수요일은 ㉣ '문화가 있는 날'이라서
>   운동 경기 할인이 되니까 같이 농구 경기 보러 가자!

(   )

개념 가이드

좁은 의미의 문화는 교양 있거나 세련된 상태를 가리키고, 넓은 의미의 문화는 **⑤** 의 총체를 가리킨다.

답 ⑤ 생활 양식

대표 예제 6 · 문화의 속성

다음 그림을 통해 알 수 있는 문화의 속성으로 가장 적절한 것은?

① 학습성   ② 공유성   ③ 변동성
④ 축적성   ⑤ 총체성

개념 가이드

문화는 한 사회의 구성원들이 공통으로 가지고 있는 **⑥**
(으)로서 그 사회의 구성원들에 의해 공유된다.

답 ⑥ 생활 양식

대표 예제 7 · 문화를 바라보는 관점

다음 글에 나타난 문화를 바라보는 관점이 강조하는 문화의 특징으로 가장 적절한 것은?

> 중앙아시아 지역의 일부 유목민들이 돼지고기를 먹지
> 않는 것은 기후 특성, 목축 형태, 종교적 규율 등의 복잡한
> 관계 속에서 그 이유를 찾을 수 있다.

① 문화는 보편성과 특수성을 가지고 있다.
② 문화의 여러 요소가 서로 관련을 맺고 있다.
③ 문화는 시간이 흐르면서 그 내용이 변화한다.
④ 특정 문화를 기준으로 문화의 우열을 평가할 수 있다.
⑤ 각 사회의 문화는 다른 사회의 문화와 구분되는 고유한
   특성이 있다.

개념 가이드

총체론적 관점은 문화의 여러 요소가 상호 유기적인 관계를 맺으면서 **⑦** (으)로서 하나의 문화를 이루고 있다는 점을 강조한다.

답 ⑦ 전체

대표 예제 8 · 문화 이해 태도

밑줄 친 '천하도'에 나타난 문화 이해 태도에 대한 설명으로 옳은 것은?

> '천하도'는 조선 시대에 제작된 세계지도로, 중국을 세
> 상의 중심에 두었다.

① 문화에 우열이 없다고 보는 입장이다.
② 자기 문화를 무시하거나 낮게 평가한다.
③ 집단 내의 일체감과 자부심을 높일 수 있다.
④ 다른 문화를 자기 문화보다 열등한 것으로 본다.
⑤ 국가 간 교류를 중시하는 현대 사회에서 고립될 수 있다.

개념 가이드

자신의 문화를 **⑨** 한 것으로 여기면서, 그것을 기준으로 다른 문화를 수준이 낮거나 미개하다고 판단하는 태도를 자문화 중심주의라고 한다.

답 ⑨ 우월

1 사회·문화 현상의 특징을 〈보기〉에서 고른 것은?

● 보기 ●
ㄱ. 몰가치적　　　　ㄴ. 가치 함축적
ㄷ. 개연성의 원리　　ㄹ. 필연성의 원리

① ㄱ, ㄴ　　　② ㄱ, ㄷ　　　③ ㄴ, ㄷ
④ ㄴ, ㄹ　　　⑤ ㄷ, ㄹ

2 다음 중 사회·문화 현상에 해당하는 것은?

① 겨울에 엄청난 양의 폭설이 내렸다.
② 구름이 끼고 흐려지면서 비가 왔다.
③ 온도가 오르면 분자 운동이 활발해진다.
④ 명절에는 귀성 차량으로 도로가 정체된다.
⑤ 화산이 폭발하여 화산재가 도시를 뒤덮었다.

3 다음은 인터넷에서 (가)를 검색한 결과이다. (가)로 가장 적절한 것은?

◀ ▶ C 　　　　　(가)　　　　　Q ☰

　　사회를 하나의 유기적 통합 체계로 보고, 사회를 이루는 사회 제도나 집단 등이 상호 연관성을 갖고 일정한 기능을 수행하면서 사회가 유지된다고 보는 관점

① 기능론　　　　　② 갈등론
③ 양적 연구　　　　④ 질적 연구
⑤ 상징적 상호 작용론

4 다음과 같은 자료를 주로 사용하는 연구 방법의 특징으로 옳은 것은?

월평균 소득 수준	월평균 사교육비 지출액
199만 원 이하	24만 5,600원
200만~399만 원	39만 6,400원
400만~599만 원	63만 100원
600만 원 이상	80만 7,600원

① 보편적인 인과 법칙을 발견하고자 한다.
② 관찰 행위에 대한 의미 해석을 시도한다.
③ 계량화하지 않은 자료를 중요하게 활용한다.
④ 인간 행위의 동기나 목적 파악을 중요하게 여긴다.
⑤ 행위 이면에 담긴 의미를 심층적으로 이해하고자 한다.

5 다음 판서의 내용에 해당하는 자료 수집 방법은?

의미	실험 집단에 일정한 조작을 가하고, 처치에 따른 효과를 통제 집단의 것과 비교하는 방법
장점	인과 관계 파악을 통한 법칙 발견에 유리함.
단점	• 외부 변수 개입의 완벽한 통제가 어려움. • 윤리적 문제가 발생할 수 있음.

① 실험법　　　② 면접법　　　③ 질문지법
④ 참여 관찰법　　⑤ 문헌 연구법

6 다음 질문지의 문제점을 〈보기〉에서 고른 것은?

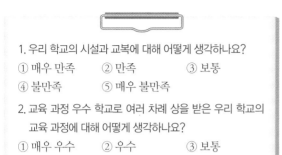

1. 우리 학교의 시설과 교복에 대해 어떻게 생각하나요?
① 매우 만족   ② 만족   ③ 보통
④ 불만족   ⑤ 매우 불만족

2. 교육 과정 우수 학교로 여러 차례 상을 받은 우리 학교의 교육 과정에 대해 어떻게 생각하나요?
① 매우 우수   ② 우수   ③ 보통
④ 미흡   ⑤ 매우 미흡

─────● 보기 ●─────

ㄱ. 질문과 응답의 연관성이 없다.
ㄴ. 조사자의 주관이 개입되어 있다.
ㄷ. 두 개 이상의 질문을 한꺼번에 묻고 있다.
ㄹ. 응답자의 사생활 침해가 이루어질 소지가 있다.

① ㄱ, ㄴ   ② ㄱ, ㄷ   ③ ㄴ, ㄷ
④ ㄴ, ㄹ   ⑤ ㄷ, ㄹ

7 다음 그림은 자료 수집 방법을 분류한 것이다. (가)~(다)에 들어갈 자료 수집 방법을 옳게 연결한 것은? (단, (가)~(다)는 각각 질문지법, 면접법, 참여 관찰법 중 하나이다.)

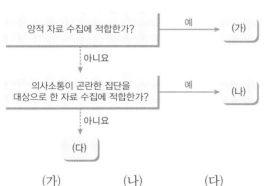

	(가)	(나)	(다)
①	면접법	질문지법	참여 관찰법
②	면접법	참여 관찰법	질문지법
③	질문지법	면접법	참여 관찰법
④	질문지법	참여 관찰법	면접법
⑤	참여 관찰법	질문지법	면접법

8 질적 연구 방법의 탐구 절차에 대한 설명으로 옳지 <u>않은</u> 것은?

① 문제 제기 – 연구 주제를 선정한다.
② 연구 설계 – 선행 연구를 바탕으로 인과 관계가 드러나는 가설을 설정한다.
③ 자료 수집 – 면접법이나 참여 관찰법을 활용한다.
④ 자료 분석 – 직관적 통찰에 의한 해석을 한다.
⑤ 결론 도출 – 자료의 의미를 중심으로 결론을 제시한다.

9 다음에서 설명하는 연구자의 태도로 옳은 것은?

사회 · 문화 현상이 지닌 고유한 의미와 가치를 해당하는 사회 집단의 맥락이나 환경을 고려하여 이해하려는 태도이다.

① 성찰적 태도   ② 객관적 태도   ③ 개방적 태도
④ 종합적 태도   ⑤ 상대주의적 태도

10 사회 · 문화 현상의 탐구 과정에서 가치 중립이 의미하는 바로 가장 적절한 것은?

① 연구자는 개인적 가치를 가지지 말아야 한다.
② 사회 · 문화 현상은 가치를 함축하고 있지 않다.
③ 연구자는 자신의 가치를 연구 과정에 개입시켜야 한다.
④ 연구자는 특정한 가치에 치우쳐 연구 결과를 왜곡해서는 안 된다.
⑤ 연구자는 연구 주제를 선정할 때 가치 중립적 입장에서 선택해야 한다.

6일 누구나 100점 테스트 2회

1 다음은 (가)에 대한 검색 결과이다. (가)에 들어갈 용어로 적절한 것은?

> (가)
>
> 사회가 개인의 속성과는 구별되는 독립적인 실체이며, 개인의 외부에 실제로 존재한다고 보는 관점

① 기능론　　② 갈등론　　③ 양적 연구
④ 사회 실재론　　⑤ 사회 명목론

2 빈칸에 공통으로 들어갈 사회화 기관으로 옳은 것은?

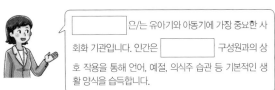

□□□□은/는 유아기와 아동기에 가장 중요한 사회화 기관입니다. 인간은 □□□□ 구성원과의 상호 작용을 통해 언어, 예절, 의식주 습관 등 기본적인 생활 양식을 습득합니다.

① 가족　　② 학교　　③ 직장
④ 정당　　⑤ 대중 매체

3 다음 중 성취 지위에 해당하지 <u>않는</u> 것은?

① 남자
② 어머니
③ 대학생
④ 운동선수
⑤ 봉사 단체 회원

4 다음은 학생의 필기 내용이다. (가)에 들어갈 사회학적 개념으로 적절한 것은?

> (가)
>
> 1. 의미: 한 개인이 동시에 두 가지 이상의 서로 다른 지위에 따른 역할을 수행하고자 할 때, 역할 간에 충돌이 발생하는 것
> 2. 예시: 직장인으로서 근무 시간에 일을 해야 하는 역할과 어머니로서 아들의 학교 운동회에 참여해야 하는 역할 사이에서 고민하는 여성

① 역할　　② 보상　　③ 제재
④ 역할 행동　　⑤ 역할 갈등

5 ⓒ에 해당하는 단어로 옳은 것은?

	⊙결	ⓛ사	체	
		회	
		집	
ⓒ		단	

〈가로 열쇠〉
⊙ 인간의 합리적이고 선택적인 의지에 따라 특정 목적을 위해 의도적으로 만들어진 사회 집단
ⓒ 개인이 소속되어 있으며 소속감을 느끼는 집단

〈세로 열쇠〉
ⓛ 같은 집단의 구성원이라는 정체성을 가지고 지속적으로 상호 작용하는 사람들의 무리

① 내집단　　② 외집단　　③ 그들 집단
④ 우리 집단　　⑤ 준거 집단

6 다음과 같은 특징을 지니는 사회 조직으로 가장 적절한 것은?

- 공식 조직 내에서 구성원들이 친밀한 인간관계를 바탕으로 서로 상호 작용을 하며 형성된 것이다.
- 구성원들 사이에 1차적 관계를 형성함으로써 공식 조직에서의 긴장감을 줄여 준다.
- 공식 조직의 업무에 사적인 관계를 개입시켜 업무의 공정성을 저해할 수도 있다.

① 시민 단체 ② 이익 집단
③ 비공식 조직 ④ 관료제 조직
⑤ 탈관료제 조직

8 다음 그림에 해당하는 일탈 행동에 대한 이론으로 옳은 것은?

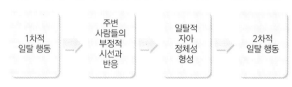

① 기능론 ② 갈등론
③ 낙인 이론 ④ 아노미 이론
⑤ 차별 교제 이론

9 밑줄 친 부분을 통해 알 수 있는 문화의 속성으로 가장 적절한 것은?

우리나라에서는 각 지역마다 김치를 담그는 방법이나 들어가는 재료가 조금씩 다르다. 이는 해당 지역의 기후와 특산물, 과학 기술의 발달 등이 유기적으로 김치 문화에 영향을 미쳤기 때문이다.

① 변동성 ② 학습성 ③ 공유성
④ 축적성 ⑤ 총체성

7 교사의 질문에 대해 옳게 대답한 학생은?

 (가)는 한 사회에서 일반적으로 받아들여지는 사회 규범에 어긋나는 행동을 의미합니다. (가)에 대해 말해 볼까요?

교사

(가)는 일탈 행동입니다. 영희

 (가)는 사회에 부정적인 영향만 미칩니다.

영수

 (가)에 대한 규정은 시대나 장소와 상관없이 동일합니다.

민지

① 영희 ② 영수 ③ 민지
④ 영희, 영수 ⑤ 영희, 영수, 민지

10 다음 그림에 나타난 문화 이해 태도로 가장 적절한 것은?

영어로 쓰여 있어서 더 고급스러운 것 같아.

① 국수주의 ② 문화 사대주의
③ 문화 상대주의 ④ 문화 제국주의
⑤ 자문화 중심주의

1 다음 그림을 보고 물음에 답하시오.

> 최근 도심에 ㉠ 새끼 멧돼지가 먹이를 찾아 자주 출몰하고 있습니다. 이에 대한 원인과 대책을 설명해 주시기 바랍니다.
>
> 그 이유는 어미 멧돼지가 ㉡ 데리고 있던 새끼를 독립시키는 시기인데요. ㉢ 사람들의 주거지 개발로 서식지가 파괴되어 먹이가 부족해졌기 때문입니다. 이를 막으려면 ㉣ 야생 동물의 서식지를 보존하려는 노력이 필요합니다.

앵커 / 기자

(1) 밑줄 친 ㉠~㉣을 자연 현상과 사회·문화 현상으로 구분하시오.

_____

(2) 자연 현상과 사회·문화 현상의 특징을 비교하시오.

_____

2 사회·문화 현상을 바라보는 갑, 을의 관점을 비교하시오.

> 스포츠 경기는 일상생활에서 생기는 스트레스를 해소하는 데 도움을 줍니다. 또한, 올림픽과 같은 국제 경기는 국민적 연대감을 형성하여 사회 통합을 이끌어내는 데 기여합니다.
>
> 스포츠 경기는 대중을 정치에 무관심하게 만들어 지배 집단의 이익을 실현하는 데 기여합니다. 또한, 국가 대항 경기인 올림픽은 민족 감정을 이용하여 국내의 정치적 갈등을 억압하는 효과를 낳아 사회 발전을 저해합니다.

갑 / 을

_____

_____

_____

3 다음 그림은 자료 수집 방법 Ⓐ~Ⓒ의 특성을 비교한 것이다. Ⓐ ~ Ⓒ에 해당하는 자료 수집 방법을 쓰시오. (단, Ⓐ~Ⓒ는 각각 질문지법, 면접법, 참여 관찰법 중 하나이다.)

연구자의 주관 개입 가능성	(낮다)		(높다)
	Ⓐ	Ⓑ	Ⓒ

자료 수집에 걸리는 시간	(짧다)		(길다)
	Ⓐ	Ⓑ	Ⓒ

자료 수집 도구의 구조화 정도	(낮다)		(높다)
	Ⓒ	Ⓑ	Ⓐ

* 신뢰성이란 동일한 절차를 동일한 조건에서 되풀이 적용했을 때 동일한 자료를 얻는 정도

1단계 연구자의 주관이 개입될 가능성은 (   )이 (   ), (   )보다 낮다.

2단계 (   )은 비교적 짧은 시간에 다수의 대상자에게서 자료를 얻을 수 있어서 시간을 줄일 수 있고, (   )은 관찰하고자 하는 현상이 나타날 때까지 기다려야 하며, 일회적인 현상의 경우 그 장면을 집중적으로 포착해야 하므로 시간이 많이 든다.

3단계 (   )은 질문 내용과 선택할 내용이 명확하게 기술되어 있어서 자료 수집의 구조화 정도가 높다. (   )도 어떤 질문을 할 것인가는 어느 정도 결정한 후 자료를 수집한다. 한편, (   )은 연구자가 연구 대상자와 생활하면서 자연스럽게 자료를 수집하므로 자료 수집의 구조화 정도가 가장 낮다.

4단계 Ⓐ는 (   ), Ⓑ는 (   ), Ⓒ는 (   )이다.

4 다음 사회학자의 인터뷰 내용을 읽고 물음에 답하시오.

자연 과학자들은 자연 현상에 대하여 인위적으로 실험하거나 관찰한 결과를 활용하여 인과 법칙을 발견할 수 있겠지만, 사회 현상은 그러기가 어렵죠. 사회·문화 현상은 자연 현상처럼 잘 드러나지 않기 때문에 이를 자연 과학자들처럼 수치화하려고 해서는 안 됩니다. 자연 과학자들은 주로 수치화된 자료를 통해 어떤 법칙을 ⑤ 설명하려고 하는데, 인간의 행위는 설명뿐만 아니라 직관적으로 통찰하는 ⑥ 이해를 거쳐야 하죠.

(1) 밑줄 친 ⑤, ⑥을 강조하는 연구 방법을 각각 쓰시오.

_____

_____

(2) 위 사회학자가 강조하는 연구 방법이 무엇인지 쓰고, 그 한계를 두 가지 서술하시오.

_____

_____

5 제시된 내용들을 귀속 지위와 성취 지위로 구분하시오.

_____

_____

6 다음 대화에 나타난 김 대리의 역할 갈등을 지위와 역할 개념을 사용하여 서술하시오.

김 대리, 이번 주 토요일에 열리는 회사 체육 대회에 참석할 거지? **이 부장**

아무래도 참석 못 할 것 같아요. 그날 친척의 결혼식이 있어요. **김 대리**

우리 부서에서 가장 운동을 잘하는 사람이 빠지면 안 되는데. **이 부장**

하필이면 체육 대회와 결혼식이 같은 날이라서 고민돼요. **김 대리**

_____

_____

7 밑줄 친 부분의 이유를 준거 집단 개념을 사용하여 서술하시오.

> ### ○○ 신문
>
> 대학을 졸업한 후 취업한 첫 직장을 2년 이내에 그만두는 비율이 75.4%에 달하는 것으로 조사되었다. 이들이 직장을 옮기거나 그만두는 까닭은 전공과 업무 내용의 불일치, 직업 적성이나 흥미의 불일치, 임금 등 근로 조건에 대한 불만 등으로 나타났다.

_____

_____

8 다음과 같은 조직에서 나타나는 장점과 문제점을 서술하시오.

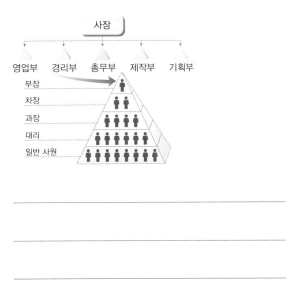

_____

_____

_____

9 다음과 같은 조직의 한계를 두 가지 서술하시오.

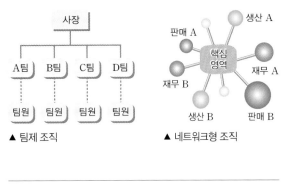

▲ 팀제 조직   ▲ 네트워크형 조직

_____

_____

10 일탈 행동에 대한 이론적 관점을 마인드맵으로 정리하시오.

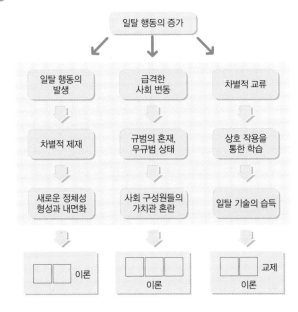

11 다음은 교사가 문화를 바라보는 어떤 관점을 설명하기 위해 사례를 드는 모습이다. 이 관점에 대해 서술하시오.

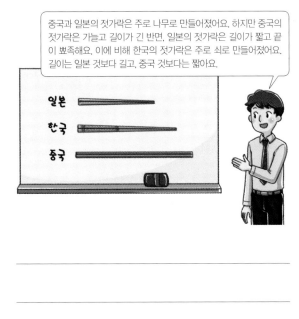

중국과 일본의 젓가락은 주로 나무로 만들어졌어요. 하지만 중국의 젓가락은 가늘고 길이가 긴 반면, 일본의 젓가락은 길이가 짧고 끝이 뾰족해요. 이에 비해 한국의 젓가락은 주로 쇠로 만들어졌어요. 길이는 일본 것보다 길고, 중국 것보다는 짧아요.

_____

_____

_____

12 다음 그림을 보고 물음에 답하시오.

(1) 위사람들이 지니고 있는 문화 이해 태도를 각각 쓰시오.

_____

_____

(2) 위 사람들 중 가장 바람직한 문화 이해 태도를 지닌 사람은 누구인지 쓰고, 그렇게 생각하는 이유를 서술하시오.

_____

_____

13 지금까지 공부한 내용을 퍼즐로 완성해 보자.

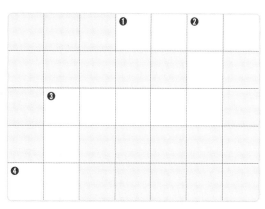

(1) **가로 열쇠**

❶ 한 개인이 동시에 두 가지 이상의 서로 다른 지위에 따른 역할을 수행하고자 할 때 역할 간에 충돌이 발생하는 것

❸ 사회가 개인의 속성과는 구별되는 독립적인 실체이며, 개인의 외부에 실제로 존재한다고 보는 관점

❹ 한 사회의 구성원들이 만들어 낸 공통의 생활 양식

(2) **세로 열쇠**

❷ 한 사회에서 희소가치를 많이 가진 집단과 그렇지 않은 집단이 지배와 피지배 관계를 이루고 있다고 보는 관점

❸ 사회 속에서 성장하면서 자신이 속한 사회의 행동 방식과 사고방식을 학습하는 과정

1 (가), (나)에 대한 설명으로 옳은 것은?

> (가) 가속도(a)는 힘의 크기(F)에 비례하고 질량(m)의 크기에 반비례한다.
> (나) 콘서트장에 모인 관중들은 가수의 노래에 감동하여 눈물을 흘렸다.

① (가) 사회·문화 현상, (나)는 자연 현상이다.
② (가)는 확실성의 원리가 적용되고, (나)는 확률의 원리가 적용된다.
③ (가)는 인간의 의지가 개입되어 이루어지는 현상이다.
④ (나)는 인간의 의지와 무관하게 이루어지는 현상이다.
⑤ (나)는 (가)에 비해 인과 관계가 분명하다.

2 다음 관점에 해당하는 이론으로만 짝지은 것은?

> 사회 제도나 구조에 초점을 두고 사회라는 큰 체계 속에서 사회·문화 현상을 파악하려는 관점

① 기능론, 갈등론
② 상징적 상호 작용론
③ 기능론, 상징적 상호 작용론
④ 갈등론, 상징적 상호 작용론
⑤ 기능론, 갈등론, 상징적 상호 작용론

3 다음 대화에서 교육 제도를 보는 갑과 을의 관점에 대한 설명으로 옳은 것은?

> 교육은 그 사회가 합의한 가치나 규범을 내면화하는 과정이에요. 많은 부모들이 기본 습관이나 예절을 가르치는 것은 다른 사람과 함께 살아가는 방법을 익혀서 사회 구성원으로 자기 역할을 제대로 수행하도록 하려는 거죠.

> 저는 그 합의라는 것에 대해 반대하는데요. 우리 사회의 기득권층이 요구하는 내용을 배우는 과정이 교육이라고 생각해요.

갑   을

① 갑은 교육이 계층적 지위 세습을 정당화하는 수단으로 작용한다고 본다.
② 갑은 교육을 통해 지배 집단의 가치나 문화를 당연한 것으로 수용하게 된다고 본다.
③ 을은 구성원 간의 합의된 가치와 규범을 중요하게 여긴다.
④ 을은 사회 구성 요소들이 해야 하는 일과 방식들은 이미 합의된 것이기 때문에 당연히 지켜야 한다고 본다.
⑤ 갑은 사회 안정을, 을은 사회 변동을 설명하기에 적합하다.

4 다음 글에서 설명하고 있는 사회·문화 현상을 이해하는 관점으로 옳은 것은?

> 개인들이 일상적으로 상호 작용하는 과정에서 나타나는 행위의 주관적인 동기와 의미의 해석에 초점을 두어 현상을 보는 관점이다.

① 기능론   ② 갈등론
③ 거시적 관점   ④ 보수적 관점
⑤ 상징적 상호 작용론

5 다음 판서의 내용에 해당하는 자료 수집 방법으로 옳은 것은?

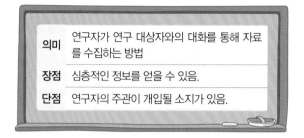

의미	연구자가 연구 대상자와의 대화를 통해 자료를 수집하는 방법
장점	심층적인 정보를 얻을 수 있음.
단점	연구자의 주관이 개입될 소지가 있음.

① 실험법   ② 면접법
③ 질문지법   ④ 참여 관찰법
⑤ 문헌 연구법

6 다음에서 설명하는 연구자의 태도에 해당하는 것은?

> 사회 · 문화 현상을 있는 그대로 받아들이기보다는 그 이면의 의미를 살펴보거나, 연구 진행 과정을 제대로 수행하고 있는지 되짚어 보려는 태도

① 성찰적 태도   ② 객관적 태도
③ 개방적 태도   ④ 종합적 태도
⑤ 상대주의적 태도

7 (가), (나)는 사회·문화 현상의 탐구 절차를 일정한 기준에 따라 구분한 것이다. (가), (나)를 구분할 수 있는 질문으로 가장 적절한 것은?

(가)	자료 수집, 자료 분석 및 결론 도출
(나)	문제 인식, 가설 설정

① 연구 윤리가 요구되는가?
② 간학문적 연구 경향을 반영하는가?
③ 연구자의 가치 개입이 허용되는가?
④ 질적 연구에서는 생략될 수 있는가?
⑤ 연구자의 성찰적 태도가 요구되는가?

8 사회 명목론에 대한 설명으로 옳은 것은?

① 사회는 개인의 집합체에 불과하다.
② 사회는 개인의 외부에 실제로 존재한다.
③ 사회는 개인의 속성과 구별되는 독립적인 실체이다.
④ 사회는 개인으로 환원될 수 없는 고유한 성격을 가진다.
⑤ 사회 · 문화 현상을 이해하려면 개인의 특성보다는 사회 구조를 탐구해야 한다.

9 (가)에 들어갈 사회학적 개념으로 적절한 것은?

(가) 의 사례 조사

1. 70세 김말순 씨: 행정 복지 센터에서 스마트폰 사용법을 배운다.
2. 베트남에서 온 티마이 씨: 한국어를 배우고 있다.

① 재사회화   ② 1차 집단
③ 사회화 기관   ④ 공식적 사회화 기관
⑤ 비공식적 사회화 기관

10 밑줄 친 ㉠~㉤ 중 성격이 다른 사회적 지위는?

> 갑은 집안의 ㉠ 장녀로 태어났고, 현재는 유치원생 아들을 둔 ㉡ 엄마이다. 회사에서는 ㉢ 영업부 과장으로 일하고 있고, 회사 내 ㉣ 사진 동호회의 총무를 맡고 있다. 그리고 을의 ㉤ 10년지기 친구이기도 하다.

① ㉠   ② ㉡   ③ ㉢   ④ ㉣   ⑤ ㉤

11 다음 설명에 해당하는 지위를 〈보기〉에서 고른 것은?

> 개인의 의지나 노력과 상관없이 선천적으로 주어지는 지위

▶ 보기 ◀
ㄱ. 남자　　ㄴ. 여자　　ㄷ. 장녀
ㄹ. 선생님　　ㅁ. 대학생　　ㅂ. 어머니

① ㄱ, ㄴ, ㄷ　　② ㄱ, ㄷ, ㄹ　　③ ㄴ, ㄷ, ㄹ
④ ㄷ, ㄹ, ㅁ　　⑤ ㄹ, ㅁ, ㅂ

12 밑줄 친 ⑦~⑩에 해당하는 사회 집단을 잘못 연결한 것은?

이번 주 할 일

월	수행 평가 과제하기
화	⑦ 우리 학교와 ⓛ ○○ 학교의 야구 경기 응원
수	
목	
금	어머니 ⓒ 회사 견학 가는 날
토	ⓔ 친구들과 영화 보기
일	현서네 ⑩ 가족과 고궁 관람

① ⑦-내집단　　② ⓛ-외집단　　③ ⓒ-결사체
④ ⓔ-2차 집단　　⑤ ⑩-1차 집단

13 자발적 결사체에 해당하지 않는 것은?

① 가족　　② 향우회　　③ 동호회
④ 환경 단체　　⑤ 소비자 단체

14 관료제 조직에 대한 설명으로 옳지 않은 것은?

① 업무가 분화되고 전문화되어 있다.
② 규칙과 절차에 따라 업무가 수행된다.
③ 능력과 연공서열에 따라 승진 기회가 제공된다.
④ 빠른 변화에 창의적이고 신속하게 대응할 수 있다.
⑤ 위계의 서열화로 지위에 따라 권한과 책임이 명확하게 규정되어 있다.

15 다음은 어떤 기업의 상여금 지급 규정에서 고려되는 요소의 비중 변화를 나타낸 것이다. 이와 같은 변화에 대한 설명으로 옳은 것은?

2020년 기존 규정		2021년 개정안	
재직 연수	30%	재직 연수	10%
직급	25%	직급	15%
부양 가족	20%	부양 가족	20%
업무 성과	15%	업무 성과	35%
자기 계발 노력	10%	자기 계발 노력	20%

▶ 보기 ◀
ㄱ. 실무자의 의견 반영률이 높아질 것이다.
ㄴ. 업무 수행의 융통성과 유연성이 강조되는 추세이다.
ㄷ. 변화에 대한 신속한 대응으로 조직의 안정성이 강화될 것이다.
ㄹ. 팀제, 네트워크형 조직의 한계점 노출에 따른 쇄신 방안이 마련된 것이다.

① ㄱ, ㄴ　　② ㄱ, ㄷ　　③ ㄴ, ㄷ
④ ㄷ, ㄹ　　⑤ ㄷ, ㄹ

16 (가), (나)에 해당하는 일탈 이론을 옳게 연결한 것은?

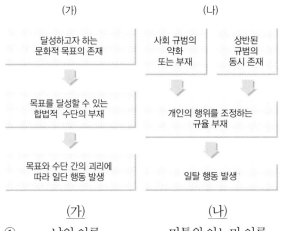

	(가)	(나)
①	낙인 이론	머튼의 아노미 이론
②	낙인 이론	뒤르켐의 아노미 이론
③	차별 교제 이론	머튼의 아노미 이론
④	머튼의 아노미 이론	뒤르켐의 아노미 이론
⑤	뒤르켐의 아노미 이론	머튼의 아노미 이론

17 다음 표현을 통해 설명할 수 있는 일탈 행동에 대한 이론으로 가장 적절한 것은?

- 까마귀 노는 곳에 백로야 가지 마라.
- 근묵자흑 근주자적(近墨者黑 近朱者赤)

① 낙인 이론
② 아노미 이론
③ 사회 실재론
④ 사회 명목론
⑤ 차별 교제 이론

18 다음 사례를 통해 알 수 있는 문화의 속성으로 가장 적절한 것은?

우리나라에서 생활하는 외국인 중에는 처음에는 김치를 잘 먹지 못했지만, 점점 익숙해져서 김치를 좋아하게 된 사람이 많다. 더 나아가 김치를 담그는 법을 배워서 직접 담가 먹기도 한다.

① 공유성 ② 학습성 ③ 전체성
④ 변동성 ⑤ 축적성

19 다음 사례에 나타난 문화 이해 태도로 적절한 것은?

갑은 영어로 쓰인 간판이 한국어로 쓰인 간판보다 고급스럽다고 생각한다.

① 총체론적 관점 ② 비교론적 관점
③ 문화 사대주의 ④ 문화 상대주의
⑤ 자문화 중심주의

20 문화 상대주의에 대한 설명으로 옳지 <u>않은</u> 것은?

① 문화는 우열을 가릴 수 있는 것이 아니라고 본다.
② 식인 문화도 독특한 문화로 인정해야 한다고 본다.
③ 각 사회의 문화가 가진 고유성을 인정해야 한다고 본다.
④ 다른 문화나 인종, 계층의 사람을 대할 때 필요한 태도이다.
⑤ 다른 사회의 문화를 그 사회의 입장에서 바라보고 이해하려는 태도이다.

1 밑줄 친 ㉠, ㉡과 같은 현상에 대한 옳은 설명을 〈보기〉에서 고른 것은?

> ㉠ 지독한 한파가 기승을 부렸던 제주도에는 3일 동안 엄청난 양의 폭설이 쏟아졌다. 강풍으로 비행기의 이착륙이 어려워지자 제주 공항은 운영을 중단하였다.
> 승객들은 공항에서 밤을 새우며 대기하였다. 제주특별자치도청과 제주관광공사는 부족한 ㉡ 담요와 이불을 어린이에게 먼저 지급했다. 불편을 겪은 승객 중 일부가 항의했지만, 우려했던 격한 충돌은 없었다.

● 보기 ●
ㄱ. ㉠은 당위 법칙이 적용된다.
ㄴ. ㉠은 몰가치적이고, ㉡은 가치 내재적이다.
ㄷ. ㉡은 ㉠에 비해 인과 관계가 분명하지 않다.
ㄹ. ㉡은 ㉠과 달리 과학적 탐구 대상이 될 수 없다.

① ㄱ, ㄴ
② ㄱ, ㄷ
③ ㄴ, ㄷ
④ ㄴ, ㄹ
⑤ ㄷ, ㄹ

2 밑줄 친 현상이 지니는 일반적인 특징으로 옳은 것은?

> ## ○○ 신문
>
> 소두증을 유발할 수 있는 지카 바이러스의 주된 전염 요소로 알려진 모기를 퇴치하기 위해 A국의 정부 당국이 노력하고 있다. 그러나 지난 호우로 인해 물웅덩이가 증가하면서 모기 개체수가 늘어날 것으로 예상되고 있다.

① 몰가치성을 띤다.
② 가치 함축적이다.
③ 필연성의 원리가 적용된다.
④ 존재 법칙의 지배를 받는다.
⑤ 인과 관계가 분명하게 나타난다.

3 다음 글에서 사회·문화 현상을 바라보는 관점으로 옳은 것은?

> 한 사회에서는 희소가치를 많이 가진 집단과 그렇지 않은 집단이 지배와 피지배 관계를 이루고 있다.

① 기능론
② 갈등론
③ 통합론
④ 미시적 관점
⑤ 상징적 상호 작용론

4 사회·문화 현상을 바라보는 관점과 특징을 옳게 연결한 것은?

(가)	희소가치의 불평등한 배분에 초점을 둠.
(나)	사회 구성 요소의 균형과 안정을 강조함.
(다)	개인이 부여하는 주관적 의미를 중시함.

	(가)	(나)	(다)
①	기능론	갈등론	상징적 상호 작용론
②	기능론	상징적 상호 작용론	갈등론
③	갈등론	기능론	상징적 상호 작용론
④	갈등론	상징적 상호 작용론	기능론
⑤	통합론	기능론	갈등론

5 다음 글에서 사회·문화 현상을 바라보는 관점에 부합하는 진술로 가장 적절한 것은?

> 사회는 주변의 모든 것에 의미를 부여하는 개인이나 집단들에 의해 구성된다.

① 사회는 하나의 유기적 통합 체계이다.
② 사회 불평등은 이해관계가 고착화된 결과이다.
③ 개인은 주관에 따라 다양한 사회상을 만들어 낸다.
④ 사회의 각 부분은 전체를 위해 각각의 임무를 수행하고 있다.
⑤ 가치나 규범을 지키지 않는 행위는 사회 질서를 깨뜨리는 위험한 행위이다.

6 ㉡에 해당하는 단어로 옳은 것은?

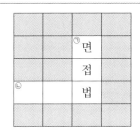

〈가로 열쇠〉

㉠ 연구자가 연구 대상자와 깊이 있는 대화를 통해 자료를 수집하는 방법

〈세로 열쇠〉

㉡ 계획적으로 어떤 조건을 만들어 변화를 주고, 그에 따른 변화를 관찰하여 자료를 수집하는 방법

① 실험법 　　② 질문지법 　　③ 문헌 연구법
④ 참여 관찰법 　　⑤ 질적 연구 방법

7 양적 연구 방법에 대한 설명으로 옳은 것은?

① 방법론적 이원론에 기초하고 있다.
② 인간 행위의 동기나 목적 파악을 중시한다.
③ 일반화된 지식과 인과 법칙을 발견할 수 있다.
④ 직관적 통찰을 통한 해석적 이해가 필요하다고 본다.
⑤ 대화록, 관찰 일지 등과 같은 계량화하지 않은 자료를 중요하게 활용한다.

8 질적 연구 방법에 대한 설명으로 옳은 것은?

① 연구 결과를 일반화하기 쉽다.
② 두 변인 간의 인과 관계를 설명하는 데 유용하다.
③ 연구 대상자와의 정서적 교감을 중시하지 않는다.
④ 상황이나 맥락 속에서 규정되는 의미에 대한 해석을 중시한다.
⑤ 연구자의 주관적 가치를 배제한 과학적 연구 방법의 절차를 거친다.

9 다음 사례를 읽고 내린 결론으로 가장 적절한 것은?

연구자 갑이 자신이 개발한 학교 폭력 예방 프로그램의 효과를 파악하기 위해 시범 적용 연구를 한 사실이 밝혀졌다. 갑은 20개 학교를 미리 정한 후 해당 학교 교사들과 사전 대화를 통해 프로그램 적용 결과가 좋게 나와야 한다는 점을 설명하고, 이에 동의하는 10개 학교를 최종 연구 대상으로 선정하였다.

① 가치 개입은 철저하게 배제되어야 한다.
② 연구자가 사회 현상에 대해 특정한 가치를 가져서는 안 된다.
③ 연구자는 필요에 따라 객관적인 태도를 취할 수 있어야 한다.
④ 사회 현상에 대한 연구에서 가치 배제는 현실적으로 불가능하다.
⑤ 가설 설정과 자료 수집 및 분석 단계에서 가치 중립을 지켜야 한다.

10 ㉠, ㉡에 들어갈 내용을 옳게 연결한 것은?

가족, 친족, 또래 집단 등과 같이 주로 어린 시절에 자아와 인성의 기본 틀을 형성하고 사회생활의 기초적인 행동 양식을 습득하는 데 많은 영향을 미치는 기관을 　㉠　 사회화 기관이라고 한다. 그리고 학교, 직장, 대중 매체 등과 같이 전문적인 지식과 정보 등을 사회화하는 기관을 　㉡　 사회화 기관이라고 한다.

	㉠	㉡
①	1차적	2차적
②	1차적	공식적
③	1차적	비공식적
④	2차적	1차적
⑤	2차적	공식적

11 다음 대화에서 아들이 겪고 있는 갈등을 해결하기 위한 방법으로 가장 적절한 것은?

> 〈삽화 그리기\:〉현관에서 대화하는 엄마와 아들〉
> 엄마: 엄마가 오늘 늦게 퇴근하니까 네가 동생을 돌봐줘.
> 아들: 모둠별 과제를 해야 해서 오늘 좀 늦을 것 같은데요. 둘 다 할 수는 없는데 어떻게 하죠?
> 7일-사문-삽-01

① 모든 역할을 포기한다.
② 엄마가 시키는 일을 한다.
③ 주어진 역할을 모두 수행한다.
④ 기분에 따라 역할을 수행한다.
⑤ 역할의 우선순위를 정하여 중요한 것부터 수행한다.

12 사회 집단에 해당하지 <u>않는</u> 것은?

① 여행을 떠나는 탁구 동호회
② 봉사 활동을 떠나는 야구 동아리
③ 축구 결승전을 보기 위해 모인 관중
④ 매주 연습하는 ○○ 고등학교 밴드 동아리
⑤ 사진을 찍으러 야외로 나가는 사진 동호회

13 밑줄 친 ㉠~㉢에 대한 옳은 설명만을 〈보기〉에서 있는 대로 고른 것은?

> 갑은 진학을 원했던 ㉠ ○○ 고등학교에 입학한 ㉡ 신입생이다. 갑은 ○○ 고등학교에 입학하기 위해 선발 고사를 치렀으며, 3:1의 경쟁률을 뚫고 입학하게 되었다. 입학식 날 갑의 ㉢ 아버지, ㉣ 어머니를 비롯하여 많은 분들이 오셔서 갑의 입학을 축하해 주셨다.

> ● 보기 ●
> ㄱ. ㉠의 갑의 준거 집단이자 내집단이다.
> ㄴ. ㉡은 갑이 후천적으로 획득한 지위이다.
> ㄷ. ㉢은 귀속 지위, ㉣은 성취 지위이다.

① ㄱ
② ㄴ
③ ㄱ, ㄴ
④ ㄱ, ㄷ
⑤ ㄱ, ㄴ, ㄷ

14 다음은 한 학생의 필기 내용이다. (가)에 들어갈 사회학적 개념으로 옳은 것은?

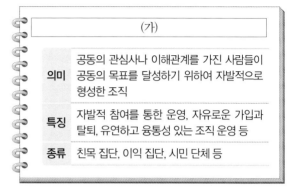

	(가)	
의미	공동의 관심사나 이해관계를 가진 사람들이 공동의 목표를 달성하기 위하여 자발적으로 형성한 조직	
특징	자발적 참여를 통한 운영, 자유로운 가입과 탈퇴, 유연하고 융통성 있는 조직 운영 등	
종류	친목 집단, 이익 집단, 시민 단체 등	

① 내집단
② 외집단
③ 공식 조직
④ 비공식 조직
⑤ 자발적 결사체

15 어떤 조직의 형태가 (가)에서 (나)로 바뀌었을 때 나타날 수 있는 효과로 가장 적절한 것은?

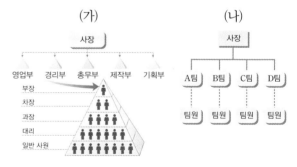

① 조직 구성원의 창의성이 신장된다.
② 연공서열에 따른 보상과 승진 기회가 보장된다.
③ 명확한 규칙과 절차에 따라 일을 처리할 수 있다.
④ 전문성을 기준으로 구성원을 선발하여 임기를 보장한다.
⑤ 위계 서열화로 지위에 따라 권한과 책임이 명확하게 규정된다.

16 (가)에 들어갈 내용으로 적절한 것은?

> (가) 은/는 기존의 사회 규범이 약화되거나 부재하지만 이를 대체할 새로운 규범과 기준이 없는 상태입니다. (가) 이론에서는 개인의 행동 지침이 될 만한 사회 규범이 부재하거나 불분명할 때 일탈이 발생한다고 봅니다.

① 낙인
② 아노미
③ 차별 교제
④ 목표의 부재
⑤ 문화적 목표

17 다음 그림에 해당하는 일탈 이론에 대한 설명으로 옳은 것은?

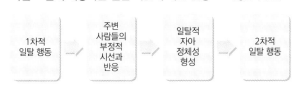

① 차별 교제 이론이다.
② 아노미 상태에서 일탈 행동이 일어난다고 본다.
③ 일탈 행동이 처음 발생하는 원인을 설명하는 데 유용하다.
④ 일탈을 규정하는 객관적인 규범은 존재하지 않는다고 본다.
⑤ 일탈 행동은 개인이 일탈에 우호적인 일탈자와 접촉하면서 그들의 문화와 행동을 학습하여 사회화한 결과라고 본다.

18 밑줄 친 문화의 의미가 다른 하나는?

① 문화 상품권으로 책을 구매하였다.
② 친구와 함께 문화생활을 하러 미술관에 갔다.
③ 교통신호를 제대로 지켜야 문화인이라고 할 수 있다.
④ 길거리에 침을 뱉는 행위는 문화 시민의 자세가 아니다.
⑤ 농경과 사냥, 그릇, 의복의 제작 등 인간의 여러 활동이 문화에 속한다.

19 다음 사례를 통해 알 수 있는 문화의 속성으로 가장 적절한 것은?

> 우리가 처음부터 지금과 같은 김치를 먹었던 것은 아니다. 문헌에 따르면 본래 김치는 고춧가루가 들어가지 않은 백김치였다. 임진왜란 무렵에 고추가 전래되고 김치를 담그는 데 고춧가루가 양념으로 들어가면서 지금처럼 빨간 김치를 먹게 되었다.

① 공유성   ② 총체성   ③ 학습성
④ 축적성   ⑤ 변동성

20 (가)~(다)에 대한 설명으로 옳은 것은?

> (가) 인도인들이 밥을 먹을 때 식기를 사용하지 않고 손을 이용하는 것은 이상한 행동이 아니라 그 나라의 문화일 뿐이다.
> (나) 인도인들이 음식을 먹을 때 손을 사용하는 것은 음식의 맛과 냄새뿐만 아니라 음식의 촉감을 중시하는 인도인들의 습관 때문이다.
> (다) 인도와 우리나라는 모두 쌀로 된 밥을 먹는다는 공통점이 있다.

① (가)의 문화 이해 태도는 문화 사대주의이다.
② 모든 문화에 대해 (가)와 같은 태도가 필요하다.
③ (나)는 자문화 중심주의의 근거로 작동할 수 있다.
④ (나)와 같이 문화를 전체와의 관련 속에서 이해해야 한다.
⑤ (다)와 같은 태도를 통해 문화 간 우열을 가릴 수 있다.

Memo

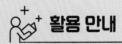 **활용 안내**

◈ 정답 박스로 빠르게 정답 확인하기!

◈ 정답과 오답의 이유, 한 번 더 짚고 넘어가기!

◈ 서술형 답안의 평가 요소는 직접 체크해 보며, 주관 식 문제 꼼꼼히 대비하기!

정답과 해설

1일 기초 확인 문제   9, 11쪽

1 사회·문화 현상   **2** (1) 자 (2) 사 (3) 자 (4) 사   **3** ㉠: 보편성,
㉡: 특수성   **4** ㄱ, ㄴ   **5** (1) 기능론 (2) 유기적 (3) 안정 (4) 갈
등(변동)   **6** ㉠: 희소가치, ㉡: 기득권   **7** (1) 갈등론 (2) 기능론
(3) 상징적 상호 작용론   **8** 갈등론   **9** (1) 상징 (2) 상황 정의

1일 내신 기출 베스트   12~13쪽

1 ③   **2** ①   **3** ①   **4** ②   **5** ②   **6** 을   **7** ⑤   **8** ⑤

1 자연 현상과 사회·문화 현상

자연 현상은 인간의 의지나 노력과는 상관없이 자연계에서 일어
나는 현상이고, 사회·문화 현상은 사람들이 사회적 관계를 맺고
사회적 상호 작용을 한 결과로 나타나는 인간의 모든 사회 활동
및 이와 관련된 현상이다. ㉠, ㉣은 자연 현상이다.

더 알아보기 ➕ 자연 현상과 사회·문화 현상

구분	자연 현상	사회·문화 현상
가치	몰가치성	가치 함축성
법칙	존재 법칙, 필연 법칙	당위 법칙
인과 관계	명확	불명확
반복과 재현	가능	불가능
법칙 발견과 예측	쉬움.	어려움.
특징	보편성, 필연성, 확실성	특수성, 개연성, 확률성

2 거시적 관점과 미시적 관점

기능론과 갈등론에서 거시적 관점이 많이 나타난다. 상징적 상
호 작용론에서는 미시적 관점이 많이 나타난다.

3 기능론

청년 실업과 같은 사회 문제를 특정 조직이나 제도가 기능을 제
대로 수행하지 못하여 발생하는 비정상적인 현상으로 파악하는
을의 관점은 기능론이다.

4 기능론

기능론은 사회를 하나의 유기적 통합 체계로 보고, 사회를 이루
는 사회 제도나 집단 등이 상호 연관성을 갖고 일정한 기능을 수
행하면서 사회가 유지된다고 보는 관점이다. 따라서 구성원 간
의 합의된 가치와 규범을 중요하게 여기고, 그러한 가치나 규범
을 지키지 않는 행위는 사회 질서를 깨뜨리는 위험한 행위로 간
주한다. 이러한 기능론은 사회 질서와 통합이 나타나는 사회·문
화 현상을 설명하기에 적합하지만, 사회 변동을 설명하기에는
어렵다는 한계가 있다.

5 갈등론

제시된 의견에서는 갈등론의 관점에서 교육 제도를 바라보고 있
다. 갈등론은 한 사회에서 희소가치를 많이 가진 집단과 그렇지
않은 집단이 지배와 피지배 관계를 이루고 있다고 보는 관점이
다. 갈등론에서는 지배 집단의 억압에 대하여 피지배 집단이 저
항하는 과정에서 나타나는 갈등과 대립은 불가피한 현상으로서
사회 발전과 변화의 원동력이라고 주장한다.

6 갈등론의 한계

갈등론은 집단 간 지배와 억압이 나타나는 사회·문화 현상을 설
명하기에 적합하지만, 사회가 안정적으로 유지되는 상황을 설명
하기 어렵다는 한계가 있다. 따라서 갈등론의 한계를 옳게 서술
한 사람은 갑이다.

오답 피하기

갑은 상징적 상호 작용론의 한계를 서술하였다.

7 상징적 상호 작용론

상징적 상호 작용론은 개인들이 일상적으로 상호 작용하는 과정
에서 나타나는 행위의 주관적인 동기와 의미의 해석에 초점을
두고 현상을 보는 관점이다.

자료 분석 ➕ 기능론적 관점과 상징적 상호 작용론적 관점

> 최근 노인 단독 가구가 증가하고 있는데 이는 가정이 노인을 봉양하는 역할을 제대로 하지 못해 발생한 결과야. 따라서 가정의 노인 부양 기능을 다시 회복할 수 있는 방안이 필요해.

> 그것보다 현재 우리 사회에서 노인의 의미, 그리고 어른의 의미가 무엇인지 다시 생각해 보아야 해. 특히 젊은 사람들이 나이 든 부모나 노인을 어떻게 이해하는지 파악해야 해.

갑   을

갑은 기능론적 관점에서, 을은 상징적 상호 작용론적 관점에서 노인 문제
를 바라보고 있다.

8 **상징적 상호 작용론**

제시문은 상징적 상호 작용론의 관점에서 사회·문화 현상을 바라보고 있다.

① 인간의 자율성을 경시한다. (×)
→ 거시적 관점에 대한 설명이다.
② 사회 질서와 통합을 중시한다. (×)
→ 기능론에 대한 설명이다.
③ 사회 구조의 강제력을 강조한다. (×)
→ 거시적 관점에 대한 설명이다.
④ 사회 변동을 설명하기 어렵다는 한계가 있다. (×)
→ 기능론에 대한 설명이다.
⑤ 사회적 행위의 동기에 대한 해석을 중시한다. (○)

2일 기초 확인 문제   17, 19쪽

1 (1) 문헌 연구법 (2) 면접법   **2** (1) ㄱ (2) ㄷ (3) ㅁ   **3** (1) 쉽다 (2) 신뢰성 (3) 실증적   **4** 참여 관찰법   **5** 양적 연구 방법
6 (1) 양적 연구 방법 (2) 방법론적 이원론 (3) 가치 중립   **7** (1) ㄷ
(2) ㄴ (3) ㄹ   **8** 가치 중립

2일 내신 기출 베스트   20~21쪽

1 ③ **2** ③ **3** ⑤ **4** ② **5** ③ **6** ② **7** ③ **8** ⑤

1 **질문지법**

질문지법은 조사 내용을 질문으로 구성한 후 연구 대상자에게 답변을 얻어 자료를 수집하는 방법이다. 질문지법에서는 묻고자 하는 것을 응답자들이 쉽게 이해하고 정확하게 답변할 수 있도록 질문지를 작성하는 것이 중요하다.

2 **자료 수집 방법**

A는 질문지법, B는 면접법, C는 참여 관찰법이다.

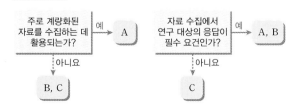

주로 계량화된 자료를 수집하는 데 활용되는 방법은 질문지법이므로 A는 질문지법이다. 자료 수집에서 연구 대상의 응답을 필수 요건으로 하는 것은 질문지법과 면접법이므로 B는 면접법이다. 따라서 C는 참여 관찰법이 된다.

3 **자료 수집 방법**

ㄷ. 참여 관찰법은 관찰하고자 하는 현상이 나타날 때까지 기다려야 하며, 일회적인 현상의 경우 그 장면을 집중적으로 포착해야 하는 어려움이 있다. 따라서 시간과 비용이 많이 들고, 자료 수집 상황을 통제하기 어렵다. ㄹ. 참여 관찰법과 달리 질문지법은 주로 많은 사람을 대상으로 자료를 수집할 때 사용된다. 실험법도 양적 자료를 얻는 데 많이 사용되지만, 질문지법에 비해 대규모 집단을 대상으로 한 자료 수집에 적합하다고 보기는 어렵다.

ㄱ. 실험법은 자료 수집 상황에 대한 통제 수준은 높고, 경제성은 낮다. ㄴ. 질문지법은 자료 수집 상황에 대한 통제 수준과 경제성이 모두 높다.

4 **면접법**

면접법은 연구 대상자와의 대화를 통해 자료를 수집하는 방법이다. 따라서 연구 대상자와의 정서적 교감을 중시하는지 여부는 면접법인지 아닌지 구별할 수 있는 질문에 해당한다.

① 접근이 어려운 지역을 조사하기에 용이한가? (×)
→ 참여 관찰법인지 아닌지 구별할 수 있는 질문이다.
② 연구 대상자와의 정서적 교감을 중시하는가? (○)
③ 실험 상황을 만들어 인위적인 조작을 가하는가? (×)
→ 실험법인지 아닌지 구별할 수 있는 질문이다.
④ 연구자가 현상이 발생하는 현지에서 연구하는가? (×)
→ 참여 관찰법인지 아닌지 구별할 수 있는 질문이다.
⑤ 주로 기존의 연구 동향을 파악하려고 사용하는가? (×)
→ 문헌 연구법인지 아닌지 구별할 수 있는 질문이다.

5 **참여 관찰법**

제시문에 나타난 자료 수집 방법은 참여 관찰법이다. 참여 관찰법은 연구자가 직접 관찰하여 수집한 자료이기 때문에 실제성을 확보할 수 있다는 장점이 있다.

6 **양적 연구 방법과 질적 연구 방법**

(가)는 질적 연구 방법, (나)는 양적 연구 방법에 해당한다. 질적 연구 방법은 가치 함축적인 사회·문화 현상은 자연 현상과 본질적으로 다르기 때문에 다른 방법으로 연구해야 한다는 방법론적 이원론에 기초한 것이다. 이에 비해 양적 연구 방법은 사회·문화

현상도 자연 현상 연구와 동일한 방법으로 연구할 수 있다는 방법론적 일원론에 기초한 것이다.

자료 분석 ➕ 양적 연구 방법과 질적 연구 방법

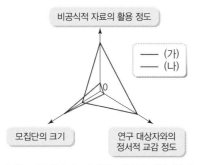

(가)는 비공식적 자료의 활용도와 연구 대상자와의 정서적 교감 정도가 높고, 모집단의 크기가 작은 것으로 보아 질적 연구 방법에 해당한다. (나)는 비공식적 자료의 활용도와 연구 대상자와의 정서적 교감 정도가 낮고, 모집단의 크기가 큰 것으로 보아 양적 연구 방법에 해당한다.

선택지 바로 보기

① (가)는 방법론적 일원론에 기초한다. (✕)
→ 질적 연구 방법은 방법론적 이원론에 기초한다.

② (가)는 일반화나 법칙 발견에 어려움이 있다. (○)

③ (가)는 개념의 조작적 정의 과정을 거친다. (✕)
→ 개념의 조작적 정의 과정을 거치는 것은 양적 연구 방법이다.

④ (나)는 방법론적 이원론에 기초한다. (✕)
→ 양적 연구 방법은 방법론적 일원론에 기초한다.

⑤ (나)는 관찰 행위에 대한 의미 해석을 시도한다. (✕)
→ 관찰 행위에 대한 의미 해석을 시도하는 것은 질적 연구 방법이다.

7 사회·문화 현상의 탐구 태도
제시문에서 '현상 이면의 의미를 살펴보려는' 사회·문화 현상의 탐구 태도는 성찰적 태도이다. 앤서니 기든스는 성찰적 태도를 갖기 위해서는 미국의 사회학자 밀즈가 말한 사회학적 상상력을 동원할 필요가 있다고 주장하였다.

더 알아보기 ➕ 사회·문화 현상의 탐구 태도

객관적 태도	연구 과정에서 자신의 주관이나 가치, 이해관계를 떠나 제삼자의 관점에서 있는 그대로 현상을 관찰하려는 태도
개방적 태도	연구를 진행하면서 편협한 주장이나 이론에 빠지지 않고, 연구 결과에 대하여 다른 연구자의 비판을 허용하는 태도
상대주의적 태도	사회·문화 현상이 지닌 고유한 의미와 가치를 해당 사회 집단의 맥락이나 환경을 고려하여 이해하려는 태도
성찰적 태도	사회·문화 현상을 있는 그대로 받아들이기 보다는 그 이면의 의미를 살펴보거나, 연구 진행 과정을 제대로 수행하고 있는지 되짚어 보려는 태도

8 가치 중립
제시문에서는 면접법으로 자료를 수집하는 과정에서 과거 자신의 경험이 개입되었다. 그런데 면접법을 활용해 자료를 수집하는 과정은 엄격하게 가치 중립이 필요하다. 연구자가 개인적 감정을 통제하지 못해 객관적인 자료를 수집하지 못하면 연구 결과가 왜곡될 수 있기 때문이다.

3^일 기초 확인 문제　　　　25, 27쪽

1 (1) 사회 실재론　(2) 사회 명목론　**2** 사회화　**3** 가족
4 (1) ⓒ　(2) ⓛ　(3) ⓞ　**5** (1) ㄱ, ㄹ　(2) ㄴ, ㄷ　(3) ㄴ　(4) ㄱ, ㄷ, ㄹ
6 (1) ㉠, ⓛ　(2) ⓒ, ㉣　**7** (1) 사회적 지위　(2) 역할　(3) 역할 행동
(4) 지위　**8** 역할 행동　**9** (1) 역할 갈등　(2) 개인적　(3) 사회적

3^일 내신 기출 베스트　　　　28~29쪽

1 사회 명목론　**2** ②　**3** ③　**4** A: 1차적 사회화 기관, B: 2차적 사회화 기관, 공식적 사회화 기관, C: 2차적 사회화 기관, 비공식적 사회화 기관　**5** ①　**6** ③　**7** 역할 갈등　**8** ④

1 사회 명목론
사회 실재론은 사회가 개인의 속성과는 구별되는 독립적인 실체이며, 개인의 외부에 실제로 존재한다고 보는 관점이다. 이에 비해 사회 명목론은 사회가 개인의 합에 이름을 붙인 것으로 실제로 존재하지 않는다는 관점이다. 제시된 대화에서 을은 사회 명목론의 관점에서 회사의 변화 방향을 이야기하고 있다.

2 사회화
사회 속에서 성장하면서 자신이 속한 사회의 행동 방식과 사고 방식을 학습하는 과정을 사회화라고 한다. 제시문에서 모글리는 성장 과정에서 필요한 사회화가 이루어지지 않았기 때문에 인간 사회에 적응하는 데 어려움을 겪었다.

3 사회화 기관
학교는 학생들의 발달 단계에 맞추어 사회 구성원으로 살아가는 데 필요한 내용을 선별하여 가르친다. 학생들은 학교가 의도적

으로 가르치는 지식, 태도, 기능 외에도 학교생활을 통해 사회적 관계나 집단생활의 규칙 등을 자연스럽게 습득한다.

① 기본적인 생활 양식을 습득한다. (×)
→ 가족에 대한 설명이다.
② 사회화를 목적으로 형성되지 않는다. (×)
→ 학교는 사회화를 목적으로 형성된 공식적 사회화 기관이다.
③ 사회적 관계나 집단생활의 규칙을 습득한다. (○)
④ 모든 사회 구성원에게 새로운 정보를 제공한다. (×)
→ 모든 사회 구성원을 대상으로 하는 사회화 기관은 대중 매체이다.
⑤ 유아기와 아동기에 가장 중요한 사회화 기관이다. (×)
→ 가족에 대한 설명이다.

4 사회화 기관
사회화 기관은 형성 목적에 따라 공식적 사회화 기관과 비공식적 사회화 기관으로 나눌 수 있고, 개인의 인성에 영향을 미치는 정도나 사회화의 내용에 따라 1차적 사회화 기관과 2차적 사회화 기관으로 구분할 수 있다.

더 알아보기 사회화 기관의 유형

공식적 사회화 기관	사회화 자체를 목적으로 형성된 기관 예 학교, 직업 훈련소 등
비공식적 사회화 기관	사회화를 목적으로 형성된 것은 아니지만, 사회화가 이루어지는 기관 예 가족, 직장 등
1차적 사회화 기관	어린 시절에 자아와 인성의 기본 틀을 형성하고 사회생활의 기초적인 행동 양식을 습득하는 데 많은 영향을 미치는 기관 예 가족, 또래 집단 등
2차적 사회화 기관	전문적인 지식과 정보 등을 사회화하는 기관 예 학교, 직장, 대중 매체 등

5 사회화 기관
사회화 기관은 형성 목적에 따라 공식적 사회화 기관과 비공식적 사회화 기관으로 나눌 수 있다.

오답 피하기
ㄴ, ㄷ, ㄹ, ㅁ은 비공식적 사회화 기관이다.

6 사회적 지위
귀속 지위는 남자와 여자, 장녀와 막내아들처럼 개인의 의지나 노력과 상관없이 선천적으로 주어진 것이고, 성취 지위는 어머니와 아버지, 대학생, 운동선수처럼 개인의 의지와 노력을 통해 후천적으로 획득한 것이다.

오답 피하기
ㄱ, ㄴ, ㄹ, ㅁ은 성취 지위에 해당한다.

7 역할 갈등
한 개인이 동시에 두 가지 이상의 서로 다른 지위에 따른 역할을 수행하고자 할 때, 역할 간에 충돌이 발생하는 것을 역할 갈등이라고 한다.

8 역할 갈등
갑은 팀장으로서 야근을 해야 하는 역할과 회장으로서 동창회 모임에 참석해야 하는 역할이 충돌하는 역할 갈등을 경험하고 있다.

① ㉠은 귀속 지위이다. (×)
→ ㉠은 성취 지위이다.
② ㉡은 지위에 따른 역할 행동에 해당한다. (×)
→ ㉡은 성취 지위이다.
③ 갑은 하나의 지위를 가지고 있다. (×)
→ 제시된 사례에 직접 나타난 갑의 지위는 두 가지이다.
④ 갑은 역할 갈등을 경험하고 있다. (○)
⑤ 갑이 역할을 제대로 수행하지 못해 제재를 받고 있다. (×)
→ 갑은 역할 갈등을 경험하고 있다.

4일 기초 확인 문제 33, 35쪽

1 (1) 사회 집단 (2) 상호 작용 (3) 준거 집단 **2** (1) 1차 집단
(2) 결사체 (3) 외집단 **3** (1) ㄱ, ㄹ (2) ㄴ, ㄷ **4** 작가 **5** ㉠
6 (1) 비공식 조직 (2) 자발적 결사체 (3) 관료제 조직 **7** ㄴ, ㄷ, ㄹ
8 목적 전치 현상 **9** 자발적 결사체

4일 내신 기출 베스트 36~37쪽

1 ④ **2** ㉡ **3** ③ **4** ③ **5** ④ **6** ⑤ **7** ④ **8** ③

1 사회 집단
사회 집단은 둘 이상의 사람들이 같은 집단의 구성원이라는 정체성을 가지고 지속적으로 상호 작용할 때 형성된다.

2 사회 집단
1차 집단은 구성원들이 대체로 장기간 직접 접촉하며 친밀한 관계를 형성하는 전인격적인 집단이다.

3 공동체와 결사체

사회 집단은 구성원의 결합 의지에 따라 공동체와 결사체로 구분할 수 있다. A는 결사체, B는 공동체에 해당한다.

자료 분석 ➕ 공동체와 결사체

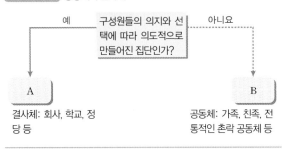

결사체: 회사, 학교, 정당 등

공동체: 가족, 친족, 전통적인 촌락 공동체 등

4 준거 집단

다양한 사회 집단 중에서 한 개인이 자신의 행동과 판단의 기준으로 삼는 집단을 준거 집단이라고 한다.

선택지 바로 보기

① 현재 개인이 속해 있는 집단이다. (×)
→ 준거 집단은 현재 자신이 속한 집단일 수도 있고 그렇지 않을 수도 있다.
② 개인이 소속되어 있으며 소속감을 느끼고 있는 집단이다. (×)
→ 내집단에 대한 설명이다.
③ 개인에게 생각이나 행동의 옳고 그름을 판단하는 지침을 제공한다. (○)
④ 소속 집단과 일치할 경우 상대적 박탈감을 느낄 수 있다. (×)
→ 준거 집단이 소속 집단과 일치하지 않을 경우 상대적 박탈감을 느낄 수 있다.
⑤ 소속 집단과 일치할 경우 소속 집단에 대한 만족감이 낮아질 수 있다. (×)
→ 준거 집단이 소속 집단과 일치할 경우 소속 집단에 대한 만족감이 높아진다.

5 공식 조직과 비공식 조직

㉠은 공식 조직, ㉡은 비공식 조직이다. 공식 조직은 특정 목적을 달성하기 위해 의도적으로 만들어진 조직이고, 비공식 조직은 공식 조직 내에서 구성원들이 친밀한 인간관계를 바탕으로 서로 상호 작용을 하며 형성된 것이다.

선택지 바로 보기

① ㉠은 비공식 조직이다. (×)
→ ㉠은 공식 조직이다.
② ㉡은 공식 조직이다. (×)
→ ㉡은 비공식 조직이다.
③ ㉠은 1차 집단의 성격이 강하다. (×)
→ ㉠은 2차 집단의 성격이 강하다.
④ ㉠은 특정 목적을 달성하기 위해 의도적으로 만들어졌다. (○)
⑤ ㉠과 ㉡을 구분하는 기준은 소속감이다. (×)
→ 소속감을 기준으로 구분하는 집단은 내집단과 외집단이다.

6 사회 조직의 유형

C는 A에 포함된다. 따라서 C는 비공식 조직이고, A는 자발적 결사체이다. 또한, A이면서 B인 경우가 있는데, 시민 단체나 노동조합과 같은 자발적 결사체는 공식 조직에 해당한다. 따라서 B는 공식 조직이다.

7 관료제 조직

관료제 조직은 특정 목표를 달성하기 위해 구성원의 역할을 명확하게 구분하고 공식적인 규칙과 규정에 따라 운영하는 대규모 위계 조직이다. 관료제는 업무가 전문화되어 있고, 위계 서열화로 지위에 따른 권한과 책임이 명확하게 규정되어 있다. 또한, 규칙과 절차에 따라 업무가 수행되고, 인간관계가 몰인격적이다. ④는 탈관료제 조직의 특징이다.

자료 분석 ➕ 관료제 조직

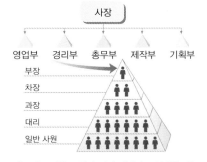

관료제 조직은 그림과 같이 피라미드 형태를 띠는 것이 일반적이다. 상층부에는 의사 결정을 담당하는 소수의 최고위 관료가 자리 잡고 있고, 중간 관료들은 각자 자신의 부하들을 거느리고 있다. 의사 결정은 상명 하달식으로 이루어지며, 각 구성원은 맡은 업무를 전문화하여 처리한다.

8 탈관료제 조직

제시된 그림은 탈관료제 조직의 유형 중 하나인 네트워크형 조직이다. 관료제 조직은 빠른 변화에 창의적이고 신속하게 대응하는 데 한계가 있다. 이러한 관료제 조직의 문제점을 극복하기 위해 대안적으로 나타난 새로운 조직 형태가 탈관료제 조직이다.

오답 피하기

ㄱ, ㄹ은 관료제 조직의 특성이다.

더 알아보기 ➕ **탈관료제 조직의 유형**

◀ 팀제 조직은 특정한 과업을 수행하기 위해 전문가로 팀을 조직하여 과업을 수행하는 임시적인 조직 형태이다.

◀ 네트워크형 조직은 독립성과 자율성을 가진 부서나 업무 단위체가 상호 유기적인 관계를 유지하면서 수평적 의사소통 관계로 형성된 조직이다.

◀ 아메바형 조직은 외부 환경에 능동적으로 대처하기 위해 조직의 형태를 특정하게 고정하지 않고 과업이나 목표에 따라 수시로 바꾸는 유연한 조직 형태이다.

5일 기초 확인 문제 41, 43쪽

1 일탈 행동 **2** (1) 상대성 (2) 사회적 **3** (1) ㄴ (2) ㄱ (3) ㄷ
4 (1) ㉠ (2) ㉢ (3) ㉡ **5** (1) 문화 (2) 총체성 **6** (1) ㉠ (2) ㉢
(3) ㉡ **7** (1) 전체 (2) 객관적 **8** (1) ㄴ (2) ㄱ (3) ㄷ

5일 내신 기출 베스트 44~45쪽

1 ⑤ **2** ② **3** ⑤ **4** ③ **5** ㉠, ㉢, ㉣ **6** ② **7** ②
8 ②

1 일탈 행동

일탈 행동은 한 사회에서 일반적으로 받아들여지는 사회 규범에 어긋나는 행동을 의미한다. 일탈 행동은 행동이 이루어지는 상황이나 문화, 시대에 따라 다르게 판단될 수 있다.

선택지 바로 보기

① (가)는 범죄입니다. (×)
→ (가)는 일탈 행동이다.
② (가)는 개인에게 긍정적인 영향만 미칩니다. (×)
→ 일탈 행동은 개인에게 긍정적인 영향과 부정적인 영향을 모두 미친다.
③ (가)는 사회적으로 영향을 미치지 않습니다. (×)
→ 일탈 행동은 사회적으로 영향을 미친다.
④ (가)에 대한 규정은 문화에 상관없이 동일합니다. (×)
→ 일탈 행동에 대한 규정은 행동이 이루어지는 상황이나 문화, 시대에 따라 다르게 이루어진다.
⑤ (가)에 대한 규정은 시대나 상황에 따라 달라집니다. (○)

2 아노미 이론

아노미 이론에서는 아노미 상태에서 일탈 행동이 일어난다고 설명한다. 뒤르켐은 아노미란 기존의 사회 규범이 약화되거나 부재하지만 이를 대체할 새로운 규범과 기준이 없는 상태라고 설명하고, 머튼은 아노미를 한 사회의 문화적 목표와 그 목표를 달성하기 위해 제도적으로 인정하는 수단 사이의 불일치로 설명한다. 제시된 표의 내용은 뒤르켐의 아노미 이론을 나타낸 것이다.

3 차별 교제 이론

제시문에서 갑의 부모는 갑이 불량한 친구들과 어울리면서 일탈 행동을 배웠다고 보고 있다. 이는 차별 교제 이론에 해당한다. 차별 교제 이론에서는 일탈 행동에 대해 개인이 일탈에 우호적인 일탈자와 접촉하면서 그들의 문화와 행동을 학습하여 사회화한 결과라고 본다.

4 낙인 이론

제시된 사례는 낙인 이론을 적용할 수 있는 사례이다. 낙인 이론은 특정 행동을 일탈 행동으로 규정한 후, 그러한 행동을 한 사람들을 일탈자로 낙인찍었기 때문에 일탈 행동이 발생한다고 설명한다. 낙인 이론의 관점에서는 불필요한 낙인을 줄이기 위한 노력과 일탈 행동을 신중하게 규정하려는 사회적 합의가 필요하다고 설명한다.

5 문화의 의미

좁은 의미의 문화는 교양 있거나 세련된 상태 또는 예술적인 것을 의미하고, 넓은 의미의 문화는 한 사회의 구성원들이 만들어 낸 공통의 생활 양식을 의미한다. ㉠, ㉢, ㉣은 좁은 의미의 문화, ㉡은 넓은 의미의 문화이다.

6 **문화의 속성**

제시된 그림에서 청소년들끼리 이해하는 용어가 따로 있다는 것으로 보아 문화의 공유성을 알 수 있다.

더 알아보기 ＋ 문화의 속성

학습성	문화는 타고나는 것이 아니라 후천적으로 습득됨.
공유성	문화는 한 사회의 구성원들이 공통으로 가지고 있는 생활 양식임.
변동성	문화는 시간이 흐르면서 그 모습이나 내용, 의미 등이 변화함.
축적성	문화는 다음 세대로 전승되면서 기존의 문화에 새로운 문화 요소가 추가됨.
총체성	문화는 여러 구성 요소가 상호 유기적인 관련을 맺으며, 부분이 아닌 하나의 전체로서 존재함.

7 **문화를 바라보는 관점**

제시문에서는 문화의 여러 요소가 독자적으로 존재하지 않고 서로 관련을 맺고 있다는 점을 강조하고 있다.

선택지 바로 보기

① 문화는 보편성과 특수성을 가지고 있다. (×)
→ 비교론적 관점에 대한 설명이다
② 문화의 여러 요소가 서로 관련을 맺고 있다. (○)
③ 문화는 시간이 흐르면서 그 내용이 변화한다. (×)
→ 문화의 변동성에 대한 설명이다.
④ 특정 문화를 기준으로 문화의 우열을 평가할 수 있다. (×)
→ 자문화 중심주의와 문화 사대주의에 대한 설명이다.
⑤ 각 사회의 문화는 다른 사회의 문화와 구분되는 고유한 특성이 있다. (×)
→ 문화 상대주의에 대한 설명이다.

8 **문화 이해 태도**

'천하도'에 나타난 문화 이해 태도는 문화 사대주의이다. 문화 사대주의는 다른 사회의 문화를 우월한 것으로 여기고 추종하면서 자신의 문화를 열등하다고 생각하는 태도이다.

선택지 바로 보기

① 문화에 우열이 없다고 보는 입장이다. (×)
→ 문화 상대주의에 대한 설명이다.
② 자기 문화를 무시하거나 낮게 평가한다. (○)
③ 집단 내의 일체감과 자부심을 높일 수 있다. (×)
→ 자문화 중심주의에 대한 설명이다.
④ 다른 문화를 자기 문화보다 열등한 것으로 본다. (×)
→ 자문화 중심주의에 대한 설명이다.
⑤ 국가 간 교류를 중시하는 현대 사회에서 고립될 수 있다. (×)
→ 자문화 중심주의에 대한 설명이다.

더 알아보기 ＋ 문화를 이해하는 태도

자문화 중심주의	자기 문화를 가장 우수한 것으로 여기면서 그것을 기준으로 다른 문화를 수준이 낮거나 미개하다고 판단하는 태도
문화 상대주의	어떤 사회의 특수한 자연환경, 역사적 전통, 사회적 맥락 등을 고려하여 그 사회의 문화를 이해하는 태도

6 **일 누구나 100점 테스트 1회** 46~47쪽

1 ③　**2** ④　**3** ①　**4** ①　**5** ①　**6** ③　**7** ④　**8** ②
9 ⑤　**10** ④

1 **자연 현상과 사회·문화 현상**

사회·문화 현상은 가치 함축적이고, 개연성의 원리가 적용된다.

오답 피하기

ㄱ, ㄹ. 몰가치적이고 필연성의 원리가 적용되는 것은 자연 현상의 특징이다.

2 **사회·문화 현상**

명절에 귀성 차량으로 도로가 정체되는 것은 사회·문화 현상에 해당한다.

오답 피하기

①, ②, ③, ⑤는 자연 현상이다.

3 **기능론**

기능론은 사회를 이루는 구성 요소들이 서로 조화와 균형을 이루며, 개인도 사회 질서를 유지하여 사회 속의 한 부분으로서 기능을 담당한다고 본다.

4 **양적 연구 방법**

월평균 소득 수준과 월평균 사교육비 지출액의 관계를 일반화된 법칙으로 발견하고자 하는 양적 연구에 사용될 수 있는 자료이다.

오답 피하기

②, ③, ④, ⑤는 질적 연구 방법에 대한 설명이다.

5 **실험법**

제시된 판서는 실험법에 대한 내용이다. 실험법은 계획적으로 어떤 조건을 만들어 변화를 주고, 그에 따른 변화를 관찰하여 자료를 수집하는 방법이다.

6 **질문지법**

질문지법은 조사 내용을 질문으로 구성한 후 연구 대상자에게 답변을 얻어 자료를 수집하는 방법이다.

더 알아보기 ➕ 질문지 작성 시 유의 사항 ────

- 한 문항에서는 한 가지 내용만 묻는다.
- 묻는 내용이 명료하지 않아서 응답에 혼란을 주어서는 안 된다.
- 특정한 답을 유도하거나 가치를 개입한 내용을 넣어 질문해서는 안 된다.
- 선택지는 서로 겹치지 않고 상호 배타성을 띠도록 해야 한다.
- 선택지는 어느 한 방향으로 치우치지 않도록 균형 있게 구성해야 한다.
- 선택지는 예측 가능한 모든 경우를 포함해야 한다.

7 자료 수집 방법

양적 자료 수집에 적합한 것은 질문지법, 의사소통이 곤란한 집단을 대상으로 한 자료 수집에 적합한 것은 참여 관찰법이다.

자료 분석 ➕ 자료 수집 방법 ────

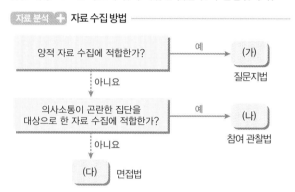

양적 자료 수집에 적합한 (가)는 조사 결과의 통계적인 분석과 비교 분석이 용이한 질문지법이 적합하다. 의사소통이 곤란한 집단을 대상으로 한 자료 수집에 적합한 (나)는 참여 관찰법이고, (다)는 연구 대상의 생각이나 의견을 듣는 것을 강조하는 면접법이 적합하다.

8 질적 연구 방법

질적 연구는 가설을 설정하지 않거나 설정하는 경우에도 추상적인 형태로 만든다.

더 알아보기 ➕ 양적 연구 방법과 질적 연구 방법 ────

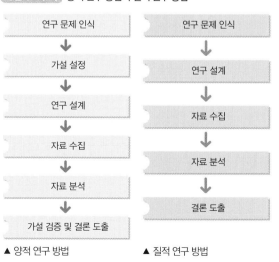

9 사회·문화 현상의 탐구 태도

상대주의적 태도는 특정 현상이 해당 집단이나 사회의 고유한 맥락 속에서 형성된 것임을 인정하는 태도이다.

10 가치 중립

가치 중립이란 연구자가 가치를 가져서는 안 된다는 것이 아니라 특정한 가치나 태도에 치우쳐 연구 결과를 왜곡해서는 안 된다는 것이다.

더 알아보기 ➕ 연구 과정에서의 가치 개입과 가치 중립 ────

6일 **누구나 100점 테스트 2회**   48~49쪽

1 사회 실재론

제시문은 사회 실재론에 대한 설명이다. 사회 실재론에서는 사회를 개인의 총합 이상으로서 개인으로 환원될 수 없는 고유한 성격으로 본다.

2 사회화 기관

㉠에 공통으로 들어갈 사회화 기관은 가족이다. 가족은 유년기의 사회화를 결정짓는 중요한 기관으로, 부모의 양육 방식에 따라 아동의 행동 양상이 다르게 나타난다.

3 **성취 지위**

성취 지위는 개인의 의지와 노력을 통해 후천적으로 획득하는 지위이다. ⑦은 개인의 의지나 노력과 상관없이 선천적으로 주어지는 귀속 지위이다.

오답 피하기

②, ③, ④, ⑤는 성취 지위이다.

4 **역할 갈등**

학생의 필기는 역할 갈등에 대한 내용이다.

더 알아보기 + 역할, 역할 행동, 역할 갈등

역할	지위에 따라 사회적으로 기대하는 행동 양식
역할 행동	개인이 사회적 역할을 실제로 수행하는 방식
역할 갈등	한 개인이 동시에 두 가지 이상의 서로 다른 지위에 따른 역할을 수행하고자 할 때, 역할 간에 충돌이 발생하는 것

5 **사회 집단**

ⓒ은 구성원들이 '우리'라는 강한 동질감을 갖고 서로에 대해 동료애와 유대감을 느끼는 내집단이다.

선택지 바로 보기

① 내집단 (○)

② 외집단 (×)

→ 개인이 소속되어 있지 않으면서 소속감을 느끼지 못하는 집단

③ 그들 집단 (×)

→ 외집단을 다르게 부르는 말이다.

④ 우리 집단 (×)

→ 내집단을 다르게 부르는 말이다.

⑤ 준거 집단 (×)

→ 다양한 사회 집단 중에서 한 개인이 자신의 행동과 판단의 기준으로 삼는 집단

6 **사회 조직**

제시된 내용은 비공식 조직의 특징이다. 비공식 조직은 공식 조직 내의 구성원들이 개인적인 관심과 취미 또는 의사에 따라 공식 조직과는 별도로 지위와 역할을 구분하고 관계를 맺는 조직이다.

7 **일탈 행동**

(가)는 일탈 행동이다. 일탈 행동에 대한 규정은 상황이나 문화, 시대에 따라 달라진다. 일탈 행동은 사회에 불안을 초래할 수 있지만, 기존 사회의 질서나 규범의 모순과 문제점을 표출한다는 긍정적인 측면도 있다.

자료 분석 + 일탈 행동

교사: (가)는 한 사회에서 일반적으로 받아들여지는 사회 규범에 어긋나는 행동을 의미합니다. (가)에 대해 말해 볼까요?

영희: (가)는 일탈 행동입니다.

영수: (가)는 사회에 부정적인 영향만 미칩니다.

→ 사회적 차원에서 개인과 집단의 일탈 행동은 기존 사회 질서나 규범의 모순과 문제점을 표면에 드러내는 역할을 수행할 수 있다.

민지: (가)에 대한 규정은 시대나 장소와 상관 없이 동일합니다.

→ 일탈 행동은 행동이 이루어지는 상황 및 문화, 시대에 따라 다르게 규정될 수 있다.

8 **일탈 행동**

제시된 그림에 나타난 일탈 이론은 낙인 이론이다.

더 알아보기 + 낙인 이론

일탈 행동의 원인	특정 행동을 일탈 행동으로 규정한 후, 그러한 행동을 한 사람들을 일탈자로 낙인찍었기 때문에 일탈 행동이 발생한다고 봄.
일탈 행동의 해결 방안	• 불필요한 낙인을 줄이기 위한 노력 • 일탈 행동을 신중하게 규정하려는 사회적 합의

9 **문화의 속성**

지역마다 김치를 담그는 방법이나 들어가는 재료가 다른 것은 기후와 특산물, 과학 기술의 발달 등 여러 가지 요인이 유기적으로 작용하기 때문이다.

10 **문화 이해 태도**

다른 사회의 문화를 우월한 것으로 여기고 추종하면서 자신의 문화를 열등하다고 생각하는 태도를 문화 사대주의라고 한다.

오답 피하기

① 국수주의는 자기 나라의 역사나 문화에 대한 우월감을 바탕으로 다른 나라의 역사, 문화 등을 배척하는 것이다. ④ 문화 제국주의는 정치, 경제 등에서 지배적 위치에 있는 나라가 문화적으로도 다른 나라를 지배하는 것이다.

6일 **서술형·사고력 테스트 / 창의·융합·코딩 테스트** 50~53쪽

1 **자연 현상과 사회·문화 현상**

(1) ⑦, ⓒ은 자연 현상이고, ⓒ, ⓐ은 사회·문화 현상이다.

(2) ✎ **모범 답안** 자연 현상은 몰가치적이고, 확실성의 원리가 적용된다. 사회·문화 현상은 당위 법칙이 적용되고, 보편성과 특수성을 띤다.

핵심 단어 몰가치적, 확실성의 원리, 당위 법칙, 보편성, 특수성

채점 기준	구분
자연 현상과 사회·문화 현상의 특징을 옳게 서술한 경우	상
자연 현상과 사회·문화 현상 중 한 가지의 특징만 옳게 서술한 경우	중
자연 현상과 사회·문화 현상의 특징을 옳게 서술하지 못한 경우	하

2 기능론과 갈등론

✏️ **모범 답안** 갑은 사회 구성 요소 간 균형과 조화를 통한 질서 유지를 중시하는 기능론적 관점이다. 을은 희소가치를 둘러싼 사회 집단 간 대립과 갈등에 초점을 둔 갈등론적 관점이다.

핵심 단어 균형, 조화, 질서 유지, 기능론, 희소가치, 대립, 갈등, 갈등론

채점 기준	구분
갑, 을의 관점을 옳게 서술한 경우	상
갑, 을 중 한 사람의 관점만 옳게 서술한 경우	중
기능론과 갈등론의 특징을 옳게 서술하지 못한 경우	하

3 자료 수집 방법

✏️ **모범 답안**

1단계: 질문지법, 면접법, 참여 관찰법
2단계: 질문지법, 참여 관찰법
3단계: 질문지법, 면접법, 참여 관찰법
4단계: 질문지법, 면접법, 참여 관찰법

채점 기준	구분
1~4단계에 들어가는 내용을 모두 옳게 작성한 경우	상
1~4단계 중 두 단계에 들어가는 내용만 옳게 작성한 경우	중
1~4단계 중 한 단계에 들어가는 내용만 옳게 작성한 경우	하

4 양적 연구 방법과 질적 연구 방법

(1) ✏️ **모범 답안** ㉠은 양적 연구 방법, ㉡은 질적 연구 방법에서 강조한다.

(2) ✏️ **모범 답안** 질적 연구 방법, 일반적인 법칙 발견이 어려우며, 연구자의 주관이 개입될 수 있다는 한계가 있다.

핵심 단어 질적 연구 방법, 주관, 개입

채점 기준	구분
질적 연구 방법을 쓰고, 질적 연구 방법의 한계를 두 가지 서술한 경우	상
질적 연구 방법을 쓰고, 질적 연구 방법의 한계를 한 가지만 서술한 경우	중
질적 연구 방법만 쓴 경우	하

5 사회적 지위

✏️ **모범 답안** 딸, 손녀, 여자는 귀속 지위이고, 학생, 반장, 댄스 동아리 회원은 성취 지위이다.

핵심 단어 귀속 지위, 성취 지위

채점 기준	구분
귀속 지위와 성취 지위를 모두 올바르게 구분한 경우	상
귀속 지위와 성취 지위를 세 가지 이상 옳게 구분한 경우	중
귀속 지위와 성취 지위를 한 가지 이상 옳게 구분한 경우	하

6 역할 갈등

✏️ **모범 답안** 김 대리는 직장인으로서의 지위와 친척으로서의 지위에 따라 기대되는 역할이 서로 충돌하여 발생하는 역할 갈등을 겪고 있다.

핵심 단어 직장인, 친척, 지위, 역할, 충돌, 역할 갈등

채점 기준	구분
핵심 단어를 모두 사용하여 김 대리의 역할 갈등을 서술한 경우	상
핵심 단어 중 두 가지만 사용하여 김 대리의 역할 갈등을 서술한 경우	중
핵심 단어 중 한 가지만 사용하여 김 대리의 역할 갈등을 서술한 경우	하

7 준거 집단

✏️ **모범 답안** 대졸 취업자들의 상당수는 업무 내용, 보수 등에 있어서 첫 직장에 만족하지 못하는데, 이는 취업자들의 준거 집단으로서의 직장과 소속된 직장이 불일치하기 때문이다.

핵심 단어 준거 집단, 불일치

채점 기준	구분
이직률이 높은 까닭을 준거 집단 개념을 사용하여 서술한 경우	상
이직률이 높은 까닭을 준거 집단 개념을 사용하여 서술하였지만 미흡한 경우	중
이직률이 높은 까닭을 서술하였지만, 준거 집단 개념을 사용하지 않은 경우	하

8 관료제 조직

✏️ **모범 답안** 장점으로는 효율적인 과업 처리, 책임과 권한의 명확화, 업무의 안정성 및 지속성 유지, 구성원의 신분 보장 등을 들 수 있다. 단점으로는 인간 소외 현상, 목적 전치 현상, 무사 안일주의, 창의성 저해 등을 들 수 있다.

핵심 단어 효율, 책임, 권한, 안정성, 지속성, 신분 보장, 인간 소외, 목적 전치 현상, 무사 안일주의, 창의성 저해

채점 기준	구분
관료제 조직의 장점과 단점을 모두 옳게 서술한 경우	상
관료제 조직의 장점과 단점 중 한 가지만 옳게 서술한 경우	중
관료제 조직의 장점과 단점을 모두 옳게 서술하지 못한 경우	하

9 탈관료제 조직

✎ 모범 답안   소속 부서가 자주 바뀌어 개인에게 심리적 불안감을 주며, 공동 작업으로 인해 책임의 경계가 불분명하다.

핵심 단어   심리적 불안감, 책임, 불분명

채점 기준	구분
탈관료제 조직의 단점 두 가지를 옳게 서술한 경우	상
탈관료제 조직의 단점을 한 가지만 옳게 서술한 경우	중
탈관료제 조직의 단점을 서술하지 못한 경우	하

10 일탈 행동

✎ 모범 답안

채점 기준	구분
낙인 이론, 아노미 이론, 차별 교제 이론을 모두 내용에 맞게 정리한 경우	상
낙인 이론, 아노미 이론, 차별 교제 이론 중 두 가지만 내용에 맞게 정리한 경우	중
낙인 이론, 아노미 이론, 차별 교제 이론 중 한 가지만 내용에 맞게 정리한 경우	하

11 문화를 바라보는 관점

✎ 모범 답안   교사는 중국, 일본, 한국 젓가락의 공통점과 차이점을 설명하고 있다. 이를 통해 비교론적 관점을 파악할 수 있다. 비교론적 관점은 문화 간 비교를 통해 문화의 보편성과 특수성을 파악한다.

핵심 단어   비교론적 관점, 보편성, 특수성

채점 기준	구분
비교론적 관점을 쓰고, 문화의 보편성과 특수성을 포함하여 서술한 경우	상
비교론적 관점을 쓰고, 비교론적 관점을 설명하였지만 미흡한 경우	중
비교론적 관점만 쓴 경우	하

12 문화 이해 태도

(1) 외국 영화 제작자: 자문화 중심주의, 관객 1: 문화 사대주의, 영화배우: 문화 상대주의, 관객 2: 자문화 중심주의

(2) ✎ 모범 답안   영화배우. 문화 상대주의는 문화 다양성을 보존할 수 있고, 서로 다른 문화 사이에서 나타날 수 있는 갈등과 분쟁을 예방하고 해결할 수 있다.

핵심 단어   문화 상대주의, 문화 다양성, 갈등, 분쟁, 예방, 해결

채점 기준	구분
각 인물들이 지닌 문화 이해 태도를 모두 옳게 쓰고, 문화 상대주의를 바람직한 문화 이해 태도로 서술한 경우	상
각 인물들이 지닌 문화 이해 태도를 모두 옳게 쓰고, 문화 상대주의를 바람직한 문화 이해 태도로 서술하였지만 미흡한 경우	중
각 인물들이 지닌 문화 이해 태도만 옳게 쓴 경우	하

13 내용 정리

(1) ✎ 모범 답안   ① 역할 갈등 ③ 사회 실재론 ④ 문화

(2) ✎ 모범 답안   ② 갈등론 ③ 사회화

채점 기준	구분
가로 퍼즐과 세로 퍼즐에 들어갈 단어를 모두 옳게 쓴 경우	상
가로 퍼즐과 세로 퍼즐에 들어갈 단어를 두 가지 이상 옳게 쓴 경우	중
가로 퍼즐과 세로 퍼즐에 들어갈 단어를 한 가지만 옳게 쓴 경우	하

7일 학교시험 기본 테스트 1회   54~57쪽

1 ②   2 ①   3 ⑤   4 ⑤   5 ②   6 ①   7 ③   8 ①
9 ①   10 ①   11 ①   12 ④   13 ①   14 ④   15 ①
16 ④   17 ⑤   18 ②   19 ③   20 ②

1 자연 현상과 사회·문화 현상

(가)는 자연 현상이고, (나)는 사회·문화 현상이다. 자연 현상은 인과 관계가 분명하여 확실성의 원리가 적용되고, 사회·문화 현

상은 인간의 의지와 가치가 개입되어 있기 때문에 인과 관계가 불분명하여 확률의 원리가 적용된다.

> **선택지 바로 보기**
>
> ① (가) 사회 · 문화 현상, (나)는 자연 현상이다. (×)
> → (가)는 자연 현상, (나)는 사회 · 문화 현상이다.
> ② (가)는 확실성의 원리가 적용되고, (나)는 확률의 원리가 적용된다. (○)
> ③ (가)는 인간의 의지가 개입되어 이루어지는 현상이다. (×)
> → (가)는 자연 현상으로 인간의 의지와 무관하게 이루어지는 현상이다.
> ④ (나)는 인간의 의지와 무관하게 이루어지는 현상이다. (×)
> → (나)는 사회 · 문화 현상으로 인간의 의지가 개입되어 이루어지는 현상이다.
> ⑤ (나)는 (가)에 비해 인과 관계가 분명하다. (×)
> → 자연 현상(가)이 사회 · 문화 현상(나)보다 인과 관계가 분명하다.

2 거시적 관점

제시문은 거시적 관점에 대한 설명이다. 거시적 관점에 해당하는 이론으로는 기능론과 갈등론이 있다. 상징적 상호 작용론은 미시적 관점에 해당한다.

3 기능론과 갈등론

(가)는 기능론의 관점이고, (나)는 갈등론의 관점이다. 기능론은 사회 안정을, 갈등론은 사회 변동을 지지한다.

> **선택지 바로 보기**
>
> ① 갑은 교육이 계층적 지위 세습을 정당화하는 수단으로 작용한다고 본다. (×)
> → 교육이 계층적 지위 세습을 정당화하는 수단으로 작용한다고 보는 관점은 갈등론이다.
> ② 갑은 교육을 통해 지배 집단의 가치나 문화를 당연한 것으로 수용하게 된다고 본다. (×)
> → 교육을 통해 지배 집단의 가치나 문화를 당연한 것으로 수용하게 된다고 보는 관점은 갈등론이다.
> ③ 을은 구성원 간의 합의된 가치와 규범을 중요하게 여긴다. (×)
> → 구성원 간의 합의된 가치와 규범을 중요하게 여기는 관점은 기능론이다.
> ④ 을은 사회 구성 요소들이 해야 하는 일과 방식들은 이미 합의된 것이기 때문에 당연히 지켜야 한다고 본다. (×)
> → 사회 구성 요소들이 해야 하는 일과 방식들은 이미 합의된 것이기 때문에 당연히 지켜야 한다고 보는 관점은 기능론이다.
> ⑤ 갑은 사회 안정을, 을은 사회 변동을 설명하기에 적합하다. (○)

4 상징적 상호 작용론

제시문은 상징적 상호 작용론에 대한 설명이다. 상징적 상호 작용론에 따르면, 사회는 일상생활을 하는 개인들이 다양한 상징을 활용하여 의미를 주고받는 상호 작용이 다양하게 얽혀서 나타나는 곳이다.

5 면접법

면접법은 연구자가 연구 대상자와 깊이 있는 대화를 통해 자료를 수집하는 방법이다.

6 성찰적 태도

제시문은 성찰적 태도에 대한 설명이다. 성찰적 태도는 아무런 의문이나 반성 없이 사회 · 문화 현상이나 연구 과정을 무조건 수용하면 그 발생 원인이나 의미를 제대로 파악하기 어렵다는 점을 고려하는 태도이다.

7 사회 · 문화 현상의 탐구 절차

자료 수집과 자료 분석 및 결론 도출 단계에서는 연구자의 가치가 개입되지 않도록 해야 한다. 반면 문제 인식, 가설 설정 단계에서는 연구자의 학문적 관심이나 가치관이 개입될 수밖에 없다.

8 사회 명목론

사회 명목론이란 사회가 개인의 합에 이름을 붙인 것으로 실제로 존재하지 않는다는 관점이다.

> **오답 피하기**
>
> ②, ③, ④, ⑤ 사회 실재론에 대한 설명이다.

9 재사회화

재사회화란 사회 변화나 새로운 환경에 적응하기 위해 이전과는 다른 규범, 가치 및 행동 양식을 학습하는 것을 말한다.

> **더 알아보기** ➕ 사회화의 유형
>
> | 구분 | 의미 | 사례 |
> | --- | --- | --- |
> | 재사회화 | 사회 변화에 적응하기 위해 새롭게 등장한 정보나 가치 등을 습득하는 과정 | 외국으로 이민을 간 사람이 새로운 사회에 적응하는 과정, 노인을 대상으로 한 평생 교육 등 |
> | 예기 사회화 | 미래에 속하게 될 집단에서 요구되는 행동 양식을 미리 학습하는 과정 | 신입생 예비 교육, 신입 사원 연수 등 |

10 사회적 지위

㉠은 귀속 지위이고, ㉡, ㉢, ㉣, ㉤은 성취 지위이다. 성취 지위는 어머니와 아버지, 대학생, 운동선수처럼 개인의 의지와 노력을 통해 후천적으로 획득한 것이다. 이에 비해 귀속 지위는 남자와 여자, 장녀와 막내아들처럼 개인의 의지나 노력과 상관없이 선천적으로 주어진 것이다.

11 사회적 지위

제시문은 귀속 지위에 대한 설명이다.

ㄹ, ㅁ, ㅂ은 성취 지위의 예시이다.

12 사회 집단

ㄹ 친구들은 또래 집단으로, 1차 집단에 해당한다.

이번 주 할 일

월	수행 평가 과제하기
화	㉠ 우리 학교와 ㉡ ○○ 학교의 야구 경기 응원
수	
목	
금	어머니 ㉢ 회사 견학 가는 날
토	㉣ 친구들과 영화 보기
일	현서네 ㉤ 가족과 고궁 관람

㉠은 개인이 소속되어 있는 집단으로 내집단이고, ㉡은 개인이 소속되어 있지 않은 집단으로 외집단이다. ㉢은 결사체이자 2차 집단이고, ㉤은 1차 집단이자 공동체이다.

13 자발적 결사체

자발적 결사체는 공동의 관심사나 이해관계를 가진 사람들이 공동의 목표를 달성하기 위하여 자발적으로 형성한 조직을 말한다.

친목 집단	취미 모임, 동창회 등
이익 집단	노동조합, 각종 직능 단체 등
시민 단체	소비자 단체, 동물 보호 단체 등

14 관료제 조직

관료제는 빠른 변화에 창의적이고 신속하게 대응하는 데 한계가 있다. ④ 탈관료제 조직에 대한 설명이다.

관료제 조직	과업의 전문화, 위계의 서열화, 규약과 절차에 따른 업무 수행, 연공서열주의
탈관료제 조직	수평적 조직 체계, 구성원의 자율성과 창의성 존중, 유연한 조직 구조, 능력에 따른 보상

15 탈관료제 조직

제시된 자료에서 상여금 지급 규정에 재직 연수나 직급의 비중은 줄어들고 있고, 업무 성과나 자기 계발 노력의 비중이 커지는 것으로 보아 탈관료제화가 진행되고 있는 것으로 보인다.

ㄱ. 실무자의 의견 반영률이 높아질 것이다. (○)

ㄴ. 업무 수행의 융통성과 유연성이 강조되는 추세이다. (○)

ㄷ. 변화에 대한 신속한 대응으로 조직의 안정성이 강화될 것이다. (✕) → 탈관료제 조직은 조직의 안정성 유지가 어렵다는 한계가 있다.

ㄹ. 팀제, 네트워크형 조직의 한계점 노출에 따른 쇄신 방안이 마련된 것이다. (✕)

→ 팀제, 네트워크형 조직은 탈관료제 조직의 형태이다.

16 아노미 이론

(가)는 머튼의 아노미 이론, (나)는 뒤르켐의 아노미 이론이다. 아노미 이론에서는 아노미 상태에서 일탈 행동이 일어난다고 설명한다. 뒤르켐은 아노미를 기존의 사회 규범이 약화되거나 부재하지만 이를 대체할 새로운 규범과 기준이 없는 상태라고 말하는 데 비해, 머튼은 아노미를 한 사회의 문화적 목표와 그 목표를 달성하기 위해 제도적으로 인정하는 수단 사이의 불일치라고 말한다.

17 차별 교제 이론

제시된 표현은 일탈자와 상호 작용을 하면서 일탈자들의 문화를 배움으로써 일탈자가 된다는 차별 교제 이론과 관련된다. 차별 교제 이론에서는 일탈 행동은 개인이 일탈에 우호적인 일탈자와 접촉하면서 그들의 문화와 행동을 학습하여 사회화한 결과라고 본다.

18 문화의 속성

제시문은 문화의 학습성을 보여 주는 사례이다. 문화는 태어날 때부터 지니고 있는 것이 아니라 후천적으로 습득되는 것이다. 인간은 문화를 학습하는 과정에서 그 사회의 언어, 규범, 가치 등을 익히고 사회에 적응해 간다. 그리고 이 과정에서 사회가 유지되고 존속된다.

19 문화 사대주의

다른 사회의 문화를 우월한 것으로 여기고 추종하면서 자신의 문화를 열등하다고 생각하는 태도를 문화 사대주의라고 한다.

20 문화 상대주의

문화 상대주의는 특수한 자연환경, 역사적 전통, 사회적 맥락 등을 고려하여 그 사회의 문화를 이해하는 태도이며, 각 사회의 문화가 가진 고유성을 인정하면서 그 의미와 배경을 이해하려는 태도이다. 하지만 각 문화가 나름의 의미를 가지고 있다고 해서 모든 문화가 무조건 가치 있는 것으로 인정받을 수 있는 것은 아니다. 인간의 존엄성을 훼손하는 문화까지도 인정하려는 극단적인 태도는 경계해야 한다.

7일 학교시험 기본 테스트 2회   58~61쪽

1 ③	2 ②	3 ②	4 ③	5 ③	6 ①	7 ③	8 ④
9 ③	10 ①	11 ⑤	12 ③	13 ③	14 ⑤	15 ①
16 ②	17 ④	18 ⑤	19 ⑤	20 ④

1 자연 현상과 사회·문화 현상

㉠은 자연 현상, ㉡은 사회·문화 현상이다. 자연 현상에 비해 사회·문화 현상은 인과 관계가 불분명하다. 자연 현상은 몰가치적이고, 사회·문화 현상은 가치 내재적이다.

선택지 바로 보기

ㄱ. ㉠은 당위 법칙이 적용된다. (×)
→ 당위 법칙이 적용되는 것은 사회·문화 현상이다.
ㄴ. ㉠은 몰가치적이고, ㉡은 가치 내재적이다. (○)
ㄷ. ㉡은 ㉠에 비해 인과 관계가 분명하지 않다. (○)
ㄹ. ㉡은 ㉠과 달리 과학적 탐구 대상이 될 수 없다. (×)
→ 사회·문화 현상도 과학적 탐구 대상이 될 수 있다.

2 사회·문화 현상

사회·문화 현상은 가치 함축적이며, 자연 현상보다 인과 관계가 분명하지 않기에 특수성의 원리, 개연성과 확률의 원리가 적용된다.

오답 피하기

①, ③, ④, ⑤ 자연 현상에 대한 설명이다.

3 갈등론

제시문은 갈등론의 관점에서 사회·문화 현상을 바라본다. 갈등론은 한 사회의 재화, 권력과 같은 희소가치가 배분되는 과정에서 집단 간의 대립과 갈등이 나타난다고 본다. 사회의 안정과 유지는 지배 집단이 자신들의 기득권을 유지하는 데 유리한 규범이나 사회 제도 등을 통해 피지배 집단을 억압한 결과라는 것이다.

4 사회·문화 현상을 보는 관점

(가)는 갈등론, (나)는 기능론, (다)는 상징적 상호 작용론에 대한 설명이다.

5 상징적 상호 작용론

제시문은 상징적 상호 작용론에 대한 설명이다. 상징적 상호 작용론은 개인들이 일상적으로 상호 작용하는 과정에서 나타나는 행위의 주관적인 동기와 의미의 해석에 초점을 두어 현상을 보는 관점이다. 상징적 상호 작용론에 따르면, 사회는 일상생활을 하는 개인들이 다양한 상징을 활용하여 의미를 주고받는 상호 작용이 다양하게 얽혀서 나타나는 곳이다.

선택지 바로 보기

① 사회는 하나의 유기적 통합 체계이다. (×)
→ 기능론적 관점이다.
② 사회 불평등은 이해관계가 고착화된 결과이다. (×)
→ 갈등론적 관점이다.
③ 개인은 각자의 주관에 따라 다양한 사회상을 만들어 낸다. (○)
④ 사회의 각 부분은 전체를 위해 각각의 임무를 수행하고 있다. (×) → 기능론적 관점이다.
⑤ 가치나 규범을 지키지 않는 행위는 사회 질서를 깨뜨리는 위험한 행위이다. (×) → 기능론적 관점이다.

6 자료 수집 방법

㉡은 실험법에 대한 설명이다. 실험법은 실험 상황을 만들어 인위적인 조작을 가한 후, 그에 따른 행동이나 태도 등의 변화를 관찰한다.

7 양적 연구 방법

양적 연구 방법은 사회·문화 현상도 자연 현상 연구와 동일한 방법으로 연구할 수 있다는 방법론적 일원론에 기초한 것이다. 양적 연구 방법에서는 경험적 자료를 토대로 현상을 증명하는 것을 강조한다.

선택지 바로 보기

① 방법론적 이원론에 기초하고 있다. (×)
→ 질적 연구 방법에 대한 설명이다.
② 인간 행위의 동기나 목적 파악을 중시한다. (×)
→ 질적 연구 방법에 대한 설명이다.
③ 일반화된 지식과 인과 법칙을 발견할 수 있다. (○)
④ 직관적 통찰을 통한 해석적 이해가 필요하다고 본다. (×)
→ 질적 연구 방법에 대한 설명이다.
⑤ 대화록, 관찰 일지 등과 같은 계량화하지 않은 자료를 중요하게 활용한다. (×)
→ 질적 연구 방법에 대한 설명이다.

8 질적 연구 방법

질적 연구 방법에서는 경험적 자료를 토대로 사회·문화 현상에 담길 인간 행위의 동기나 목적 파악을 중요하게 여긴다.

선택지 바로 보기

① 연구 결과를 일반화하기 쉽다. (×)
→ 양적 연구 방법에 대한 설명이다.
② 두 변인 간의 인과 관계를 설명하는 데 유용하다. (×)
→ 양적 연구 방법에 대한 설명이다.
③ 연구 대상자와의 정서적 교감을 중시하지 않는다. (×)
→ 양적 연구 방법에 대한 설명이다.
④ 상황이나 맥락 속에서 규정되는 의미에 대한 해석을 중시한다. (○)
⑤ 연구자의 주관적 가치를 배제한 과학적 연구 방법의 절차를 거친다. (×) → 양적 연구 방법에 대한 설명이다.

9 가치 중립

제시된 사례에서는 연구 대상을 사전에 미리 파악하여 자신이 개발한 학교 폭력 예방 프로그램 효과가 좋게 나오도록 하겠다는 학교를 선정한 것이 문제이다. 따라서 연구자는 가치 중립이 요구되는 단계에서 필요에 따라 객관적인 태도를 취할 수 있어야 한다.

10 사회화 기관

가족, 친족, 또래 집단 등은 1차적 사회화 기관이고, 학교, 직장, 대중 매체 등은 2차적 사회화 기관이다.

오답 피하기

② 공식적 사회화 기관은 사회화 자체를 목적으로 형성된 기관이다. ③ 비공식적 사회화 기관은 사회화를 목적으로 형성된 것은 아니지만 사회화가 이루어지는 기관이다.

11 역할 갈등

개인적으로는 역할의 우선순위를 정하여 수행함으로써 역할 갈등을 해결할 수 있다.

더 알아보기 ➕ 역할 갈등 해결 방안

개인적 해결	역할의 우선순위를 정하여 더 중요한 역할을 선택함.
사회적 해결	사회적으로 사회 구성원들이 역할 갈등을 겪지 않도록 예방하고 지원하는 제도나 시설을 마련해야 함.

12 사회 집단

사회 집단은 같은 집단의 구성원이라는 정체성을 가지고 지속적으로 상호 작용하는 사람들의 무리를 말한다. 관중은 상호 작용이 지속적으로 이루어지지 않고 소속감이 있지 않다.

13 사회 집단

갑이 ○○ 고등학교의 입학을 희망하였다는 점에서 ○○ 고등학교가 갑에게 준거 집단임을 알 수 있고, 갑이 입학시험을 통해 신입생이 되었다는 점에서 신입생은 갑의 성취 지위이다.

선택지 바로 보기

ㄱ. ㉠의 갑의 준거 집단이자 내집단이다. (○)
ㄴ. ㉡은 갑이 후천적으로 획득한 지위이다. (○)
ㄷ. ㉢은 귀속 지위, ㉣은 성취 지위이다. (×)
→ ㉢, ㉣은 모두 성취 지위이다.

14 자발적 결사체

제시문은 자발적 결사체에 대한 필기 내용이다.

15 관료제 조직과 탈관료제 조직

(가)는 관료제 조직, (나)는 탈관료제 조직이다. 관료제 조직은 특정 목표를 달성하기 위해 구성원의 역할을 명확하게 구분하고 공식적인 규칙과 규정에 따라 운영하는 대규모 위계 조직이다. 하지만 빠른 변화에 창의적이고 신속하게 대응하는 데 한계가 있다. 그래서 관료제의 전형적인 문제점을 극복하기 위해 대안적으로 나타난 새로운 조직 형태를 탈관료제 조직이라고 한다.

16 아노미 이론

제시된 그림에서 교사는 교사는 뒤르켐의 아노미 이론에 대해 설명하고 있다. 머튼의 아노미 이론에서는 아노미를 한 사회의 문화적 목표와 그 목표를 달성하기 위해 제도적으로 인정하는 수단 사이의 불일치라고 설명한다.

17 낙인 이론

제시된 그림에 나타난 일탈 이론은 낙인 이론이다. 낙인 이론은 특정 행동을 일탈 행동으로 규정한 후, 그러한 행동을 한 사람들을 일탈자로 낙인찍었기 때문에 일탈 행동이 발생한다고 본다.

선택지 바로 보기

① 차별 교제 이론이다. (×)
→ 낙인 이론을 도식화한 것이다.
② 아노미 상태에서 일탈 행동이 일어난다고 본다. (×)
→ 아노미 이론에 대한 설명이다.
③ 일탈 행동이 처음 발생하는 원인을 설명하는 데 유용하다. (×)
→ 1차적 일탈 행동의 원인을 설명하기 곤란하다.
④ 일탈을 규정하는 객관적인 규범은 존재하지 않는다고 본다. (○)
⑤ 일탈 행동은 개인이 일탈에 우호적인 일탈자와 접촉하면서 그들의 문화와 행동을 학습하여 사회화한 결과라고 본다. (×)
→ 차별 교제 이론에 대한 설명이다.

18 문화의 의미

①, ②, ③, ④는 좁은 의미, ⑤는 넓은 의미의 문화이다. 좁은 의미의 문화는 인간의 사회적이고 후천적인 생활 양식 중에서 예술적이고 교양 있거나 세련된 것을 말한다. 이에 비해 넓은 의미의 문화는 한 사회의 구성원들이 만들어 낸 공통의 생활 양식을 말한다.

19 문화의 속성

제시문은 문화의 변동성을 보여 주는 사례이다.

더 알아보기 ➕ 문화의 속성

학습성	문화는 태어날 때부터 지니고 있는 것이 아니라 후천적으로 습득됨.
공유성	문화는 한 사회의 구성원들이 공통으로 가지고 있는 생활 양식으로서, 그 사회의 구성원들에 의해 공유됨.
변동성	문화는 시간이 흐르면서 그 모습이나 내용, 의미 등이 변화함.
축적성	문화는 한 세대에서 다음 세대로 전승되면서, 기존의 문화에 새로운 요소가 더해져 더욱 풍부해지고 다양해짐.
총체성	문화는 여러 구성 요소가 상호 유기적인 관련을 맺으며, 부분이 아닌 하나의 전체로서 존재함.

20 문화를 보는 관점

(가)는 상대론적 관점, (나)는 총체론적 관점, (다)는 비교론적 관점에 해당한다. 상대론적 관점은 어떤 사회의 특수한 자연환경, 역사적 전통, 사회적 맥락 등을 고려하여 그 사회의 문화를 이해하는 관점이다. 총체론적 관점은 전체와의 관련 속에서 문화를 이해하는 관점이고, 비교론적 관점은 다른 문화와의 유사성과 차이점을 비교하여 문화를 이해하는 관점이다.

선택지 바로 보기

① (가)의 문화 이해 태도는 문화 사대주의이다. (×)
→ (가)의 문화 이해 태도는 문화 상대주의이다.

② 모든 문화에 대해 (가)와 같은 태도가 필요하다. (×)
→ 각 문화가 나름의 의미를 가지고 있다고 해서 모든 문화가 무조건 가치 있는 것으로 인정받을 수 있는 것은 아니다. 인간의 존엄성을 훼손하는 문화까지도 인정하려는 극단적인 문화 상대주의는 경계해야 한다.

③ (나)는 자문화 중심주의의 근거로 작동할 수 있다. (×)
→ 자문화 중심주의는 자신의 문화를 우월한 것으로 여기는 태도이다.

④ (나)와 같이 문화를 전체와의 관련 속에서 이해해야 한다. (○)

⑤ (다)와 같은 태도를 통해 문화 간 우열을 가릴 수 있다. (×)
→ 비교론적 관점은 문화 간에 나타나는 유사성과 차이점을 살펴봄으로써 어떤 문화의 특징을 객관적으로 파악한다.

핵심 용어 풀이

01 사회·문화 현상

사람들이 사회적 관계를 맺고 사회적 **❶ [   ]** 을/를 한 결과로 나타나는 인간의 모든 사회 활동 및 이와 관련된 현상

답 ❶ 상호 작용

예1 사회·문화 현상은 인간의 의지와 가치가 개입되어 나타난다.

예2 사회·문화 현상은 보편성을 띠기도 하지만, 시대나 사회적 상황에 따라서 특수성을 띠기도 한다.

02 기능론

사회를 하나의 유기적 통합 체계로 보고, 사회를 이루는 사회 제도나 집단 등이 **❶ [   ]** 을/를 갖고 일정한 기능을 수행하면서 사회가 유지된다고 보는 관점

답 ❶ 상호 연관성

예1 기능론에서는 구성원 간의 합의된 가치와 규범을 중요하게 여긴다.

예2 기능론은 사회 질서와 통합이 나타나는 사회·문화 현상을 설명하기에 적합하다.

03 갈등론

한 사회에서 **❶ [   ]** 을/를 많이 가진 집단과 그렇지 않은 집단이 지배와 피지배 관계를 이루고 있다고 보는 관점

답 ❶ 희소가치

예1 갈등론에서는 갈등과 대립이 사회 발전과 변화의 원동력이라고 주장한다.

예2 갈등론은 집단 간 지배와 억압이 나타나는 사회·문화 현상을 설명하기에 적합하다.

04 상징적 상호 작용론

개인들이 일상적으로 **❶ [   ]** 하는 과정에서 나타나는 행위의 주관적인 동기와 의미의 해석에 초점을 두어 현상을 보는 관점

답 ❶ 상호 작용

예1 상징적 상호 작용론에 따르면, 사회는 일상생활을 하는 개인들이 다양한 상징을 활용하여 의미를 주고받는 상호 작용이 다양하게 얽혀서 나타나는 곳이다.

05 문헌 연구법

문헌 연구법은 사회·문화 현상을 연구한 보고서, 일상에 대한 기록, 통계 자료 등 **❶** 　　　　에서 자료를 수집하는 방법

문헌 연구를 해야지.

답 ❶ 기존 문헌

예1 문헌 연구법은 관련 연구 동향을 파악하여 연구 문제나 가설을 설정할 때 많이 사용한다.

06 실험법

계획적으로 어떤 **❶** 　　　　을/를 만들어 변화를 주고 그에 따른 **❷** 　　　　을/를 관찰하여 자료를 수집하는 방법

이 집단의 자아 존중감이 더 높게 나타났습니다.

실험 결과

답 ❶ 조건 ❷ 변화

예1 실험법에서는 인위적으로 통제된 상황에서 변수의 효과를 관찰하는 방법이 사용된다.

07 질문지법

조사 내용을 **❶** 　　　　(으)로 구성한 후 연구 대상자에게 답변을 얻어 자료를 수집하는 방법

1. 현재 당신의 여가 시간은 적절하다고 생각하십니까?
① 예　　　　　　② 아니요

2. 당신의 여가 생활에 대한 만족도를 평가하면?
① 매우 만족　　② 만족　　　　③ 보통
④ 불만족　　　　⑤ 매우 불만족

답 ❶ 질문

예1 질문지법은 주로 많은 사람을 대상으로 자료를 수집할 때 사용된다.

예2 질문지법은 비교적 짧은 시간에 다수를 대상으로 자료를 얻을 수 있다.

08 면접법

연구자가 연구 대상자와 깊이 있는 **❶** 　　　　을/를 통해 자료를 수집하는 방법

학교 생활하면서 가장 스트레스를 받았던 상황을 구체적으로 이야기해 주세요.

답 ❶ 대화

예1 면접법은 내면적이고 깊이 있는 정보를 얻고자 할 때 사용된다.

예2 면접법은 글을 모르는 사람에게서도 자료를 수집할 수 있다.

09 참여 관찰법

연구자가 연구 대상과 함께 생활하거나 연구 대상의 활동에 참여하면서 현상을 직접 **❶** 하여 자료를 수집하는 방법

답 ❶ 관찰

예1 참여 관찰법은 실제성이 높은 현장 자료를 얻는 데 유용하다.

10 양적 연구 방법

사회·문화 현상도 자연 현상 연구와 동일한 방법으로 연구할 수 있다는 **❶** 에 기초한 것

- 연구 문제 인식
- 가설 설정
- 연구 설계
- 자료 수집
- 자료 분석
- 가설 검증 및 결론 도출

답 ❶ 방법론적 일원론

예1 양적 연구 방법은 계량화되고 통계적 분석을 하는 연구에 적합하다.

예2 양적 연구 방법에서는 일반화나 인과 법칙의 발견이 용이하다.

11 질적 연구 방법

가치 함축적인 사회·문화 현상은 자연 현상과 본질적으로 다르기 때문에 다른 방법으로 연구해야 한다는 **❶** 에 기초한 것

- 연구 문제 인식
- 연구 설계
- 자료 수집
- 자료 분석
- 결론 도출

답 ❶ 방법론적 이원론

예1 질적 연구 방법은 직관적 통찰을 통해 사회·문화 현상을 해석한다.

예2 질적 연구 방법에서는 연구자의 경험, 지식, 직관적 통찰을 활용하여 사회적 맥락에서 관찰 행위에 대한 의미 해석을 한다.

12 사회화

사회 속에서 성장하면서 자신이 속한 사회의 행동 방식과 사고방식을 **❶** 하는 과정

답 ❶ 학습

예1 개인은 사회화를 통해 자아를 발전시키고 인성을 형성한다.

예2 사회화는 문화의 연속성과 사회 통합을 유지하는 과정이다.

⓭ 귀속 지위

개인의 의지나 노력과 상관없이 ❶ ⬚⬚⬚ (으)로 주어
진 사회적 지위

답 ❶ 선천적

예1 남자, 여자, 장녀, 막내아들 등은 귀속 지위이다.

⓮ 성취 지위

개인의 의지와 노력을 통해 ❶ ⬚⬚⬚ (으)로 획득한
사회적 지위

답 ❶ 후천적

예1 어머니, 아버지, 대학생, 운동선수 등은 성취 지위이다.

⓯ 역할 갈등

한 개인이 동시에 두 가지 이상의 서로 다른
❶ ⬚⬚⬚ 에 따른 ❷ ⬚⬚⬚ 을/를 수행하고자 할 때,
역할 간에 충돌이 발생하는 것

답 ❶ 지위 ❷ 역할

예1 역할 갈등을 해결하기 위해 개인적으로는 역할의 우선순
위를 정하여 더 중요한 역할을 선택할 수 있다.

⓰ 1차 집단과 2차 집단

1차 집단은 구성원들이 대체로 장기간 ❶ ⬚⬚⬚ 접
촉하며 친밀한 관계를 형성하는 전인격적인 집단이고,
2차 집단은 구성원들이 ❷ ⬚⬚⬚ (이)고 부분적으로
접촉하며 상호 친밀감이 약한 집단

△ 가족(1차 집단)   △ 학교(2차 집단)

답 ❶ 직접 ❷ 간접적

예1 가족, 또래 집단 등은 1차 집단에 해당하고, 회사, 학교, 정
당 등은 2차 집단에 해당한다.

핵심 용어

17 공동체와 결사체

공동체는 인간의 본질적이고 자연적인 의지에 따라 ❶ [ ](으)로 형성된 집단이고, 결사체는 인간의 합리적이고 선택적인 의지에 따라 특정 목적을 위해 ❷ [ ](으)로 만들어진 사회 집단

🔺 친족(공동체)

🔺 직장(결사체)

답 ❶ 자연 발생적 ❷ 의도적

예1 가족, 친족, 전통적인 촌락 공동체 등은 공동체에 해당하고, 회사, 학교, 정당 등은 결사체에 해당한다.

18 내집단과 외집단

내집단은 개인이 소속되어 있으며 ❶ [ ]을/를 느끼고 있는 집단이고, 외집단은 개인이 소속되어 있지 않으면서 ❶ [ ]을/를 느끼지 못하는 집단

우리 반
내집단

옆 반
외집단

답 ❶ 소속감

예1 내집단 구성원들은 '우리'라는 강한 동질감을 갖고 서로에 대해 동료애와 유대감을 느낀다. 외집단은 우리와는 다른 타자들의 집단으로 여겨진다.

19 준거 집단

다양한 사회 집단 중에서 한 개인이 자신의 행동과 판단의 ❶ [ ](으)로 삼는 집단

답 ❶ 기준

예1 준거 집단은 개인에게 생각이나 행동의 옳고 그름을 판단하는 지침을 제공한다.

20 공식 조직과 비공식 조직

공식 조직은 특정 목적을 달성하기 위해 ❶ [ ](으)로 만들어진 조직이고, 비공식 조직은 ❷ [ ] 내에서 구성원들이 친밀한 인간관계를 바탕으로 서로 상호 작용을 하며 형성된 조직

○○ 탁구 동호회

답 ❶ 의도적 ❷ 공식 조직

예1 비공식 조직은 공식 조직의 업무에 사적인 관계를 개입시켜 업무의 공정성을 저해할 수도 있다.

21 자발적 결사체

공동의 관심사나 이해관계를 가진 사람들이 공동의 **❶**⬚을/를 달성하기 위하여 **❷**⬚(으)로 형성한 조직

🔺 시민 단체

답 ❶ 목표 **❷** 자발적

예1 자발적 결사체에는 친목 집단, 이익 집단, 시민 단체 등이 있다.

예2 자발적 결사체는 구성원의 자발적 참여를 통해 조직이 운영되며, 가입과 탈퇴가 자유롭다.

22 관료제 조직

특정 목표를 달성하기 위해 구성원의 역할을 명확하게 구분하고 공식적인 **❶**⬚와/과 규정에 따라 운영하는 대규모 위계 조직

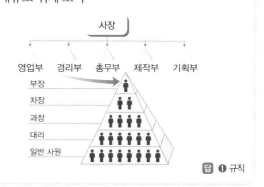

답 ❶ 규칙

예1 관료제 조직은 피라미드 모양처럼 짜여 있으며, 명령이 위에서 아래로 연쇄적으로 전달된다.

23 탈관료제 조직

관료제의 전형적인 **❶**⬚을/를 극복하기 위해 대안적으로 나타난 새로운 조직 형태

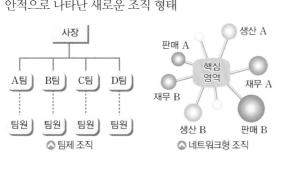

🔺 팀제 조직   🔺 네트워크형 조직

답 ❶ 문제점

예1 탈관료제 조직은 환경 변화에 유연하게 대응하면서 조직의 목표를 효율적으로 달성하도록 한다.

24 아노미 이론

아노미는 사회 규범이 부재하거나 불분명할 때 발생하거나 **❶**⬚을/를 달성할 수 있는 합법적 수단을 갖지 못한 집단에 속한 사람들이 비합법적인 수단을 활용할 때 발생하는 것

답 ❶ 문화적 목표

예1 아노미 이론은 일탈 행동의 해결 방안으로 일탈자에 대한 사회 통제와 규제 강화 방안의 마련을 강조한다.

25 차별 교제 이론

일탈 행동은 개인이 일탈에 우호적인 일탈자와 접촉하면서 그들의 문화와 행동을 학습하여 ❶ [　　　　]한 결과

답 ❶ 사회화

예1 차별 교제 이론은 타인들과의 상호 작용이 일탈 발생 과정에 미치는 영향을 중시한다.

예2 차별 교제 이론에서는 일탈 집단 구성원과의 접촉이나 교류를 차단하는 것을 중시한다.

26 낙인 이론

특정 행동을 일탈 행동으로 규정한 후, 그러한 행동을 한 사람들을 일탈자로 ❶ [　　　　] 찍었기 때문에 일탈 행동이 발생함.

답 ❶ 낙인

예1 낙인 이론은 부정적 자아가 형성되어 일탈 행동이 반복된다고 본다.

27 문화의 학습성

문화는 태어날 때부터 지니고 있는 것이 아니라 ❶ [　　　　](으)로 습득됨.

답 ❶ 후천적

예1 문화의 학습성은 문화가 후천적으로 습득된다는 것을 보여 준다.

28 문화의 공유성

문화는 한 사회의 구성원들이 ❶ [　　　　](으)로 가지고 있는 생활 양식임.

답 ❶ 공통

예1 문화의 공유성으로 인해 사회 구성원 간의 행동을 이해하고 예측할 수 있다.

29 문화의 변동성

문화는 시간이 흐르면서 그 모습이나 내용, 의미 등이
❶⬚함.

요즈음에는 공중전화를 이용하는 사람을 보기 어려워졌어.

답 ❶ 변화

예1 문화의 변동성으로 새로운 문화 요소가 추가되거나 소멸하기도 한다.

30 문화의 축적성

문화는 한 ❶⬚에서 다음 ❶⬚(으)로 전승되면서, 기존의 문화에 새로운 요소가 더해져 더욱 풍부해지고 다양해짐.

답 ❶ 세대

예1 문화의 축적성은 인류 문명의 발달을 가능하게 하는 바탕이 된다.

31 문화의 총체성

문화는 여러 구성 요소가 상호 유기적인 관련을 맺으며, 부분이 아닌 ❶⬚(로)서 존재함.

스마트폰으로 음악도 듣고 물건도 살 수 있어요.

스마트폰이 생활 전반을 변화시켰구나.

답 ❶ 전체

예1 문화의 총체성으로 인해 문화의 한 영역에 변화가 생기면 다른 부분에까지 영향을 미친다.

32 총체론적 관점

어떤 문화 현상의 의미를 다른 문화 요소나 ❶⬚의 맥락 속에서 이해하는 관점

인도 힌두교의 암소 숭배 교리

농부가 소를 쉽게 잡아 먹지 못하게 금지

• 소의 노동력 필요
• 소 배설물은 연료와 비료로 이용 가능

인도 소규모 농업 체제 유지

답 ❶ 전체

예1 총체론적 관점은 문화가 부분이 아닌 전체로서 의미를 갖는다고 본다.

핵심 용어

교과서 핵심 정리 ①

개념 1   주류 문화와 하위문화

1 주류 문화 한 사회의 구성원 대다수가 공유하는 문화

2 하위문화 ─ 하위문화의 총합이 주류 문화는 아님.

의미	한 사회 내의 일부 구성원들이 공유하는 문화
특징	• 시간과 공간에 따라 상대적인 성격을 띰. • 사회가 변화하면서 하위문화가 다양화됨.
순기능	• 하위문화를 누리는 구성원의 문화 ❶ [ ] 와/과 ❷ [ ] 형성에 도움을 줌. • 사회 전체의 문화를 풍부하고 다양하게 함.
역기능	문화적 갈등이나 충돌이 발생할 수도 있음.

❶ 정체성

❷ 소속감

예 하위문화는 각각의 모습이 다양하며, 그 사회의 주류 문화와 구별됨.

개념 2   다양한 하위문화

1 지역 문화

의미	한 나라를 구성하는 여러 지역 사회에서 각각 나타나는 고유한 ❸ [ ]
순기능	• 지역 주민의 동질감과 유대감을 높여 사회 통합에 기여함. • 한 국가가 문화적 다양성을 지닐 수 있는 바탕을 제공함.
역기능	다른 지역 주민과의 ❹ [ ] 을/를 유발할 수 있음.

❸ 생활 양식

❹ 갈등

2 세대 문화 ─ 현대 사회에서는 세대를 구분하는 나이 범위가 좁아지면서 세대 문화가 다양해지고 있음.

의미	공통의 의식을 가진 비슷한 연령대의 사람들이 공유하는 문화 예 청소년 문화, 장년 문화, 노년 문화 등
순기능	같은 세대에 속하는 사람들 간의 일체감과 정체성 형성에 도움
역기능	세대 간의 욕구나 가치관이 충돌하는 ❺ [ ] 을/를 유발할 수 있음.
청소년 문화	• 자유롭고 새로운 것을 추구함. • 기존 문화에 대해 비판적이고 저항적임. • 대중 매체나 대중문화의 영향을 상대적으로 많이 받아 즉흥성이나 모방성을 띠기도 함.

❺ 세대 갈등

3 반문화

의미	한 사회의 주류 문화를 거부하거나 저항하는 사람들이 공유하는 문화 예 히피 문화
순기능	기존 문화의 보수성이나 문제점에 대해 성찰할 수 있는 계기를 제공함.
역기능	주류 문화에 적대적인 경우가 많아 ❻ [ ] 을/를 일으키는 원인이 될 수 있음.

❻ 사회 갈등

예 반문화에 대한 규정은 시대나 사회에 따라 달라질 수 있음.

 기초 확인 문제

정답과 해설 **64**쪽

1일

1 빈칸에 들어갈 알맞은 말을 쓰시오.

(1) 한 사회 내의 일부 구성원들이 공유하는 문화를 (　　　　　)(이)라고 한다.

(2) 한 나라를 구성하는 여러 지역 사회에서 각각 나타나는 고유한 생활 양식을 (　　　　　)(이)라고 한다.

(3) 한 사회의 주류 문화를 거부하거나 저항하는 사람들이 공유하는 문화를 (　　　　　)(이)라고 한다.

2 다음 내용이 설명하는 개념을 쓰시오.

- 공통의 의식을 가진 비슷한 연령대의 사람들을 세대라고 하는데, 이들이 공유하는 문화를 말한다.
- 같은 세대에 속하는 사람들 간의 일체감과 정체성 형성에 도움을 줄 수 있다.

(　　　　　)

3 괄호 안의 내용 중 알맞은 말을 골라 ○표 하시오.

(1) 하위문화는 시간과 공간에 따라 (상대적인, 절대적인) 성격을 띤다.

(2) 세대 문화는 같은 세대에 속하는 사람들이 공유하는 유사한 경험과 가치 등으로, 다른 세대의 경험이나 사고 등을 이해하는 데 한계로 작용하여 (문화 갈등, 세대 갈등)을 유발할 수 있다.

(3) 반문화는 (주류 문화, 하위문화)와 대립하는 과정에서 사회 갈등을 일으킬 수도 있다.

4 다음 내용에 해당하는 하위문화를 〈보기〉에서 고르시오.

┌─ 보기 ─────────────────────┐
ㄱ. 지역 문화　　　ㄴ. 세대 문화　　　ㄷ. 반문화
└─────────────────────────┘

(1) 기존 문화의 보수성이나 문제점에 대해 성찰할 수 있는 계기를 마련해 주기도 한다. (　　　)

(2) 세대 간의 욕구나 가치관이 충돌하는 세대 갈등을 유발할 수 있다. (　　　)

(3) 지역 주민의 동질감과 유대감을 높여 사회 통합에 기여한다. (　　　)

5 빈칸에 들어갈 알맞은 말을 쓰시오.

과거 우리나라의 운동권 문화는 (　　　　　)(으)로 간주되어 정부와 갈등을 빚는 경우가 많았다. 그러나 비민주적인 제도에 대한 비판을 통해 우리 사회의 민주화에 이바지한 측면도 있다.

개념3 대중문화

의미	대중이 즐기고 누리는 문화
기능	• 계층 간 문화적 ❶ [ ]을/를 줄임. • 오락이나 여가의 기회를 제공함. • 사회에 대한 관심이나 비판적 욕구를 표출하고 공유하는 기회를 제공함.
특징	• 대부분의 사람이 손쉽게 접할 수 있음. • 확산과 변화 속도가 빠름. • 대량으로 생산되고 소비됨.
문제점	• 생활 양식이나 가치관이 ❷ [ ]될 수 있음. • 상업성이 지나치게 강조되면 폭력성, 선정성을 띠는 등 질이 낮아질 수 있음. • 사람들이 대중문화의 유행이나 오락적 측면에만 집중하여 사회 문제에 대한 관심이 줄어들 수 있음.

❶ 차이

❷ 획일화

예 대중 사회에서는 대중들이 문화의 생산과 소비에 직접 참여하기도 함.

개념4 대중문화와 대중 매체

1 대중 매체 신문, 라디오, 텔레비전, 인터넷 등과 같이 ❸ [ ]의 정보를 많은 사람에게 전달하는 수단

❸ 대량

인쇄 매체 ➡ 음성 매체 ➡ 영상 매체 ➡ 뉴 미디어

2 대중문화와 대중 매체의 관계

(1) 대중 매체는 대중문화를 학습하고 공유할 수 있게 함.

(2) 대중 매체는 대중문화의 전파, 소비, 변화 등에 영향을 줌.

(3) 대중문화는 새로운 대중 매체의 등장과 변화를 촉진함. → ❹ [ ]의 등장으로 대중이 문화의 소비자와 생산자 역할을 겸하게 됨.

❹ 뉴 미디어

3 대중문화를 수용하는 바람직한 자세

(1) 대중 매체를 통해 주어지는 정보와 지식을 ❺ [ ]으로 인식하고 수용해야 함.

❺ 비판적

(2) 생활에 유익하고 의미 있게 활용해야 함.

(3) 건전한 대중문화를 생산하는 역할을 해야 함.

예 인쇄 매체, 음성 매체, 영상 매체는 일방향 매체이고, 뉴 미디어는 쌍방향 의사소통이 가능한 매체임.

정답과 해설 **64**쪽

1일

6 빈칸에 들어갈 알맞은 말을 쓰시오.

(1) 대중이 즐기고 누리는 문화를 (   )(이)라고 한다.

(2) 신문, 라디오, 텔레비전, 인터넷 등과 같이 대량의 정보를 많은 사람에게 전달하는 수단을 (   )(이)라고 한다.

(3) 최근에는 컴퓨터, 인터넷, 이동 통신 기술 등을 활용하여 소리, 사진, 영상, 문자 등 다양한 수단으로 정보를 공유하며 소통할 수 있는 (   )이/가 주목받고 있다.

7 다음 내용에 해당하는 대중 매체를 〈보기〉에서 고르시오.

┌─────────────── • 보기 • ───────────────┐
│ ㄱ. 인쇄 매체   ㄴ. 음성 매체   │
│ ㄷ. 영상 매체   ㄹ. 뉴 미디어   │
└──────────────────────────────────────┘

(1) 정보 전달 속도가 상대적으로 느리다. (   )

(2) 소리와 영상을 통해 일방향적으로 정보를 전달한다. (   )

(3) 정보의 생산자와 소비자 간 쌍방향 의사소통이 가능하다. (   )

8 괄호 안의 내용 중 알맞은 말을 골라 ○표 하시오.

(1) 대중문화는 사회 구성원 (다수, 소수)가 누릴 수 있어서 계층 간 문화적 차이를 줄여준다.

(2) 대중문화는 새로운 대중 매체의 등장과 변화를 (촉진, 방해)하기도 한다.

(3) 대중문화는 (대량, 소량)으로 생산되고 소비된다.

(4) 대중문화는 확산과 변화 속도가 (느리다, 빠르다).

9 대중 매체의 종류를 바르게 연결하시오.

(1) 인쇄 매체 •   • ㉠ 누리 소통망(SNS)

(2) 음성 매체 •   • ㉡ 텔레비전

(3) 영상 매체 •   • ㉢ 신문

(4) 뉴 미디어 •   • ㉣ 라디오

10 대중문화에 대한 설명으로 옳은 것에 ○표, 옳지 <u>않은</u> 것에 X표 하시오.

(1) 대중문화는 대중의 행동을 획일화하는 문제를 낳기도 한다. (   )

(2) 인쇄 매체는 뉴 미디어에 비해 정보 전달 속도가 빠르다. (   )

(3) 대중 매체는 대중문화의 전파, 소비, 변화 등에 영향을 준다. (   )

11 ㉠, ㉡에 들어갈 알맞은 말을 쓰시오.

┌──────────────────────────────────────┐
│   대중문화가 널리 퍼지고 공유되면서 사람들의 생활 양 │
│ 식이나 가치관이 (㉠)될 수 있다. 또한, 대중문화의 │
│ (㉡)이/가 지나치게 강조될 경우 폭력성, 선정성을 │
│ 띠는 등 질이 낮아질 수 있다.   │
└──────────────────────────────────────┘

㉠: (   )

㉡: (   )

대표 예제 1 하위문화

다음에서 설명하는 개념에 대한 설명으로 옳지 않은 것은?

> 한 사회 구성원이 전반적으로 누리는 문화와 달리 그 사회 내의 일부 집단에서만 누리는 문화를 말한다.

① 전체 집단의 문화를 파괴한다.
② 다른 집단과 차별감을 갖게 한다.
③ 일부 집단의 결속력을 강화시킨다.
④ 일부 집단의 정신적 지향점을 제공한다.
⑤ 사회가 복잡해지면서 그 양상이 다양해진다.

개념 가이드

한 사회의 대다수가 공유하는 문화를 ❶〔　　　〕, 한 사회 내의 일부 구성원들이 공유하는 문화를 ❷〔　　　〕(이)라고 한다.

답 ❶ 주류 문화 ❷ 하위문화

대표 예제 2 지역 문화

자료에 나타난 개념에 대한 설명으로 옳지 않은 것은?

▲ 함평 나비 축제

① 지역의 고유성을 살리려는 노력이다.
② 지역 주민들의 자긍심을 높일 것이다.
③ 지역 사회의 발전에 도움이 되기도 한다.
④ 지역 주민 간의 유대감을 높여 주는 역할을 한다.
⑤ 고유한 문화 발전은 국가의 정체성에 혼란을 줄 수 있다.

개념 가이드

한 나라를 구성하는 여러 지역 사회에서 각각 나타나는 고유한 생활 양식을 ❸〔　　　〕(이)라고 한다.

답 ❸ 지역 문화

대표 예제 3 세대 문화

사회·문화 수업 내용을 정리한 노트의 일부분이다. (가), (나)에 대한 설명으로 옳은 것은?

(가)	의미	공통의 의식을 가진 비슷한 연령대의 사람들이 공유하는 문화
	사례	(나)

① (가)는 반문화이다.
② (가)는 주류 문화에 해당한다.
③ (가)는 지역 주민의 동질감을 높여 준다.
④ (가)에 대한 규정은 시대나 사회에 따라 달라진다.
⑤ (나)에는 '청소년 문화'가 들어갈 수 있다.

개념 가이드

❹〔　　　〕은/는 같은 ❺〔　　　〕에 속한 사람들 간의 일체감과 정체성 형성에 이바지할 수 있다.

답 ❹ 세대 문화 ❺ 세대

대표 예제 4 반문화

자료에 나타난 개념에 해당하는 것은?

> 히피(hippy)는 1960년대 미국에서 기존의 사회 통념, 제도, 가치관 등에 저항하면서 전쟁과 폭력 반대, 인간성의 회복 등을 주장했던 사람들을 말한다. 히피들은 폭동, 전쟁 등으로 많은 사람이 죽고 다치는 모습을 보면서 사회에 대한 절망과 분노를 느꼈다. 그리고 이를 계기로 당시 사회에서 통용되던 규범과 가치 등 주류 문화를 비판하였다.

① 반문화　　　② 대중문화　　　③ 대중 매체
④ 지역 문화　　　⑤ 세대 문화

개념 가이드

❻〔　　　〕문화를 거부하거나 저항하는 사람들이 공유하는 문화를 ❼〔　　　〕(이)라고 한다.

답 ❻ 주류 ❼ 반문화

대표 예제 5 대중문화

대중문화의 기능으로 옳은 것을 〈보기〉에서 고르면?

---- • 보기 •

ㄱ. 대중이 문화의 생산과 소비에 직접 참여하는 기회를 제한한다.

ㄴ. 사회에 대한 관심이나 비판적 욕구를 표출하는 기회를 제공한다.

ㄷ. 대중문화는 일부 특권층이 누리는 문화로서 계층 간 문화적 차이를 벌린다.

ㄹ. 사람들이 휴식과 재충전의 시간을 가질 수 있도록 오락이나 여가의 기회를 제공해 준다.

① ㄱ, ㄴ   ② ㄱ, ㄷ   ③ ㄴ, ㄷ
④ ㄴ, ㄹ   ⑤ ㄷ, ㄹ

개념 가이드

❽ ⬚⬚⬚⬚ 이/가 즐기고 누리는 문화를 대중문화라고 한다.

탑 ❽ 대중

대표 예제 6 대중 매체

다음 매체들의 공통된 특징으로 적절하지 않은 것은?

• 신문   • 잡지   • 라디오
• 인터넷   • 텔레비전   • 이동 통신

① 정보를 전달할 수 있다.
② 쌍방향 의사소통을 가능하게 한다.
③ 대중문화의 확산에 이바지하고 있다.
④ 많은 사람에게 대량의 정보를 전달한다.
⑤ 사람들의 일상생활에 큰 영향력을 지닌다.

개념 가이드

❾ ⬚⬚⬚⬚ 은/는 대량의 정보를 많은 사람에게 전달하는 수단이다.

탑 ❾ 대중 매체

대표 예제 7 대중문화의 문제점

자료를 통해 추론할 수 있는 대중문화의 문제점은?

① 문화를 획일화시킨다.
② 큰 비용이 들고 접근하기 어렵다.
③ 대중문화는 문화라고 볼 수 없다.
④ 대중의 정치적 무관심을 조장한다.
⑤ 대중의 취향과 기호를 반영하지 못한다.

개념 가이드

최신 경향은 ❿ ⬚⬚⬚⬚ 에 즉각 반영되고 유행에 따라 빠르게 퍼지거나 사라진다.

탑 ❿ 대중 매체

대표 예제 8 대중문화의 문제점

다음과 같은 현상을 해결하기 위한 방법으로 적절한 것은?

텔레비전에 나오는 유명한 연기자나 모델이 입었던 청바지는 유행에 영향을 주기도 한다. 많은 사람이 자신의 개성을 찾기보다는 유행을 좇아 청바지를 구입하고 입는다.

① 문화의 생산자 역할을 한다.
② 대중문화의 상업성을 경계한다.
③ 잘못된 내용의 시정을 요구한다.
④ 대중문화를 오락의 수단으로만 여긴다.
⑤ 하나의 미디어를 정해 정보를 받아들인다.

개념 가이드

대중 매체를 통해 전파되는 대중문화를 ⓫ ⬚⬚⬚⬚ (으)로 인식하고 수용해야 한다.

탑 ⓫ 비판적

Quiz 발명과 발견은 문화의 (내재적, 외재적) 변동 요인이다.

문화가 변동하는 원인의 내부적 요인으로 발명과 발견이 있어.

바지 앞섶이나 치마의 트임 부분을 단추로 잠그면 입고 벗을 때마다 불편하였는데, 지퍼의 등장으로 해소되었어.

이렇게 부딪치니까 불이 나던데…….

발명

발견

문화가 변동하는 원인의 외부적 요인으로 직접 전파, 간접 전파, 자극 전파가 있어.

한자의 음과 새김을 빌려 이두를 개발해야지.

직접 전파

간접 전파

자극 전파

답 내재적

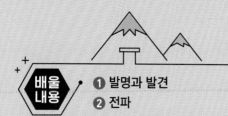
Quiz 서로 다른 사회의 문화 요소가 결합하여, 기존의 두 문화 요소와는 다른 성격을 지닌 새로운 문화가 나타나는 것을 문화 (동화, 융합)(이)라고 한다.

문화의 동화

문화 변동의 원인이 제공되었더라도 변화 양상이 늘 같지는 않아. 문화 변동의 결과 문화 융합, 문화 동화, 문화 병존과 같은 다양한 변화 양상이 나타나.

문화의 융합

침대 문화와 온돌 문화의 접목

서로 다른 문화가 합쳐져서 새로운 문화를 형성하기도 합니다.

문화의 병존

서로 다른 두 문화가 함께 존재하기도 하지.

답 융합

개념 1 **문화 변동의 의미와 요인**

1 **문화 변동의 의미** 한 사회의 문화가 사회 대다수 구성원의 삶에 커다란 영향을 미칠 정도로 변화하는 현상

2 **문화 변동의 요인**

(1) 내재적 요인 ── 물질적인 것은 물론 비물질적인 것도 새롭게 만들어 낼 수 있음.

발명	그동안 존재하지 않았던 새로운 **❶** 을/를 만들어 내는 것 📝 전화기, 비행기, 인터넷, 계몽주의와 같은 사상이나 가치관 등	**❶ 문화 요소**
발견	이미 존재하고 있었지만 알려지지 않았던 것을 찾아내는 것 📝 불, 바이러스, 만유인력 법칙 등	

(2) 외재적 요인(전파)

① 의미: 한 문화가 다른 문화와 교류하고 **❷** 하는 과정에서 새로운 문화 요소가 전달되는 것

❷ 접촉

② 종류

직접 전파	이주, 무역, 전쟁 등을 통해 사람이 다른 문화와 직접 접촉하여 문화 요소가 전해지는 것	
간접 전파	책, 텔레비전, 인터넷 등과 같은 **❸** 을/를 통해 문화 요소가 전해지는 것	**❸ 매체**
자극 전파	다른 사회의 문화 요소에서 **❹** 을/를 얻어 새로운 문화 요소를 만들어 내는 것 📝 과거에 중국 한자의 음과 뜻을 빌려 우리 말을 표기했던 이두	**❹ 아이디어**

└ 오늘날에는 정보 통신 기술의 발달로 직접 전파보다 매체를 통한 간접 전파가 활발하게 일어나고 있음.

개념 2 **문화 변동의 양상**

1 **내재적 변동** 한 사회의 문화 체계 내에서 이루어지는 문화 변동으로, 발명이나 발견 등에 의해 발생함.

2 **문화 접변(외재적 변동)** 두 문화 체계가 장기간에 걸쳐 전면적인 **❺** 을/를 함으로써 나타나는 문화 변동

❺ 접촉

┌ 피지배 집단은 순응하여 동화되기도 하고, 저항이나 복고 운동을 벌이기도 함.

강제적 문화 접변	정복이나 식민 지배 등의 상황에서 지배 사회의 문화가 피지배 사회에 **❻** (으)로 이식되어 나타나는 것 📝 일부 강대국이 식민지에서 자신의 언어, 종교 등을 강요한 것	**❻ 강제적**
자발적 문화 접변	다른 문화와 교류하면서 구성원이 어떤 문화 요소의 필요성을 인식하여 스스로 그것을 받아들이는 것 📝 북아메리카 대륙의 나바호족이 멕시코인과 교류하면서 그들에게서 은세공과 양탄자 직조 기술을 배워서 고유의 문화와 결합한 공예 양식을 발전시킨 것	

정답과 해설 **65**쪽

2일

1 빈칸에 들어갈 알맞은 말을 쓰시오.

(1) (   )(이)란, 한 사회의 문화가 사회 대다수 구성원의 삶에 커다란 영향을 미칠 정도로 변화하는 현상이다.

(2) 전화기, 비행기 등과 같이 그동안 존재하지 않았던 새로운 문화 요소를 만들어 내는 것을 (   )(이)라고 한다.

(3) 두 문화 체계가 장기간에 걸쳐 전면적인 접촉을 함으로써 나타나는 문화 변동을 (   )(이)라고 한다.

2 괄호 안의 내용 중 알맞은 말을 골라 ○표 하시오.

(1) 문화 변동의 원인으로 발명, 발견과 같은 (내부적, 외부적) 요인이 있다.

(2) 이주, 무역, 전쟁 등을 통해 사람이 다른 문화와 직접 접촉하여 문화 요소가 전해지는 것을 (직접, 자극) 전파라고 한다.

(3) 최근 정보 통신 기술이 발달하면서 (직접, 간접) 전파가 늘어나고 있다.

(4) 북아메리카 대륙의 나바호족이 멕시코인과 교류하면서 그들에게서 은세공과 양탄자 직조 기술을 배워서 고유의 문화와 결합한 공예 양식을 발전시킨 것은 (강제적, 자발적) 문화 접변의 사례이다.

3 자료에 나타난 전파의 유형을 쓰시오.

이두는 과거에 중국 한자의 음과 뜻을 빌려 우리말을 표기했던 방식이다.

(   )

4 사례를 읽고 문화 변동을 일으킨 요인을 〈보기〉에서 고르시오.

┌─────────────── • 보기 •
│ ㄱ. 발명   ㄴ. 발견   ㄷ. 직접 전파
│ ㄹ. 간접 전파   ㅁ. 자극 전파
└───────────────

(1) 활의 원리를 이용하여 현악기를 만들었다. (   )

(2) 결혼 이주민을 통해 외국의 옷, 음식 등이 전파되었다. (   )

(3) 한국 드라마가 다른 나라에 방송되면서 한국 음식과 한국어가 함께 전파되었다. (   )

(4) 체로키족은 영어의 알파벳에서 아이디어를 얻어 세쿼야라는 문자를 만들었다. (   )

(5) 비타민은 20세기 초 세상에 처음 알려졌다. (   )

개념 3 　문화 접변 결과

문화 병존	서로 다른 사회의 문화가 한 사회의 문화 속에서 나란히 존재하는 것
	⑩ 우리나라에 토착 종교와 외래 종교가 함께 존재하는 것
문화 동화	한 사회의 문화가 다른 사회의 문화로 흡수되거나 대체된 것
	⑩ 라틴 아메리카의 원주민들이 원래 사용하던 언어 대신 포르투갈어나 에스파냐어를 사용하는 것
문화 융합	서로 다른 사회의 문화 요소가 결합하여 기존의 두 문화 요소와는 다른 성격을 지닌 ❶ ＿＿＿＿ 문화가 나타나는 것
	⑩ 미국에서 아프리카 흑인 음악과 유럽 백인 음악의 요소가 어우러져 재즈가 탄생한 것

❶ 새로운

예 문화 접변의 결과 문화 병존, 문화 동화, 문화 융합과 같은 다양한 변동 양상이 나타남.

개념 4 　문화 변동에 따른 문제점과 대처 방안

❶ 문화 변동에 따른 문제점

갈등	이질적인 문화 요소가 나타나는 과정에서 ❷ ＿＿＿＿ 의 차이 때문에 사회 구성원들이나 집단 간 갈등을 겪을 수 있음.
아노미 현상	전통적인 규범과 가치관을 대체할 새로운 규범과 가치관이 아직 정립되지 못하여 혼란과 ❸ ＿＿＿＿ 상태에 빠지는 현상
문화 지체 현상	물질문화의 변동 속도를 비물질문화가 따라가지 못하여 발생하는 부조화 현상

❷ 가치관

❸ 무규범

└─ 새로운 물질문화는 비교적 쉽게 수용하여 변동 속도가 빠른 것에
　 비해, 비물질문화는 수용하는 데 시간이 걸려 변동 속도가 느림.

❷ 문화 변동에 따른 문제점 대처 방안

(1) 문화 요소 간 조화와 공존을 위해 노력해야 함.

(2) 문화 변동이나 새로운 물질문화에 적합한 사회 규범, 제도 등을 확립해야 함.

(3) 문화 변동이 바람직한 방향으로 이루어지도록 ❹ ＿＿＿＿ (으)로 대처해야 함.

(4) 새로 유입되는 문화 요소를 주체적으로 수용해야 함.

❹ 능동적

5 (가)~(다)에 해당하는 문화 접변 결과를 쓰시오.

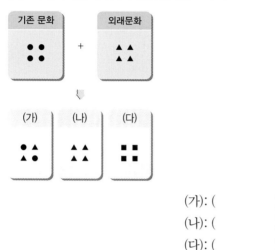

(가): (　　　　　)

(나): (　　　　　)

(다): (　　　　　)

6 괄호 안의 내용 중 알맞은 말을 골라 ○표 하시오.

(1) 한 사회의 문화가 다른 사회의 문화로 흡수되거나 대체되는 것은 문화 (병존, 동화)이다.

(2) 문화 변동 과정에서 전통적 규범과 가치관을 대체할 새로운 규범과 가치관이 아직 정립되지 못하여 혼란과 무규범 상태에 빠지는 (아노미 현상, 문화 지체 현상)이 나타날 수 있다.

(3) 문화 지체 현상은 (물질, 비물질)문화의 변동 속도를 (물질, 비물질)문화가 따라가지 못하여 발생하는 부조화 현상이다.

7 〈보기〉에서 문화 지체 현상의 사례를 고르시오.

> ● 보기 ●
> ㄱ. 지하철에서 시끄럽게 울리는 휴대 전화 벨 소리
> ㄴ. 운전 중에 휴대 전화로 통화를 하는 행위
> ㄷ. 공공장소에서 담배를 피우는 행위

(　　　　　)

8 사례를 읽고 해당하는 문화 접변 결과를 〈보기〉에서 고르시오.

> ● 보기 ●
> ㄱ. 문화 병존　　　ㄴ. 문화 동화　　　ㄷ. 문화 융합

(1) 말레이시아의 항구 도시 블라카의 거리에는 힌두교와 이슬람교, 크리스트교, 불교 등 다양한 종교 건축물이 있다. (　　　　)

(2) 서구의 햄버거와 한국의 김치를 결합한 김치 버거가 있다. (　　　　)

(3) 돌침대는 우리의 온돌 문화와 서구의 침대 문화가 어우러진 것이다. (　　　　)

(4) 백인들이 미국으로 이주해 온 뒤 미국에 살던 원주민들의 문화가 사라졌다. (　　　　)

(5) 서양 의학이 국내에 전파된 후에도 여전히 한의원이 서양식 병원과 함께 존재한다. (　　　　)

9 다음 설명이 맞으면 ○표, 틀리면 ✕표 하시오.

(1) 문화 동화는 문화 융합과 달리 문화 다양성 유지에 기여한다. (　　　　)

(2) 문화 병존과 문화 융합은 고유 문화의 정체성이 남아 있다는 공통점이 있다. (　　　　)

(3) 기술의 발달에 따라 비물질문화의 변동은 비교적 빠르게 이루어지는 데 반해, 물질문화의 변동은 상대적으로 느리므로 문화 요소 간 부조화가 나타날 수 있다. (　　　　)

(4) 문화 변동으로 발생하는 갈등에 대처하려면 새롭고 다양한 문화 요소의 특징과 차이를 알고 문화 요소 간 조화와 공존을 위해 노력해야 한다. (　　　　)

대표 예제 1 발명

자료에 나타난 문화 변동 요인을 쓰시오.

> 1878년 에디슨이 축음기를 만들어 소리를 녹음하고 재생하는 데 성공하였다. 이후 '메리의 작은 양'이라는 민요를 녹음하는 등 레코드가 상업적으로 발달하기 시작하였고, 많은 사람이 음악을 쉽게 접할 수 있게 되었다.

( )

 개념 가이드

❶ ☐☐ 은/는 그동안 존재하지 않았던 새로운 문화 요소를 만들어 내는 것이다.

🔑 ❶ 발명

대표 예제 3 자극 전파

다음에서 설명하는 문화 변동 요인은?

> 문화 변동의 요인 중 외부에서 영향을 받은 것으로 볼 수 있으며, 다른 사회의 문화 요소에서 아이디어를 얻어 새로운 문화 요소를 만들어 내는 것이다.

① 발명　　　　　② 발견
③ 직접 전파　　　④ 간접 전파
⑤ 자극 전파

개념 가이드

과거에 중국 한자의 음과 뜻을 빌려 우리말을 표기했던 이두는 ❹ ☐☐☐☐ 의 사례에 해당한다.

🔑 ❹ 자극 전파

대표 예제 2 문화 변동의 요인

A~C에 해당하는 문화 변동 요인을 쓰시오.

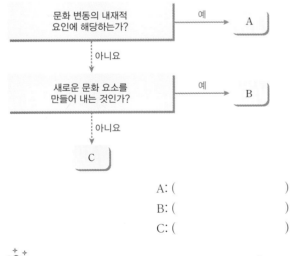

A: ( )
B: ( )
C: ( )

개념 가이드

문화 변동의 내재적 요인으로 ❷ ☐☐ , 발견이 있고, 외재적 요인으로 직접 전파, ❸ ☐☐☐☐ , 자극 전파가 있다.

🔑 ❷ 발명 ❸ 간접 전파

대표 예제 4 강제적 문화 접변과 자발적 문화 접변

서술형 평가 문제와 학생 답안이다. ㉠~㉢ 중 옳지 않은 것은?

> ◎ 문제: 강제적 문화 접변과 자발적 문화 접변의 의미와 사례를 서술하시오.
> ◎ 학생 답안: 강제적 문화 접변은 ㉠ 문화 수용자의 의사와 상관 없이 외부의 강압 때문에 나타나는 문화 변동으로, ㉡ 일부 강대국이 식민지에서 자신의 언어를 강요하는 것을 사례로 들 수 있다. 자발적 문화 접변은 ㉢ 문화 수용자가 스스로 다른 사회의 문화 요소를 자기 사회의 문화 체계 속으로 받아들이는 것으로, ㉣ 불이나 바이러스를 찾아낸 것을 사례로 들 수 있다.

 개념 가이드

강제적 문화 접변과 자발적 문화 접변을 구분하는 기준은 ❺ ☐☐☐ 의 유무이다.

🔑 ❺ 강제성

대표 예제 5 문화 변동의 양상

다음 사례에 나타난 문화 변동 양상은?

> 필리핀은 19세기 말부터 20세기 중반까지 미국의 식민 지배를 받았으며, 이후 필리핀 사람들은 타갈로그어와 함께 영어를 공용어로 사용한다.

① 문화 병존   ② 문화 동화

③ 문화 융합   ④ 강제적 문화 접변

⑤ 자발적 문화 접변

개념 가이드

❻ [   ]은/는 서로 다른 사회의 문화가 한 사회의 문화 속에서 나란히 존재하는 것이다.   **답 ❻** 문화 병존

대표 예제 6 문화 접변의 결과

(가)~(다)에 들어갈 문화 접변 결과를 쓰시오.

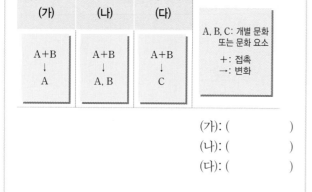

(가)	(나)	(다)	A, B, C: 개별 문화 또는 문화 요소
A+B ↓ A	A+B ↓ A, B	A+B ↓ C	+ : 접촉 → : 변화

(가): (   )

(나): (   )

(다): (   )

개념 가이드

❼ [   ]의 결과 문화 병존, 문화 동화, 문화 융합과 같은 다양한 변동 양상이 나타난다.   **답 ❼** 문화 접변

대표 예제 7 문화 변동에 따른 문제점

다음 글에 나타난 문제점으로 가장 적절한 것은?

> 누리 소통망(SNS)은 자신의 근황이나 감정을 주변 사람들에게 전하는 데 유용하지만, 근거 없는 험담이 확산하는 통로가 되기도 한다. 더욱이 이를 규제할 도덕적 규범의 통제력이 약하여 문제가 심각해지고 있다.

① 자기 문화 고유의 정체성이 약화되었다.

② 다른 문화에 대한 부정적 편견이 생겼다.

③ 문화 간 충돌로 인해 사회적 갈등이 증대되었다.

④ 급속한 사회 변동으로 인한 아노미 현상이 발생하였다.

⑤ 가치관의 차이 때문에 사회 구성원들 간 갈등이 생겼다.

개념 가이드

문화 변동 과정에서 전통적 규범과 가치관을 대체할 새로운 규범과 가치관이 정립되지 못하여 혼란과 무규범 상태에 빠지는 **❽** [   ] 현상이 발생할 수 있다.   **답 ❽** 아노미

대표 예제 8 문화 변동에 따른 문제점

(가)에 들어갈 알맞은 용어를 고르면?

> 문화 변동이 이루어지는 과정에서 여러 가지 문제가 발생할 수 있습니다. 다음 그래프를 봅시다. 이 그래프는 [(가)] 현상을 보여 주고 있습니다.

① 아노미   ② 문화 지체   ③ 문화 변동

④ 문화 교류   ⑤ 문화 충격

개념 가이드

❾ [   ]은/는 물질문화의 변동 속도를 비물질문화가 따라가지 못해서 발생하는 부조화 현상이다.   **답 ❾** 문화 지체 현상

3일 사회 불평등 현상과 계층

Quiz 사회 불평등 현상을 사회적 희소 자원이 개인의 능력과 노력, 사회에 기여하는 정도에 따라 합리적으로 분배된 결과라고 보는 관점은 (기능론, 갈등론)이다.

답 기능론

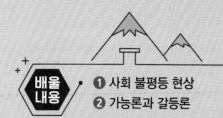
Quiz 계층 간 수직 이동이 제한된 경우에는 (개방적, 폐쇄적) 계층 구조, 계층 간 수직 이동의 기회와 가능성이 열려 있는 경우에는 (개방적, 폐쇄적) 계층 구조가 나타난다.

답 폐쇄적, 개방적

개념 1 사회 불평등 현상의 의미와 유형

1 사회 불평등 현상의 의미 부, 명예, 권력 등의 사회적 자원이 차등적으로 분배되어 개인 및 집 단이 ❶ [   ] 하는 현상

❶ 서열화

2 사회 불평등 현상의 유형

경제적 불평등	재산이나 소득 차이로 나타나는 불평등
정치적 불평등	권력의 소유와 행사의 차이로 나타나는 불평등
사회·문화적 불평등	사회적 위신, 명예, 교육 수준, 지식 소유 등 사회·문화적 생활 기회의 차이와 수준의 차이로 나타나는 불평등

⑩ 사회 불평등 현상은 어느 사회에서나 나타나지만, 구체적인 모습은 사회마다 다름.

개념 2 사회 불평등 현상을 보는 관점

1 기능론과 갈등론 ┌ 사회 불평등 현상을 어느 하나의 관점으로 바라보기보다는 두 관점이 지닌
└ 각각의 장점을 바탕으로 균형 있게 이해하려는 태도가 필요함.

구분	기능론	갈등론
전제	• 사람들이 하는 일의 기능적 ❷ [ ] 이/가 다름. • 사회적으로 중요한 일을 담당할 수 있는 사람들의 수가 제한되어 있음.	• 사회적 ❸ [ ] 이/가 권력이나 가정의 사회·경제적 배경과 같은 요인에 의해 차등 분배됨. • 직업 간 기능적 중요도는 정확히 판단하기 어려움.
계층 발생 원인	사회적 희소 자원이 개인의 능력과 노력, 사회에 기여하는 정도에 따라 합리적으로 분배된 결과	지배 집단이 자신의 기득권을 유지하기 위해 사회적 자원을 불공정하게 분배한 결과
사회적 기능	사회 구성원들의 ❹ [ ] 을/를 높이고, 인재를 적재적소에 배치함.	사회 구성원들이 각자의 능력을 최대한 발휘할 수 있는 기회를 제한함.
한계	사회 문제를 개선하려는 노력이 소홀해질 수 있음.	집단 간 대립을 지나치게 부각하여 ❺ [ ] 을/를 저해할 수 있음.

❷ 중요도
❸ 희소 자원

❹ 성취동기

❺ 사회 통합

2 계급 이론과 계층 이론

계급	• 경제적 요인을 기준으로 하여 ❻ [ ] 을/를 소유하고 있는 자본가와 소유하지 못한 노동자로 사람들의 위치를 구분함. • 두 계급 간의 관계는 본질적으로 적대적임.
계층	• 경제적(계급), 정치적(권력), 사회적(지위) 요인이 복합적으로 작용하여 연속적으로 계층이 범주화됨. • 지위 ❼ [ ] 현상을 설명할 수 있음.

❻ 생산 수단

❼ 불일치

⑩ 계층 이론은 현대 사회를 설명하는 데 유리함.

1 빈칸에 들어갈 알맞은 말을 쓰시오.

(1) 부, 권력, 명예 등의 사회적 자원이 차등적으로 분배되어 개인 및 집단이 서열화하는 현상을 (   )(이)라고 한다.

(2) (   )은/는 주로 재산이나 소득의 차이로 나타나고, (   )은/는 권력의 소유와 행사의 차이로 나타난다.

(3) 기능론에서는 사회 불평등 현상을 사회적 (   )이/가 개인의 능력과 노력, 사회에 기여하는 정도에 따라 합리적으로 배분된 결과라고 본다.

(4) 갈등론에서는 사회 불평등 현상을 지배 집단이 자신의 (   )을/를 유지하기 위해 사회적 자원을 불공정하게 분배한 결과라고 본다.

2 괄호 안의 내용 중 알맞은 말을 골라 ○표 하시오.

(1) 사회 계층화를 필수 불가결한 현상이라고 보는 관점은 (기능론, 갈등론)이다.

(2) 사회 계층화는 사회적 박탈감, 집단 간의 대립 및 갈등을 유발할 뿐이라고 보는 관점은 (기능론, 갈등론)이다.

(3) 사회 계층화는 모든 사회 구성원이 합의한 가치가 반영된 것이라고 보는 관점은 (기능론, 갈등론)이고, 지배 집단의 가치가 반영된 것이라고 보는 관점은 (기능론, 갈등론)이다.

3 사회 불평등에 관한 이론의 내용을 바르게 연결하시오.

(1) 계급론 •

(2) 계층론 •

• ㉠ 계급, 권력, 지위 등에 따라 사회 불평등 현상이 발생한다.

• ㉡ 생산 수단의 소유 여부에 따라 사회 불평등 현상이 발생한다.

• ㉢ 계급 간의 관계는 적대적이다.

• ㉣ 지위 불일치 현상을 설명할 수 있다.

4 다음 사례를 설명하기에 적합한 개념을 쓰시오.

• 조선 시대 후기의 몰락한 양반들은 사회적 위신은 높았으나 재산이 없었다.
• '벼락부자'들은 재산이 많으나 사회적 위신은 보잘것 없다.

(   )

5 다음 설명이 맞으면 ○표, 틀리면 X표 하시오.

(1) 기능론은 사회적 희소 자원의 차등 분배가 사회 구성원들의 성취동기를 높인다고 본다. (   )

(2) 갈등론은 집단 간 대립을 지나치게 부각하여 사회 문제를 개선하려는 노력이 소홀해질 수 있는 한계가 있다. (   )

(3) 계급 이론과 계층 이론 모두 사회 불평등 현상에 경제적 요인이 작용한다고 본다. (   )

개념 3 사회 계층 구조의 의미와 유형

1 **사회 계층** 한 사회에서 사회적 자원과 기회가 ❶[   ](으)로 분배된 결과 비슷한 수준의
사회적 자원을 가진 사람들이 위계적인 층을 이루고 있는 것

❶ 차등적

2 **사회 계층 구조** 한 사회의 희소한 자원이 불평등하게 분배되고 그러한 사회 불평등이 계속되
어 일정하게 틀 지어진 형태 ┄┄┄┄ 한 사회의 사회 계층 구조는 사회 구성원의 행동 양식과 사고방식 등에 큰 영향을 미침.

3 **계층 구성원의 비율에 따른 계층 구조**

피라미드형 계층 구조	• 상층에서 하층으로 갈수록 구성원의 비율이 높아지는 구조 • 전통적인 신분제 사회나 오늘날의 저개발국 등에서 주로 나타남.
다이아몬드형 계층 구조	• 상층과 하층에 비해 중층 구성원의 비율이 가장 높은 구조 • 근대 이후 산업 사회에서 주로 나타남. • 중층이 상층과 하층의 완충 역할을 하므로 안정된 특성을 보임.
타원형 계층 구조	• 다이아몬드형 계층 구조보다 중상층과 중하층의 비율이 더 높아진 계층 구조 • ❷[ ](으)로 지식과 정보에 접근할 수 있는 기회가 확대되어 계층 격차가 줄어들 것이라고 보는 관점
모래시계형 계층 구조	• 소수의 상층과 다수의 하층으로 양극화된 계층 구조 • 정보화로 사회 계층에 따라 지식과 정보의 접근 및 활용 격차가 확대되어 사회 계 층 간 불평등이 심화될 것이라고 보는 관점

❷ 정보화

개념 4 사회 이동의 의미와 유형

1 **사회 이동의 의미** 한 사회의 계층 구조 속에서 개인이나 집단의 계층적 위치가 변하는 현상

2 **사회 이동의 유형**

이동 방향에 따라	수직 이동	어떤 계층에서 다른 계층으로 계층적 위치가 바뀌는 것
	수평 이동	동일한 계층 내에서 ❸[ ]만 변하는 것
이동 원인에 따라	개인적 이동	개인의 능력이나 노력에 의해 계층적 위치가 변하는 것
	구조적 이동	급격한 ❹[ ](으)로 인해 계층적 위치가 변하는 것
세대 범위에 따라	세대 간 이동	세대를 가로질러 계층적 위치가 변하는 것
	세대 내 이동	한 개인의 일생 동안에 계층적 위치가 변하는 것

❸ 지위

❹ 사회 변동

3 **사회 이동의 가능성과 조건에 다른 계층 구조**

폐쇄적 계층 구조	• 계층 간 ❺[ ]이/가 제한된 계층 구조 • 신분제 사회에서 주로 나타나며 ❻[ ]이/가 중시됨.
개방적 계층 구조	• 계층 간 수직 이동의 기회와 가능성이 열려 있는 계층 구조 • 개인의 능력과 노력에 따라 지위 획득이 가능한 사회에서 나타나며 ❼[ ] 이/가 중시됨.

❺ 수직 이동
❻ 귀속 지위

❼ 성취 지위

┄┄┄┄ 폐쇄적 계층 구조보다 사람들에게 공평한 기회를 부여하여 사회 발전에
도움이 되며, 정치적·사회적 통합에도 기여할 수 있음.

6 빈칸에 들어갈 알맞은 말을 쓰시오.

(1) ( )은/는 한 사회에서 사회적 자원과 기회가 차등적으로 분배된 결과 비슷한 수준의 사회적 자원을 가진 사람들이 위계적인 층을 이루고 있는 것을 의미한다.

(2) 한 사회의 계층 구조 속에서 개인이나 집단의 계층적 위치가 변하는 현상을 ( )(이)라고 한다.

(3) ( )은/는 신분제 철폐, 혁명, 전쟁, 산업화 등 급격한 사회 변동으로 인해 계층적 위치가 변하는 것이다.

(4) ( )은/는 한 개인의 일생 동안에 계층적 위치가 변하는 것이다.

7 괄호 안의 내용 중 알맞은 말을 골라 ○표 하시오.

(1) 사회가 안정된 특성을 보이는 계층 구조는 (피라미드형, 다이아몬드형) 계층 구조이다.

(2) 사회적 양극화가 심한 계층 구조는 (타원형, 모래시계형) 계층 구조이다.

(3) 같은 계층 내에서의 지위 변화를 (수평 이동, 수직 이동)이라고 하고, 계층 간 이동을 (수평 이동, 수직 이동)이라고 한다.

(4) (폐쇄적, 개방적) 계층 구조는 수직 이동과 수평 이동이 모두 가능하며, 현대 산업 사회에서 주로 나타나는 계층 구조 형태이다.

8 계층 구조의 내용을 바르게 연결하시오.

(1) 피라미드형 계층 구조 •

(2) 다이아몬드형 계층 구조 •

(3) 폐쇄적 계층 구조 •

(4) 개방적 계층 구조 •

• ㉠ 계층 간 수직 이동이 제한된 계층 구조

• ㉡ 상층과 하층에 비해 중층 구성원의 비율이 가장 높은 구조

• ㉢ 계층 간 수직 이동의 기회와 가능성이 열려 있는 계층 구조

• ㉣ 상층에서 하층으로 갈수록 구성원의 비율이 높아지는 구조

9 다음 설명이 맞으면 ○표, 틀리면 X표 하시오.

(1) 수직 이동과 수평 이동의 구분 기준은 이동 방향이다. ( )

(2) 사회 계층 구조는 한번 형성되면 지속성을 가지고 유지된다. ( )

(3) 정보화를 낙관적으로 바라보는 관점과 관련된 것은 타원형 계층 구조이다. ( )

10 다음 사례에 나타난 사회 이동의 유형을 모두 쓰시오.

> 갑은 청나라 황제의 아들로 태어나 황제의 자리까지 올랐으나, 혁명으로 인해 궁궐에서 쫓겨나 평민으로 가난한 삶을 살게 되었다.

( )

3_일 내신 기출 베스트

대표 예제 1 　사회 불평등 현상

(가)~(다)와 관련한 옳은 설명을 〈보기〉에서 모두 고르면?

> (가) 소득이나 재산 등의 차이로 나타나는 불평등
> (나) 권력의 소유와 행사의 차이로 나타나는 불평등
> (다) 사회·문화적 생활의 기회와 수준의 차이로 나타나는
> 　　 불평등

─ 보기 ─
> ㄱ. (가)는 사회·문화적 불평등에 해당한다.
> ㄴ. (나)는 정치적 불평등에 해당한다.
> ㄷ. (가)~(다)의 구체적인 모습은 모든 사회가 동일하다.

① ㄱ　　　　② ㄴ　　　　③ ㄷ
④ ㄱ, ㄴ　　　⑤ ㄱ, ㄷ

개념 가이드

❶ ▢▢▢▢▢은/는 사회적 자원의 종류와 성격에 따라 다양한 유형으로 나타난다.　답 ❶ 사회 불평등 현상

대표 예제 2 　사회 불평등 현상을 바라보는 관점

사회 불평등 현상을 기능론적 관점으로 분석한 내용을 〈보기〉에서 고르면?

─ 보기 ─
> ㄱ. 사회의 유지, 발전에 필수적인 현상이다.
> ㄴ. 사회적 희소가치의 불공정한 분배로 나타난다.
> ㄷ. 사회 불평등은 사회 구성원의 성취동기를 높인다.
> ㄹ. 사회 불평등은 기존의 불평등한 계층 구조를 재생산하게 된다.

① ㄱ, ㄴ　　　② ㄱ, ㄷ　　　③ ㄴ, ㄷ
④ ㄴ, ㄹ　　　⑤ ㄷ, ㄹ

개념 가이드

기능론에서는 차등 분배로 인한 불평등이 사회 구성원들의 ❷ ▢▢▢▢을/를 높인다고 본다.　답 ❷ 성취동기

대표 예제 3 　사회 불평등 현상을 바라보는 관점

갑의 관점에 대한 설명으로 옳은 것은?

> 갑: 의사, 간호사, 병원 청소원 모두 병원에서 일하며 환자들을 위하여 일하는데 왜 의사의 사회적 지위나 보수가 간호사나 병원 청소원보다 높아야 하는 거야?

① 계층은 사회 구성원들의 성취동기를 높인다.
② 사회 불평등은 사회 발전을 위해 불가피하다.
③ 사회는 기득권층의 지배를 바탕으로 유지된다.
④ 사회 구성원들은 차등 보상을 공정하게 여긴다.
⑤ 계층은 개인과 사회가 최선의 기능을 발휘하게 한다.

개념 가이드

갈등론에서는 사회 불평등이 지배 집단의 강제에 의한 것으로, 기존의 불평등한 계층 구조를 ❸ ▢▢▢▢하게 된다고 본다.　답 ❸ 재생산

대표 예제 4 　계층 이론과 계급 이론

사회 불평등 현상에 대한 (가), (나)의 견해와 관련된 설명으로 옳은 것은?

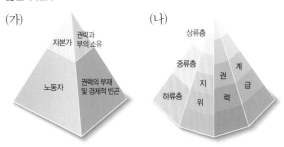

① (가)의 사회 계층은 연속성을 보인다.
② (가)는 지위 불일치를 설명하기에 적합하다.
③ (가)는 계층 개념으로 사회 불평등을 설명한다.
④ (나)는 계급 개념으로 사회 불평등을 설명한다.
⑤ (나)의 세 가지 차원은 서로 밀접한 관련이 있으나 반드시 일치하는 것은 아니다.

개념 가이드

❹ ▢▢은/는 경제적 요인을 기준으로 하여 불연속적으로 사람들의 위치를 구분한 개념이다.　답 ❹ 계급

대표 예제 5 사회 계층 구조의 유형

다음 조건에 부합하는 사회 계층 구조 유형은?

- 중층의 구성원 비율이 상층 또는 하층의 비율보다 높은 경우이다.
- 주로 복지 정책이 구비된 현대 산업 사회에서 나타난다.
- 중간 계층의 비율이 높아짐에 따라 사회가 안정적이다.

① 폐쇄적 계층 구조   ② 개방적 계층 구조
③ 피라미드형 계층 구조   ④ 모래시계형 계층 구조
⑤ 다이아몬드형 계층 구조

 개념 가이드

계층 구성원의 **❺** 에 따라 피라미드형 계층 구조와 다이아몬드형 계층 구조로 나눌 수 있다.

🔑 **❺** 비율

대표 예제 7 계층 구조의 변화

다음 표에 대한 설명으로 옳은 것은?

구분	1990년	2000년	2020년
수직 이동 가능성	0	3	10
중류층/하류층 비율	0.5	1.5	8.0

* 수직 이동 가능성은 상대적 크기를 의미함.
* 상류층의 비율은 10%로 고정되어 있음.

① 사회 통합 수준이 낮아지고 있다.
② 세대 간 이동이 주로 나타나고 있다.
③ 40년간 개방형 계층 구조로 변화하였다.
④ 개인적 원인에 따라 사회 이동이 확대되었다.
⑤ 피라미드형에서 모래시계형으로 계층 구조가 변하고 있다.

 개념 가이드

❽ 은/는 어떤 계층에서 다른 계층으로 계층적 위치가 바뀌는 것이다.

🔑 **❽** 수직 이동

대표 예제 6 사회 계층 구조의 유형

한 국가의 계층 구조 변화를 나타낸 것이다. 이에 대한 설명으로 옳은 것은?

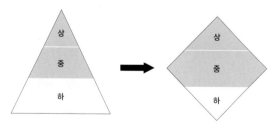

① 중층이 점차 줄어들고 있다.
② 폐쇄적 계층 구조로 변화하였다.
③ 계층 구조의 안정성이 높아졌다.
④ 수평 이동의 가능성이 줄어들고 있다.
⑤ 구조적 이동에 따라 계층 구조가 변화하였다.

🔆 개념 가이드

❻ 계층 구조는 **❼** 계층 구조에 비해 중층의 비율이 높아 사회가 안정된 특성을 보인다.

🔑 **❻** 다이아몬드형 **❼** 피라미드형

대표 예제 8 사회 이동

다음 사례에 나타난 사회 이동의 유형을 모두 쓰시오.

직업 없이 생활하던 노숙자 을은 아르바이트로 시작한 일이 성공하여 대형 유통업체의 사장이 되었다.

(   )

🔆 개념 가이드

사회 이동은 **❾** 에 따라, 이동 원인에 따라, 세대 범위에 따라 여러 가지 유형으로 구분할 수 있다.

🔑 **❾** 이동 방향

4일 다양한 사회 불평등 양상, 사회 복지

Quiz 신체적 또는 문화적 특성으로 인해 자기가 사는 사회의 다른 구성원들과 구별되어 불평등한 처우를 받는 사람들을 일컫는 말은?

우리 사회에는 외모나 종교, 인종, 취향 등이 다양한 사람들이 살고 있어. 이들은 모두 인권을 누릴 권리가 있어.

하지만 어떤 사람들은 신체적이나 문화적 특성으로 인해 불평등한 처우를 받기도 해. 이들을 사회적 소수자라고 해.

답 사회적 소수자

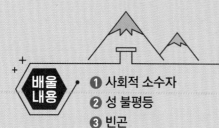
Quiz (공공 부조, 사회 보험)은/는 국가와 지방 자치 단체의 책임하에 생활을 유지할 능력이 없거나 생활이 어려운 국민의 최저 생활을 보장하고 자립을 지원하기 위해 금전적·물질적 급여를 제공하는 제도이다.

개념 1 사회적 소수자

1 사회적 소수자의 의미 신체적 또는 문화적 특성으로 인해 자기가 사는 사회의 다른 구성원들과 구별되어 **❶** [   ]한 처우를 받는 사람들

❶ 불평등

2 사회적 소수자 차별로 인한 사회 문제 인권 침해, 인간의 존엄성 훼손, 사회적 기회 박탈, 대립과 갈등의 심화에 따른 **❷** [   ] 저해

❷ 사회 통합

3 사회적 소수자 차별 문제의 개선 방안 차별 금지법 제정, 적극적 차별 시정 조치 도입, 사회적 소수자에 대한 차별적 인식 교정, 사회적 소수자 집단 스스로 차별 개선을 적극적으로 요구하는 노력 필요

예 사회적 소수자는 한 사회 내에서 주류 집단에 비해 권력의 열세에 놓여 있는 이들을 가리키는 개념으로, 반드시 수적 소수를 의미하지 않음.

개념 2 성 불평등

1 성 불평등의 의미 남녀의 생물학적 및 사회적 성별 **❸** [   ]을/를 이유로 사회적 지위, 권력, 위세 등에서 특정 성이 차별받는 현상 ─ 여자아이는 자라면서 여성다움을, 남자아이는 남성다움을 유지하도록 요구받는 것

❸ 차이

2 성 불평등의 원인 성역할의 차별적 사회화, **❹** [   ]에 바탕을 둔 사회 구조

❹ 가부장제

3 성 불평등의 해결 방안 학교 교육과 대중 매체 등 다양한 경로를 통한 **❺** [   ] 교육 강화, 성차별적 요소가 있는 법률 및 제도 개선, 평등한 근무 환경 및 승진 기회 보장

❺ 성 평등

개념 3 빈곤

1 빈곤의 의미 인간의 기본적 욕구와 관련된 물질적 결핍이 만성적으로 지속되는 경제적 상태

절대적 빈곤	소득이 인간다운 **❻** [ ]을/를 유지하는 데 필요한 기준에 미치지 못하는 상태
상대적 빈곤	사회의 전반적인 소득 수준과 대비하여 소득 수준이 낮은 상태

❻ 최저 생활

경제가 성장하여 전반적 생활 수준이 향상되면 절대적 빈곤보다 상대적 빈곤 문제가 더 심각해지고, 그로 인한 상대적 박탈감이 문제가 될 수 있음.

2 빈곤의 원인

(1) 개인적 차원에서 원인을 찾는 시각: 개인의 노력이나 능력 등의 부족

(2) 빈곤을 만들어 내는 사회 구조를 강조하는 시각: 불평등한 사회 구조가 특정 집단의 빈곤 탈출에 불리하게 작용한 결과

3 빈곤의 해결 방안

개인적 차원	빈곤 탈출 의지 함양, 교육과 직업 훈련 등을 통한 능력 함양
사회적 차원	• 빈곤층의 자립을 위한 지원책 마련 • 빈곤층에 대한 비난이나 사회적 낙인을 찍지 않도록 해야 함.

1 ㉠에 대한 인터넷 검색 결과이다. ㉠에 들어갈 말을 쓰시오.

> ◀ ▶ C (㉠)의 의미 　 Q ≡
>
> 　사람들은 외모, 인종, 종교, 사상, 취향 등이 다양하지만, 이러한 차이와 상관없이 모두 기본적인 인권을 동등하게 누릴 권리를 지닌다. 하지만 어떤 사람들은 신체적 또는 문화적 특성으로 인해 자기가 사는 사회의 다른 구성원들과 구별되어 불평등한 처우를 받는다.

(　　　　)

2 빈칸에 들어갈 알맞은 말을 쓰시오.

(1) 남녀의 생물학적 및 사회적 성별 차이를 이유로 사회적 지위, 권력, 위세 등에서 특정 성이 차별을 받는 현상을 (　　　　)(이)라고 한다.

(2) (　　　　)은/는 인간의 기본적 욕구와 관련된 물질적 결핍이 만성적으로 지속되는 경제적 상태를 의미한다.

3 괄호 안의 내용 중 알맞은 말을 골라 ○표 하시오.

(1) (절대적 빈곤, 상대적 빈곤)은 소득이 인간다운 최저 생활을 유지하는 데 필요한 기준에 미치지 못하는 상태를 말한다.

(2) (절대적 빈곤, 상대적 빈곤)은 사회의 전반적인 소득 수준과 대비하여 소득 수준이 낮은 상태를 의미한다.

4 사회 불평등 형태와 개선 방향을 바르게 연결하시오.

(1) 사회적　　　　　　　기초 생활비, 자녀 양육
　　소수자 •　　　　 • ㉠ 비 보조 등 자립할 수
　　차별　　　　　　　　있는 지원책 마련

　　　　　　　　　　　성 평등적 가치 규범 체
(2) 성 불평등 •　　 • ㉡ 계 정립 및 양성 평등
　　　　　　　　　　　문화 확립

　　　　　　　　　　　소수자에게 불리한 법
　　　　　　　　　　　규 수정 및 차별받는 집
(3) 빈곤 •　　　　 • ㉢ 단에 특혜를 부여하는
　　　　　　　　　　　적극적 우대 조치 실시

5 〈보기〉의 빈곤 문제 해결 방안을 사회적 차원과 개인적 차원으로 구분하시오.

> ● 보기 ●
> ㄱ. 고용 규모 확대
> ㄴ. 직업 훈련 참가
> ㄷ. 최저 임금제 실시
> ㄹ. 소득 재분배 정책
> ㅁ. 기초 생활비 지원
> ㅂ. 빈곤 탈출 의지 함양

(1) 사회적 차원: (　　　　)
(2) 개인적 차원: (　　　　)

개념 4   **사회 복지**

1 사회 복지의 의미   사회 구성원의 기본적인 욕구를 충족하여 삶의 조건을 보장하고, 이를 통해 궁극적으로 **❶ [　　　]**을/를 달성하려고 하는 사회적 활동의 총체

❶ 사회 통합

2 사회 복지의 유형

구분	공공 부조	사회 보험	사회 서비스
의미	국가와 지방 자치 단체의 책임하에 생활을 유지할 능력이 없거나 생활이 어려운 국민의 최저 생활을 보장하고 자립을 지원하기 위해 금전적·물질적 급여를 제공하는 제도	국민에게 **❷ [　　　]**에 발생할 수 있는 사회적 위험을 보험의 방식으로 대처함으로써 국민의 건강과 소득을 보장하는 제도	국가·지방 자치 단체 및 민간 부문의 도움이 필요한 모든 국민에게 다양한 분야에서 인간다운 생활을 보장하고 상담, 재활, 돌봄 등을 통하여 국민의 삶의 질이 향상되도록 지원하는 제도
특징	• 사후 처방적 성격 • 비용 전액을 국가와 지방 자치 단체가 부담함. • 소득 **❸ [　　　]** 효과가 큼. • 수혜자와 부담자 불일치	• 사전 예방적 성격 • 개인과 정부, 기업이 공동으로 보험료 마련 • 상호 부조적 성격 • 경제적 능력에 따른 보험료 부담 • 소득 재분배 효과 있음. • 수혜자와 부담자 일치	• **❹ [　　　]** 지원이 원칙 • 자활 능력을 길러 주고 직접적인 도움을 통해 생활의 어려움을 개선하거나 해결해 줄 수 있음.
한계	국가 재정 부담이 큼.	복지 사각지대 발생 가능	보조적 사회 보장에 그침.
종류	국민 기초 생활 보장 제도, 의료 급여, 기초 연금	국민연금, 국민 건강 보험, 고용 보험, 산업 재해 보상 보험, 노인 장기 요양 보험	노인 돌봄 서비스, 장애인 활동 지원, 산모·신생아 건강 관리 지원, 가사·간병 방문 지원 등

❷ 미래

❸ 재분배
❹ 비금전적

3 사회 복지의 역할   최소한의 인간다운 삶을 살아갈 수 있게 하고 위험을 극복할 수 있도록 도우며, 사회 구조와 제도를 개선하는 역할을 함으로써 사회 안정과 통합에 기여함.

4 사회 복지의 한계와 극복 방안

(1) 복지에 대한 사회적 수요 증대에 비해 복지 예산 규모가 부족하면 전반적 복지 수준이 낮을 수 있음. → 복지 예산 확충

(2) 복지 사각지대에 놓여 혜택을 받지 못하는 경우, 복지 제도를 악용하여 부정 수급하는 경우가 있을 수 있음. → 복지 제도 개편

(3) 국민의 근로 의욕이 줄고 사회 전체의 생산성과 효율성이 저하되는 **❺ [　　　]** 발생 → 복지 정책의 방향을 개인의 자활 노력과 국가 복지를 연계하는 **❻ [　　　]**(으)로 전환

❺ 복지병
❻ 생산적 복지

└── 우리나라도 근로 장려 세제 등을 통하여 복지 수혜자의 자립을 지원하면서 정부의 재정 부담도 완화할 수 있는 정책을 시행하고 있음.

4일

6 빈칸에 들어갈 알맞은 말을 쓰시오.

(1) (　　　　　)은/는 사회 구성원의 기본적 욕구를 충족하여 삶의 조건을 보장하고, 이를 통해 궁극적으로 사회 통합을 달성하려고 하는 사회적 활동의 총체를 뜻한다.

(2) 생활 능력이 없는 국민을 대상으로 비용의 전액을 정부가 부담하여 최저 생활을 보장하는 제도는 (　　　　　)(이)다.

(3) 복지와 노동을 연계하여 경제적 효율성과 복지 형평성의 조화를 추구하는 것은 (　　　　　)(이)다.

(4) (　　　　　)은/는 국민에게 미래에 발생할 수 있는 상해, 질병, 노령, 실업, 사망 등의 사회적 위험을 보험의 방식으로 대처함으로써 국민의 건강과 소득을 보장하는 제도이다.

7 〈보기〉의 사회 보장 제도를 사회 복지 유형에 따라 구분하시오.

```
━━━━━━━━━━━━━━ ● 보기 ●
 ㄱ. 국민연금
 ㄴ. 기초 연금
 ㄷ. 고용 보험
 ㄹ. 국민 건강 보험
 ㅁ. 노인 장기 요양 보험
 ㅂ. 국민 기초 생활 보장 제도
 ㅅ. 산모 · 신생아 건강 관리 지원
```

(1) 공공 부조: (　　　　　)

(2) 사회 보험: (　　　　　)

(3) 사회 서비스: (　　　　　)

8 괄호 안의 내용 중 알맞은 말을 골라 ○표 하시오.

(1) 공공 부조는 (사후 처방적, 사전 예방적) 성격을 지닌다.

(2) 사회 보험은 소득 재분배 효과가 (있다, 없다).

(3) 국민 기초 생활 보장 제도와 의료 급여는 (공공 부조, 사회 보험)에 해당한다.

(4) 사회 서비스는 (금전적, 비금전적) 지원을 원칙으로 한다.

9 각 사례에서 지원받은 사회 보장 제도를 쓰시오.

사례 1 김○○(70세)

저는 애들 키우며 먹고사는 것도 빠듯해서 아무런 노후 대책을 마련하지 못한 채로 이 나이가 되었지요. 자식들에게 기댈 형편도 되지 못해서, 얼마 전까지 폐지를 주워서 겨우 살고 있었어요. 그런데 얼마 전부터 국가가 저같은 노인들에게 매달 지원해 주는 연금을 받게 되면서, 먹고사는 걱정을 한결 덜었어요.

사례 2 최○○(42세)

20대에 ◇◇ 제철에 입사하여 20년 가까이 기술직으로 성실히 근무했습니다. 철을 다루는 일은 무겁고 힘들었지만 보람도 있었지요. 그런데 얼마 전 철을 자르는 절단기의 오작동으로 손을 크게 다쳐 급히 치료를 해야 했어요. 그때, 공단에 치료비에 해당하는 요양 급여와 요양으로 인해 취업하지 못한 기간에 해당하는 휴업 급여를 신청해서 받을 수 있었어요.

(1) 사례 1: (　　　　　)

(2) 사례 2: (　　　　　)

대표 예제 1 사회적 소수자

신문 기사를 통해 파악할 수 있는 사회 문제는?

> ### △△신문
>
> 이달부터 시행되는 '장애인 고용 촉진 및 직업 재활법' 에 따르면 국가와 지방 자치 단체는 의무적으로 장애인 을 공무원 정원의 일정 비율 이상 고용해야 한다. 또한, 50인 이상의 근로자를 고용하는 사업주도 장애인을 근로 자 수의 일정 비율 이상 의무적으로 고용해야 한다.

① 빈곤 문제   ② 주거 문제
③ 저출산 문제   ④ 성 불평등 문제
⑤ 사회적 소수자 문제

개념 가이드

사회적 소수자에 대한 차별 문제를 개선하기 위해서는 차별을 금지하 는 ❶ [ ]을/를 제정하고 차별을 시정하는 제도적 노력이 필요 하다.

답 ❶ 법

대표 예제 2 성 불평등

다음 자료에서 파악할 수 있는 차별 유형은?

> • 매체 유형: 책(동화)
> • 차별적 요소: 동화 속에서 어려운 상황에 처하거나 마법 에 걸린 공주들은 스스로 문제를 해결하지 못하고 왕자나 남자 영웅이 구해 주기만을 기다리는 존재로 표현된다.

① 성차별   ② 나이 차별
③ 경제적 차별   ④ 정치적 차별
⑤ 사회·문화적 차별

개념 가이드

가정 내 의사 결정 권한을 남성이 주도하고 지배하는 ❷ [ ]에 바탕을 둔 사회 구조는 성 불평등 현상의 원인이다.

답 ❷ 가부장제

대표 예제 3 빈곤

노래 가사에 나타난 사회적 현상에 해당하는 것은?

> 어려서부터 우리 집은 가난했었고
> 남들 다하는 외식 몇 번 한 적이 없었고
> 일터에 나가신 어머니 집에 없으면
> 언제나 혼자서 끓여 먹었던 라면
>
> – god, 「어머님께」 –

① 빈곤   ② 성 불평등   ③ 일탈 현상
④ 문화 접변   ⑤ 아노미 현상

개념 가이드

❸ [ ]은/는 인간의 기본적 욕구와 관련된 물질적 결핍이 만성 적으로 지속되는 경제적 상태이다.

답 ❸ 빈곤

대표 예제 4 빈곤 유형

(가), (나)에 들어갈 용어를 바르게 연결한 것은?

> [(가)]은 소득이 인간다운 최저 생활을 유지 하는 데 필요한 기준에 미치지 못하는 상태이다.
> [(나)]은 사회의 전반적인 소득 수준과 대비 하여 소득 수준이 낮은 상태이다.

	(가)	(나)
①	사회 불평등	상대적 빈곤
②	상대적 빈곤	절대적 빈곤
③	상대적 빈곤	사회 불평등
④	절대적 빈곤	상대적 빈곤
⑤	절대적 빈곤	사회 불평등

개념 가이드

경제가 성장하면 ❹ [ ]보다 ❺ [ ]의 문제가 더 심각해 지고, 그로 인한 상대적 박탈감이 사회적 문제가 될 수 있다.

답 ❹ 절대적 빈곤 ❺ 상대적 빈곤

대표 예제 5 사회 보장 제도

우리나라 사회 보장 제도 중 하나를 나타낸 그림이다. 이에 해당하는 복지 제도는?

▲ 재원 마련 방법

▲ 수급 과정

① 국민연금
② 기초 연금
③ 고용 보험
④ 노인 장기 요양 보험
⑤ 산업 재해 보상 보험

개념 가이드

❻　　　　은/는 생활을 유지할 능력이 없거나 생활이 어려운 국민에게 금전적·물질적 급여를 제공하는 제도이다. **답 ❻** 공공 부조

대표 예제 7 사회 서비스

다음 사례의 박○○(17세)이 받고 있는 사회 보장 제도는?

 저는 학교에 적응하지 못하고 방황을 많이 했어요. 결국, 가출까지 하게 되었지요. 그러다 지난날을 후회하면서 다시 집과 학교로 돌아가고 싶어 고민하던 중 청소년 쉼터를 알게 되었어요. 지금은 거기에서 상담도 받고 학업 지도도 받으면서 다시 학교에 다닐 날을 기다리고 있어요.

① 공공 부조
② 사회 보험
③ 사회 서비스
④ 생산적 복지
⑤ 근로 장려 세제

개념 가이드

❽　　　　은/는 국가·지방 자치 단체 및 민간 부문의 도움이 필요한 모든 국민에게 국민의 삶의 질이 향상되도록 지원하는 제도이다. **답 ❽** 사회 서비스

대표 예제 6 사회 보장 제도

다음 그림이 나타내는 사회 보장 제도의 유형은?

▲ 재원 마련 방법

▲ 수급 과정

① 공공 부조
② 사회 보험
③ 사회 서비스
④ 생산적 복지
⑤ 근로 장려 세제

개념 가이드

❼　　　　은/는 국민에게 미래에 발생할 수 있는 사회적 위험을 보험의 방식으로 대처함으로써 국민의 건강과 소득을 보장하는 제도이다. **답 ❼** 사회 보험

대표 예제 8 근로 장려 세제

근로 장려 세제 지급 체계이다. 이와 같은 복지 제도가 나온 원인이 된 것은?

근로 장려금
(만 원)

230

1,000 1,300　　　2,500　가구 소득
(만 원)

▲ 맞벌이 가구 대상 근로 장려 세제 지급 체계(2017년 기준)

① 복지병
② 근로 복지
③ 복지 지출
④ 도덕적 해이
⑤ 생산적 복지

개념 가이드

❾　　　　은/는 사람들이 생산 활동에 참여하여 근로 소득을 얻도록 유도하는 복지 정책이다. **답 ❾** 생산적 복지

5 일 현대의 사회 변동

Quiz 사회 (변동, 운동)이란 인간의 생활 방식, 의식 구조, 사회적 관계, 사회 구조 등이 총체적으로 변화하는 현상이다.

농업 사회

사회 변동 속도가 느리고, 신분제 사회의 성격을 가진다.

산업 사회

관료제 조직의 비중이 높아지고, 대중 사회가 등장하였다.

정보 사회

양방향적 의사소통이 많아지고, 개성과 자율성을 중시한다.

농업 사회, 산업 혁명, 정보 혁명과 같은 사건들을 겪으면서 우리 사회는 변화해 왔어. 이처럼 시간의 경과에 따라 생활 양식이나 가치, 규범, 제도 등을 포함하는 사회 구조의 전반적인 변화를 사회 변동이라고 해

답 변동

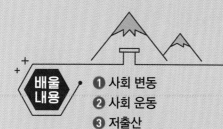

배울 내용
❶ 사회 변동
❷ 사회 운동
❸ 저출산
❹ 고령화
❺ 세계화
❻ 정보화

Quiz 국가 간 상호 의존성이 커지고 지구촌 전체가 단일한 체계로 통합되는 현상은?

전 지구적 수준의 문제

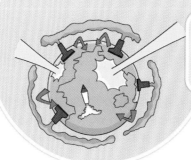

한 지역이나 한 국가의 문제가 다른 국가나 전 지구적 차원에까지 영향을 미치는 문제에요.

저출산·고령화

출산율이 적정 수준보다 낮아지고, 전체 인구에서 노인 인구가 차지하는 비율이 증가하는 현상이에요.

현대의 사회 변동

세계화

국가 간 상호 의존성이 커지고 지구촌 전체가 단일한 체계로 통합되는 현상이에요.

정보화

지식과 정보가 사회 활동 전반에서 차지하는 비중이 커지는 현상이에요

다문화적 변화

우리나라에 서로 다른 문화적 배경을 가진 집단들이 함께 살아가고 있어요.

📋 세계화

개념 1   사회 변동

1 사회 변동의 의미 인간의 생활 방식, 의식 구조, 사회적 관계, 사회 구조 등이 총체적으로 변화하는 현상 —— 사회 변동은 어느 사회에서나 찾아볼 수 있는 보편적인 현상이며, 최근에는 사회 변동의 속도가 과거보다 더 빨라지는 경향이 나타남.

2 사회 변동의 요인 과학과 기술의 발달, 가치관이나 이념의 변화, 인구 변화, 자연환경의 변화, 사회 운동 등

3 사회 변동 이론

(1) 사회 변동의 방향을 설명하는 이론: 진화론과 순환론

구분	진화론	순환론
관점	사회는 단순하고 미분화된 상태에서 복잡하고 분화된 상태로 변화함.	생명을 가진 유기체와 마찬가지로 사회가 생성, 성장, 쇠퇴, 해체를 반복함.
장점	사회 발전의 양상을 설명하고 ❶ 하는 데 유용함.	역사 속에서 반복되는 사회 변동을 설명하고 해석하는 데 유용함.
한계	• 현대 사회가 과거 사회보다 모든 면에서 발전된 것이라고 볼 수 없음. • 퇴보한 사회 변동 과정을 설명하기 어려움.	• 미래 사회의 ❷ 을/를 예측하고 대응하는 데 적합하지 않음. • 사회 변동을 숙명으로 여겨 이에 대응하는 인간의 노력을 과소평가함.

❶ 예측

❷ 변동

(2) 사회 변동을 설명하는 구조적 이론: 기능론과 갈등론

구분	기능론 사회 변동은 일시적이고 병리적인 현상임.	갈등론 사회 변동은 자연스러운 현상이며, 더 나은 사회로 발전해 가는 과정임.
관점	사회가 전체적인 균형과 안정을 되찾는 과정에서 사회 변동이 발생함.	사회 변동은 사회적 ❸ 을/를 둘러싼 집단 간의 갈등 속에서 나타남.
장점	점진적인 사회 변동을 설명하는 데 유용함.	급격한 사회 변동을 설명하기에 유용함.
한계	급격한 사회 변동을 설명하기 어려움.	사회 변동을 갈등과 대립으로만 이해함.

❸ 희소가치

개념 2   사회 운동과 사회 변동

1 사회 운동의 의미 구체적인 사회 문제를 해결하거나 사회 체제를 근본적으로 변혁하기 위하여 대중이 자발적으로 하는 ❹ 이고 지속적인 행위

❹ 집단적

2 사회 운동의 특징

(1) 뚜렷한 목표와 이념, 목표 달성을 위한 ❺ 이/가 있음.

(2) 과거에 비해 사회 운동이 다양하게 전개되고 있음.

❺ 조직

3 사회 운동이 사회 변동에 미치는 영향

(1) 바람직한 방향으로 사회 변동을 촉진하여 사회 발전에 기여함.

(2) 다양한 사회 문제와 사회 갈등을 해소하고 발전적인 방향으로 사회 변동을 일으키는 요인으로 작용할 수 있음.

정답과 해설 **69**쪽

5일

1 빈칸에 들어갈 알맞은 말을 쓰시오.

(1) 인간의 생활 방식, 의식 구조, 사회적 관계, 사회 구조 등이 총체적으로 변화하는 현상을 (   )(이)라고 한다.

(2) 외국인의 유입이 증가하면서 여러 민족과 문화가 공존하는 사회로 변화하는 것은 사회 변동의 요인 중 (   )에 의한 사회 변동 사례이다.

2 다음 글에 나타난 사회 변동의 요인을 쓰시오.

> 냉장고의 보급은 음식이 가정 내에서 훨씬 더 오랫동안 보존될 수 있다는 것을 의미하고, 텔레비전의 보급은 새롭고 흥미 있는 오락의 원천이 가정에 도입되었다는 것을 의미한다. 결과적으로, 사람들은 음식물의 공급을 위해서나 오락을 위해서 집 밖으로 나갈 필요가 더 적어졌기 때문에 가정에 더 많이 머무르게 되었다.

(   )

3 괄호 안의 내용 중 알맞은 말을 골라 ○표 하시오.

(1) 진화론은 사회 변동을 (긍정적, 부정적)인 것으로 여긴다.

(2) 순환론은 미래 사회의 변동을 예측하고 대응하는 데 (적합하다, 적합하지 않다).

(3) 갈등론은 (점진적인, 급격한) 사회 변동을 설명하기에 유용하다.

(4) 기능론은 사회 변동을 (병리적인, 자연스러운) 현상이라고 여긴다.

4 빈칸에 들어갈 알맞은 말을 〈보기〉에서 고르시오.

> ───────── 보기 ─────────
> ㄱ. 진화론   ㄴ. 순환론
> ㄷ. 기능론   ㄹ. 갈등론

(1) (   )은 사회 변동을 사회의 여러 부분이 대립하는 과정에서 나타나는 변화로 본다.

(2) (   )은 사회 전체적으로 균형을 유지하기 위해 각 부분이 조정되는 과정에서 나타나는 변화를 사회 변동이라고 본다.

(3) (   )은 사회 변동이 일정한 방향을 가지고 있으며, 변동은 곧 진보를 의미한다고 보는 이론이다.

(4) (   )은 사회가 생성, 성장, 쇠퇴, 해체를 반복한다고 보는 이론이다.

5 ㉠에 대한 인터넷 검색 결과이다. ㉠에 들어갈 말을 쓰시오.

> ◀ ▶ ⟳   (㉠)의 의미   🔍 ☰
>
> 구체적인 사회 문제를 해결하거나 사회 체제를 근본적으로 변혁하기 위하여 대중이 자발적으로 하는 집단적이고 지속적인 행위를 의미한다. 기존의 사회 질서를 유지하기 위해 이루어지기도 하고 새로운 사회 질서를 형성하기 위해 전개되기도 하는데, 뚜렷한 목표와 이념이 있으며 목표 달성을 위한 조직이 있다.

(   )

개념 3 저출산·고령화의 과제와 다문화적 변화

1 저출산·고령화

의미	• 저출산: ❶ [　　　]이/가 적정 수준보다 낮은 현상 • 고령화: 전체 인구에서 노인 인구가 차지하는 비율이 증가하는 현상
과제	경제 성장 저해, ❷ [　　　] 간 갈등 유발, 노인 빈곤, 정부의 재정 건전성 약화 등
대응 방안	• 제도적 측면: 출산·양육에 대한 사회적 책임 강화, 연금 제도 개선 등 • 개인적 측면: 육아에 대한 부부 공동 책임 인식, 고령화에 대비한 개인의 자산 관리 등

❶ 출산율

❷ 세대

2 다문화 사회

의미	서로 다른 문화적 배경을 가진 집단들이 함께 살아가는 사회
영향	문화 다양성 증가, 문화 발전 촉진, 개인 혹은 집단 간의 대립과 사회 혼란 발생
대응 방안	• 사회적 측면: 이주민의 ❸ [　　　]을/를 보호하기 위한 법과 제도 마련, 다양한 다문화 교육 기회 제공 • 개인적 측면: 문화 ❹ [　　　] 관점과 개방적인 태도 필요, 다문화에 대한 수용성 높이기

❸ 인권

❹ 상대주의

└ 자신과 다른 구성원이나 문화에 대해 편견을 갖지 않고 동등하게 인정하며, 그들과 조화롭게 공존하고자 노력하는 태도

개념 4 세계화·정보화와 전 지구적 수준의 문제

1 세계화 국가 간 상호 의존성이 커지고 지구촌 전체가 단일한 체계로 통합되는 현상

변화 양상	활발한 문화 교류 및 확산, 국가 간 장벽 철폐, 국가 간 교역 증가 등
대응 방안	서로의 문화를 존중하는 태도와 인식 함양, 인류 보편적 가치 추구 등

2 정보화 지식과 ❺ [　　　]이/가 사회 활동 전반에서 차지하는 비중이 커지는 현상

❺ 정보

변화 양상	❻ [　　　] 등장으로 쌍방향적인 정보의 전달 가능, 다품종 ❼ [　　　] 생산 방식의 확산, 온라인 네트워크를 통한 활발한 의사소통, 사이버 공간을 통한 정치 참여의 활성화
문제점	정보 홍수 및 정보 오남용, 사이버 범죄, 정보 격차, 정보의 통제와 감시
대응 방안	• 사회적 차원: 정보 소외 계층에 대한 지원, 사이버 범죄와 관련한 법과 제도 정비 • 개인적 차원: 정보 윤리 의식 준수, 정보에 대한 비판적 수용

❻ 뉴 미디어

❼ 소량

3 전 지구적 수준의 문제 국제적 교류가 증가하면서 한 지역이나 한 국가의 문제가 다른 국가나 전 지구적 차원에까지 영향을 미치는 문제

문제 양상	환경 문제, 자원 문제, 전쟁과 테러 등
대응 방안	지속 가능한 사회 추구, 세계 시민 의식 함양

└ 인권, 평화와 같은 인류 보편의 가치를 지향하고, 생태적·문화적 다양성을 존중하는 세계 시민으로서의 자질과 품성

정답과 해설 69쪽

6 빈칸에 들어갈 알맞은 말을 쓰시오.

(1) ( )은/는 출산율이 적정 수준보다 낮은 현상이다.

(2) ( )은/는 전체 인구에서 노인 인구가 차지하는 비율이 증가하는 현상이다.

(3) 우리나라는 서로 다른 문화적 배경을 가진 집단들이 함께 살아가는 ( ) 사회가 형성되고 있다.

(4) ( )(이)란 국가 간에 인적, 물적 교류가 확대되면서 국가 간 상호 의존성이 커지고 지구촌 전체가 단일한 체계로 통합되는 현상이다.

(5) ( )(이)란 지식과 정보가 사회 활동 전반에서 차지하는 비중이 커지는 현상이다.

7 괄호 안의 내용 중 알맞은 말을 골라 ○표 하시오.

(1) 저출산으로 부양 인구가 (늘어나, 줄어들어) 사회 복지 지출 부담이 커지게 되면, 세대 간 갈등이 발생하고 사회 통합이 저해될 수 있다.

(2) 다문화 사회에서는 사회 구성원 각자가 서로의 문화적 차이를 인정하고 문화 다양성을 존중하기 위해 (문화 사대주의, 문화 상대주의) 관점을 가져야 한다.

(3) 세계화로 국가 간 인적·물적 교류가 (감소, 증가) 하고 있다.

(4) 정보 사회에서는 인터넷을 기반으로 한 뉴 미디어의 등장으로 (일방향적인, 쌍방향적인) 정보 전달이 가능하다.

8 정보 사회에서 나타나는 문제점과 그 사례를 바르게 연결하시오.

(1) 정보 격차 •

(2) 사회적 통제와 감시 •

(3) 정보 오남용 •

(4) 개인 정보 유출 •

• ㉠ 대량의 정보가 무분별하게 유통되어 가치 있는 정보를 가려내기 어렵다.

• ㉡ 개인의 인적 사항, 비밀번호 등이 인터넷에 돌아다닌다.

• ㉢ 사람들 사이에는 정보 기기를 활용할 수 있는 능력의 차이가 존재한다.

• ㉣ CCTV를 통해 개인의 행적을 관찰할 수 있다.

9 사례를 읽고 해당하는 전 지구적 수준의 문제를 〈보기〉에서 고르시오.

┌─ 보기 ─
│ ㄱ. 환경 문제   ㄴ. 자원 문제   ㄷ. 전쟁과 테러
└─

(1) 석유나 석탄 등 재생 불가능한 에너지 자원이 머지않아 고갈될 것으로 예측되고 있다. ( )

(2) 민족과 종교의 차이로 오랜 세월 분쟁을 겪어 온 이스라엘과 팔레스타인 거주 지역은 장벽으로 분리되어 있다. ( )

(3) 화석 연료의 사용이 급증하면서 지구 온난화가 가속화되고, 이로 인한 이상 기후 현상이 지구 곳곳에서 나타나고 있다. ( )

대표 예제 1 사회 변동의 요인

(가)에 들어갈 수 있는 사회 변동의 요인은?

〈요인〉	〈사례〉
(가)	→ 민주주의 등장에 따른 시민들의 정치 참여 확산
문화적 요인	→ 문자의 발명을 통한 지식 전승
자연환경적 요인	→ 지구 온난화에 따른 에너지 산업 구조의 변화

① 사회 운동
② 과학의 발전
③ 기술의 발전
④ 가치관의 변화
⑤ 산업화의 등장

개념 가이드

인간의 생활 방식, 의식 구조, 사회적 관계, 사회 구조 등이 총체적으로 변화하는 현상을 ❶ ☐ (이)라고 한다. 답 ❶ 사회 변동

대표 예제 2 사회 변동 이론

A, B에 해당하는 사회 변동 이론을 바르게 연결한 것은?

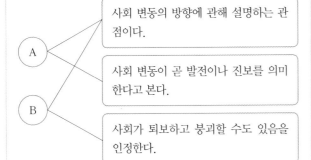

A ── 사회 변동의 방향에 관해 설명하는 관점이다.

B ── 사회 변동이 곧 발전이나 진보를 의미한다고 본다.

── 사회가 퇴보하고 붕괴할 수도 있음을 인정한다.

	A	B		A	B
①	진화론	순환론	②	순환론	진화론
③	진화론	갈등론	④	순환론	기능론
⑤	진화론	기능론			

개념 가이드

진화론과 순환론은 사회 변동의 ❷ ☐ 을/를 설명하는 이론이다. 답 ❷ 방향

대표 예제 3 사회 변동 이론

사회 변동을 바라보는 갑, 을의 관점을 바르게 연결한 것은?

 호주제 폐지는 사회 구성원이 양성평등이라는 가치에 합의하여 사회가 새로운 균형을 찾은 결과야.

 그래? 난 남성이 지배하던 사회 구조 속에서 억압받던 여성이 투쟁을 통해 얻어 낸 결과라고 생각하는데.

갑 을

	갑	을		갑	을
①	기능론	갈등론	②	갈등론	기능론
③	기능론	진화론	④	갈등론	진화론
⑤	기능론	순환론			

개념 가이드

기능론과 갈등론은 ❸ ☐ 측면에서 사회 변동을 설명하는 이론이다. 답 ❸ 구조적

대표 예제 4 사회 운동

밑줄 친 ㉠~㉢ 중 옳지 않은 것을 모두 고르면?

사회 운동에 대한 설명이다. 옳은 설명은 ○, 옳지 않은 설명은 ×로 표시하시오.

설명	답안
사회 운동은 대중이 자발적으로 하는 집단적이고 일시적인 행위이다.	㉠ ○
사회 운동은 뚜렷한 목표와 이념이 있다.	㉡ ○
우리나라의 민주화 운동은 사회 운동에 해당한다.	㉢ ×

① ㉠
② ㉡
③ ㉢
④ ㉠, ㉢
⑤ ㉡, ㉢

개념 가이드

❹ ☐ 은/는 사회 문제를 해결하거나 사회 체제를 근본적으로 변혁하기 위하여 대중이 자발적으로 하는 집단적이고 지속적인 행위이다. 답 ❹ 사회 운동

대표 예제 5 저출산

다음 사례에서 대응하고자 하는 사회 변동 모습은?

> 프랑스에서는 여성의 경력 단절을 막기 위해 보육 서비스 강화, 부양 자녀 수를 기준으로 한 가족 수당 지급, 조세 감면, 주택 보조금 지급 등의 종합적인 정책을 실시하고 있다.

① 저출산   ② 고령화   ⑤ 정보화
④ 세계화   ③ 다문화적 변화

개념 가이드

❺ [   ]의 원인으로는 결혼과 자녀에 대한 가치관 변화, 자녀 양육에 따른 경제적 부담 증가 등이 있다.

답 ❺ 저출산

대표 예제 7 정보화

다음 글에 나타난 정보화의 문제점은?

> 인터넷의 익명성을 악용하여 특정인이나 집단을 공격적으로 비방하는 문제가 심각하다. 또한, 무료 서비스가 많은 인터넷 환경에 익숙한 사용자들이 타인의 창작물을 무단으로 복제하고 유포하는 경우에 지적 재산권을 침해할 수도 있다.

① 정보 홍수   ② 정보 오남용
③ 사이버 범죄   ④ 대면적 관계 감소
⑤ 사회적 통제와 감시

개념 가이드

정보 사회에서는 개인 정보 유출, 해킹, 악성 루머 유포, 저작권 침해 등과 같은 ❼ [   ]이/가 발생할 수 있다.

답 ❼ 사이버 범죄

대표 예제 6 다문화적 변화

(가)에 들어갈 내용으로 옳은 것은?

> 다문화 사회는 우리의 문화를 더욱 다양하고 풍부하게 해 주는 장점이 있어.

> 하지만 _____ (가) _____ 와/과 같은 문제에 대한 대비도 필요해.

① 세대 간 갈등   ② 부양 인구 감소
③ 국가 간 불평등   ④ 정치 참여의 확대
⑤ 문화적 차이로 인한 사회 갈등

개념 가이드

❻ [   ]은/는 서로 다른 문화적 배경을 가진 집단들이 함께 살아가는 사회이다.

답 ❻ 다문화 사회

대표 예제 8 지속 가능한 사회

(가)에 대한 인터넷 검색 결과이다. (가)에 들어갈 말을 쓰시오.

> ◀ ▶ C   [(가)]   Q ≡
>
> 전 지구적 수준의 문제에 대응하는 데 있어서 중요한 기준이 되고 있으며, 지속 가능성에 기초하여 경제 성장, 사회의 안정과 통합, 환경의 보전이 균형을 이루는 사회를 의미한다.

(   )

개념 가이드

전 지구적 수준의 문제에 대응하려면 ❽ [   ]에 기초하여 경제 성장, 사회의 안정과 통합, 환경의 보전이 균형을 이루어야 한다.

답 ❽ 지속 가능성

1 다음 용어를 공통적으로 포괄하는 개념은?

> • 히피 문화 • 범죄 문화 • 청소년 문화

① 반문화   ② 하위문화   ③ 지역 문화
④ 세대 문화   ⑤ 대중문화

2 다음과 같은 특징을 지니는 대중 매체를 〈보기〉에서 고르면?

> 일방적으로 정보를 전달하던 기존의 대중 매체와는 달리, 쌍방향 소통이 가능하다.

─ 보기 ─
> ㄱ. 신문   ㄴ. 인터넷   ㄷ. 라디오
> ㄹ. 텔레비전   ㅁ. 이동 통신

① ㄱ, ㄷ   ② ㄴ, ㄹ   ③ ㄴ, ㅁ
④ ㄷ, ㄹ   ⑤ ㄹ, ㅁ

3 다음 사례에 나타난 문화에 대한 설명으로 가장 적절한 것은?

> 히피는 1960년대부터 미국을 중심으로 일어난 반체제 자연찬미파의 사람들을 가리킨다. 기성의 사회 통념, 제도, 가치관을 부정하고 인간성 회복, 자연에 귀의 등을 강조하며 반사회적인 행동을 하면서 평화주의를 주장하였다.

① 지역 사회의 발전과 교류에 이바지한다.
② 특정 연령층이 공유하는 경험에 의해 형성되었다.
③ 보수 사회에 대한 저항의 문화로 사회 변화를 이끌었다.
④ 지역 주민들의 정체성을 확립하고 유대감을 길러주는 역할을 하였다.
⑤ 대중 매체의 영향을 바탕으로 충동적이고, 모방적인 성향을 보였다.

4 다음 사례를 통해 추론할 수 있는 대중문화의 문제점은?

> 특정 연예인이 이용한 병원과 조리원은 곧 유명세를 타고 사진을 통해 노출된 고가의 유모차와 아기 옷 등도 시장에서 금세 품절된다.

① 자극적인 문화 요소를 창조한다.
② 계층 간 문화적 이질감을 극대화한다.
③ 대중의 평균적인 문화 수준을 떨어뜨린다.
④ 상업주의와 결부되어 소비 심리를 자극한다.
⑤ 인터넷에 익숙지 않은 세대는 접근하기 어렵다.

5 (가)~(다)에 해당하는 문화 접변의 결과를 바르게 연결한 것은?

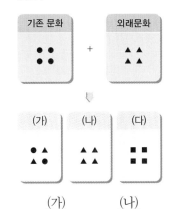

	(가)	(나)	(다)
①	문화 동화	문화 병존	문화 융합
②	문화 동화	문화 융합	문화 병존
③	문화 병존	문화 동화	문화 융합
④	문화 병존	문화 융합	문화 동화
⑤	문화 융합	문화 동화	문화 병존

6 다음 사례와 관련 있는 개념은?

> 많은 사람이 아파트를 선호하고 있으나 너무 급격히 보급되어 부작용도 일어나고 있다. 즉, 소음으로 인한 이웃 간 분쟁, 애완동물 사육으로 인한 피해 등이 그 예인데, 이는 공동 주택 사용에 대한 예절이나 질서가 미처 정립되지 못하였기 때문에 발생한다.

① 문화 공존 ② 문화 동화 ③ 문화 융합
④ 문화 갈등 ⑤ 문화 지체

7 빈칸에 들어갈 알맞은 말은?

> 사회 ☐☐☐☐☐ 현상은 부, 권력, 명예 등의 사회적 자원이 차등적으로 분배되어 개인 및 집단이 서열화하는 현상을 말한다.

① 계급 ② 이동 ③ 조직
④ 구조화 ⑤ 불평등

8 (가), (나)에 대한 설명으로 옳은 것은?

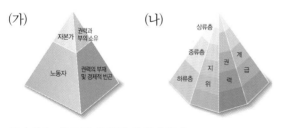

(가) 권력과 자본가 부의 소유 / 노동자 / 권력의 부재 및 경제적 빈곤
(나) 상류층 / 중류층 / 하류층 / 지위 / 권력 / 계급

① (가)는 베버의 일원론에 입각한다.
② (가)는 계급 간에 연속성을 보인다.
③ (가)는 현대 사회 계층 이론의 토대가 되었다.
④ (나)의 계층은 불연속적 분포를 보인다.
⑤ (나)의 세 가지 차원은 서로 밀접한 관련이 있으나 반드시 일치하는 것은 아니다.

9 (가), (나)에 대한 옳은 설명을 〈보기〉에서 고르면?

(가) 상 / 중 / 하
(나) 상 / 중 / 하

> ━ 보기 ●
> ㄱ. (가)는 피라미드형 계층 구조이다.
> ㄴ. (가)는 다이아몬드형 계층 구조보다 계층 간 격차가 줄어든 형태이다.
> ㄷ. (나)는 표주박형 계층 구조이다.
> ㄹ. (나)는 사회가 상대적으로 안정된 특성을 보인다.

① ㄱ, ㄴ ② ㄱ, ㄹ ③ ㄴ, ㄷ
④ ㄴ, ㄹ ⑤ ㄷ, ㄹ

10 다음 사례에서 발견할 수 있는 사회 이동 유형을 〈보기〉에서 모두 고르면?

> 최서희는 경상도 하동에서 대지주로 군림해 온 최참판 댁의 유일한 혈육이며 상속자이다. 그러나 일본 세력의 계략으로 전 재산을 잃게 된다. 김길상은 최참판 댁의 머슴으로 일하였으나 갑오개혁으로 신분 제도가 폐지된 이후 평민이 되었으며, 상전으로 모시던 최씨 가문의 유일한 상속자 서희와 결혼을 하게 된다.

> ━ 보기 ●
> ㄱ. 수평 이동 ㄴ. 수직 이동 ㄷ. 세대 내 이동
> ㄹ. 개인적 이동 ㅁ. 구조적 이동 ㅂ. 세대 간 이동

① ㄱ, ㄴ, ㄷ ② ㄱ, ㄹ, ㅁ
③ ㄴ, ㄷ, ㅂ ④ ㄱ, ㄴ, ㄹ, ㅂ
⑤ ㄴ, ㄷ, ㄹ, ㅁ, ㅂ

1 우리나라에서 다음과 같은 법률과 정책을 시행하고 있는 이유로 적절한 것은?

> • 장애인 고용 촉진 및 직업 재활법
> • 외국인 근로자의 고용 등에 관한 법률
> • 남녀 고용 평등과 일·가정 양립 지원에 관한 법률

① 상대적 빈곤 완화
② 문화적 평등 추구
③ 국민 기초 생활 보장
④ 대중문화의 비판적 수용
⑤ 사회적 소수자 차별 개선

2 우리나라의 빈곤율 추이를 나타낸 것이다. 이에 대한 분석으로 옳지 않은 것은?

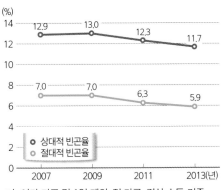

*농어가 가구 및 1인 제외, 전 가구, 경상 소득 기준
(통계청, 2016.)

① 상대적 빈곤은 완화되고 있다.
② 절대적 빈곤은 완화되고 있다.
③ 모든 연도에서 상대적 빈곤율은 절대적 빈곤율보다 높다.
④ 2007년에 비해 2011년에 절대 빈곤 가구 수가 줄어들었다.
⑤ 2013년의 경우 상대적 빈곤율이 절대적 빈곤율에 비해 약 2배 크다.

3 (가)~(다)에 해당하는 사회 복지 제도를 바르게 연결한 것은?

구분	비용 부담	복지 급여
(가)	국가	서비스
(나)	국가와 수혜자	화폐, 서비스
(다)	국가	화폐, 재화, 서비스

	(가)	(나)	(다)
①	공공 부조	사회 보험	사회 서비스
②	공공 부조	사회 서비스	사회 보험
③	사회 보험	공공 부조	사회 서비스
④	사회 보험	사회 서비스	공공 부조
⑤	사회 서비스	사회 보험	공공 부조

4 우리나라 사회 보장 제도 중 하나를 나타낸 것이다. 이에 대한 설명으로 옳은 것은?

▲ 재원 마련 방법   ▲ 수급 과정

① 강제 가입이 원칙이다.
② 소득 재분배 효과가 크다.
③ 사전 예방적 성격을 지닌다.
④ 개인, 정부, 기업이 공동으로 보험료를 마련한다.
⑤ 국민연금, 국민 건강 보험, 고용 보험이 이에 해당한다.

5 사회 보험에 대한 설명으로 옳은 것은?
① 모든 국민을 대상으로 한다.
② 비금전적 지원을 원칙으로 한다.
③ 경제적 능력에 따라 보험료를 부담한다.
④ 보조적 사회 보장에 그친다는 한계가 있다.
⑤ 복지 서비스 제공에 민간 부문이 참여하기도 한다.

6 사회 변동에 대한 갈등론적 관점의 설명으로 옳은 것은?

① 사회의 전체적인 균형을 중시한다.

② 사회 변동의 방향성을 설명하는 데 용이하다.

③ 사회 변동은 균형에 위협을 줄 수 있다고 본다.

④ 사회가 생성, 성장, 쇠퇴, 해체를 반복한다고 본다.

⑤ 사회의 여러 부분이 대립하는 과정에서 나타나는 변화를 사회 변동으로 본다.

7 사회 운동에 대한 설명으로 옳지 <u>않은</u> 것은?

① 사회 운동에는 뚜렷한 목표와 이념이 있다.

② 사회 운동 초기에는 사회적 영향력이 미미하다.

③ 사회 운동이 호응을 얻게 되면 사회 변동을 일으킬 수 있다.

④ 사회 운동은 기존의 사회 질서를 유지하기 위해 이루어지기도 한다.

⑤ 사회 체제를 근본적으로 변혁하기 위해 대중이 우발적으로 하는 집단적이고 지속적인 행위이다.

8 학생이 사회·문화 수업 시간에 필기한 내용이다. ㉠～㉤ 중 옳지 <u>않은</u> 것은?

〈고령화의 진행으로 예상되는 미래〉

1. 초고령 사회로의 진입······························㉠

2. 노인 대상 산업의 성장 가능성 확대··········㉡

3. 청장년층의 노인 인구 부양 부담 증가········㉢

4. 노인 인구를 대상으로 한 복지 지출 감소····㉣

5. 사회적 의사 결정 과정에서 노인층의 영향력 증대··㉤

① ㉠　　② ㉡　　③ ㉢　　④ ㉣　　⑤ ㉤

9 우리나라에 거주하는 외국인 주민 수의 비율 추이이다. 이를 보고 추론할 수 있는 사회 변화로 옳지 <u>않은</u> 것은?

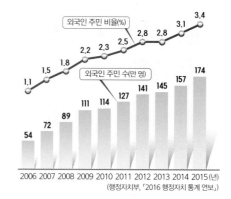

(행정자치부, 「2016 행정자치 통계 연보」)

① 문화 다양성이 증가할 것이다.

② 사회 구성원들은 문화 상대주의적 관점을 가져야 한다.

③ 다문화 구성원에 대한 사회적 편견과 차별이 발생할 수 있다.

④ 다양한 문화의 급증으로 우리나라의 문화 발전을 저해할 수 있다.

⑤ 다문화 구성원의 사회 적응을 위한 사회적 지원 서비스 마련이 필요할 것이다.

10 다음 기사에 나타난 전 지구적 수준의 문제에 대한 설명으로 옳지 <u>않은</u> 것은?

> △△신문
>
> 지구 온난화 현상으로 최근 10년간 나타나는 이상 기후가 이제는 일상이 되었다. 한 예로, 지난해 동유럽과 러시아에서는 평년 기온보다 6℃나 높은 이상 고온이 몇 주간 이어져, 폭염으로 인한 사망자가 급격히 증가하였다.

① 다양한 원인이 복합적으로 작용하여 발생한다.

② 환경 문제 해결을 위해 국가 간 협력이 필요하다.

③ 지구 온난화 현상으로 인해 이상 기후가 발생한다.

④ 자원의 무분별한 개발과 소비로 환경이 파괴되었다.

⑤ 환경 오염을 유발하는 국가들만 규제하면 해결할 수 있다.

6일 서술형·사고력 테스트

1 자료를 보고 물음에 답하시오.

> **학습 주제:** (가) 문화와 (나) 문화
> **학습 내용**
> • 한 사회의 문화는 공유 수준과 범위에 따라 (가) 문화와 (나) 문화로 구분할 수 있다.
> • 그림에서 ◆를 공유하는 문화는 (가) 문화이고, △를 공유하는 문화는 (나) 문화이다.
>
>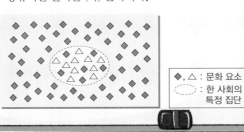
>
> ◆, △ : 문화 요소
> ◯ : 한 사회의 특정 집단

(1) (가), (나)에 들어갈 알맞은 말을 쓰시오.

_____

(2) (가), (나)의 특징을 한 가지씩 서술하시오.

_____

_____

2 다음 글을 읽고 청소년 문화의 긍정적인 측면을 서술하시오.

> 그래피티는 도심의 벽에 그리는 거대한 그림으로 힙합 문화의 한 하위 요소인데, 많은 청소년이 그래피티를 활용하여 자신의 세계관을 드러낸다. 벽을 종이 삼아 예술을 만들어 내는 언더 그라운드적 문화를 창조하는 청소년은 동아리를 만들기도 한다. 그래피티는 청소년만의 독특한 문화가 되고 있다.

_____

_____

_____

_____

3 두 기사를 보고 올바른 대중문화 수용 태도에 대해 서술하시오.

_____

_____

4 자료를 보고 물음에 답하시오.

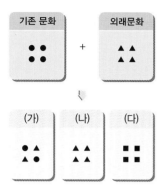

(1) (가)~(다)에 들어갈 문화 접변의 결과를 쓰시오.

_____

(2) (가)~(다)에 해당하는 사례를 각각 한가지씩 서술하시오.

_____

_____

_____

_____

5 자료를 보고 물음에 답하시오.

○○ 뉴스

미국 근로자 연봉, 최고 경영자의 300분의 1 수준
미국 한 연구소의 조사 결과, 미국의 각 사업장에서 나타난 최고 경영자와 근로자의 평균 연봉 비율은 약 303 대 1로 나타났다. 이들의 평균 연봉 비율은 1965년에 약 20 대 1이던 것이, 2014년에 약 303 대 1로 급격히 커졌다.
– 「연합뉴스」, 2015. 11. 2. –

ⓐ 최고 경영자의 높은 연봉은 급변하는 시장 상황에서 최고 경영자의 역량이 기업의 운명을 좌우할 만큼 중요해졌고, 근로자의 능력으로는 대체할 수 없는 희소성이 있기 때문이야.

ⓑ 최고 경영자의 높은 연봉은 그들의 역량과는 무관해. 최고 경영자의 생산성이 높아서가 아니라, 연봉을 결정할 때 더 많은 권력을 행사하기 때문에 높은 연봉을 받는 거야.

(1) A와 B는 최고 경영자와 근로자의 연봉 격차에 대해 어떤 관점을 보여 주고 있는지 쓰시오.

_____

(2) A와 B의 관점에서 각각 사회 불평등 현상이 나타나는 원인이 무엇인지 서술하시오.

_____

_____

_____

_____

6 어떤 나라의 사회 계층 구조 변화 양상을 나타낸 것이다. 계층 구조가 (가)에서 (나)로 변한 원인을 서술하시오.

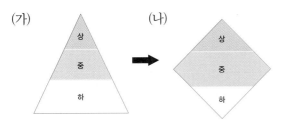

step 1 (가)는 ( ) 계층 구조, (나)는 ( ) 계층 구조이다.

step 2 (가) 계층 구조는 ( )에서 주로 나타나는 계층 구조로, 소수의 상층이 다수의 하층을 지배하는 관계로, 사회 구조가 ( )하다. (나) 계층 구조는 ( )에서 주로 나타나는 계층 구조로, 중층의 비중이 높아 사회가 ( )이다.

step 3 ( ) 과정을 거치면서 중산층이 크게 증가하여 여러 국가의 계층 구조가 ( )에서 ( ) 계층 구조로 변화한다. 또한 민주화가 진행됨에 따라 기본적 삶의 질을 보장하기 위해 복지 정책이 강화되어 하층의 비중이 감소하게 된다.

7 다음 사례에 나타난 사회 불평등 현상을 쓰고, 해결 방안을 두 가지 서술하시오.

> 사회학자 레노르 바이츠만이 취학 전 아동이 읽는 동화책을 분석한 결과, 여성의 그림이나 사진이 23개인 데 비해 남성의 그림이나 사진은 261개로 나타났다. 또한, 남성은 활동적이고 분주한 모습으로 나타났으나 여성은 남성을 보조하는 수동적인 존재로 그려졌다.

_____

_____

8 우리나라 사회 보장 제도의 두 유형을 나타낸 것이다. (가)와 (나)의 유형을 쓰고, 특징을 두 가지씩 서술하시오.

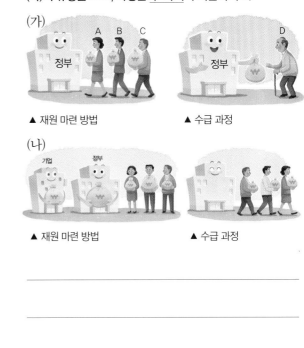

(가)

▲ 재원 마련 방법   ▲ 수급 과정

(나)

▲ 재원 마련 방법   ▲ 수급 과정

_____

_____

_____

9 사회 변동 이론을 마인드맵으로 정리해 보자.

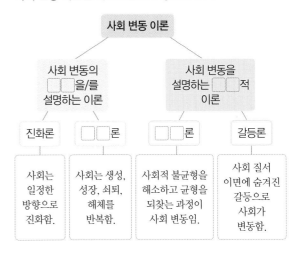

사회 변동 이론

사회 변동의 □□을/를 설명하는 이론

사회 변동을 설명하는 □□적 이론

진화론 / □□론 / □□론 / 갈등론

사회는 일정한 방향으로 진화함.

사회는 생성, 성장, 쇠퇴, 해체를 반복함.

사회적 불균형을 해소하고 균형을 되찾는 과정이 사회 변동임.

사회 질서 이면에 숨겨진 갈등으로 사회가 변동함.

정답과 해설 **73**쪽

10 다음 대화에 나타난 문제를 해결하기 위한 개인적 차원의 노력을 한 가지 서술하시오.

남편: 어제 어머니께 들었는데 당신이 어머니가 해 주신 미역국을 먹지 않았다고 하시더라고요. 어머니께서 섭섭해 하셨어요.

아내: 저는 미역국을 좋아하지 않아요.

남편: 그래도 어머니가 며느리를 위해서 미역국을 끓여주셨는데 맛있게 먹는 것이 예의가 아닐까요?

아내: 우리나라에서는 미역국을 먹지 않아요. 미역국을 보자마자 속이 안 좋아졌어요.

_____

_____

11 자료를 통해 알 수 있는 문제점을 쓰고 그 해결 방안을 서술하시오.

일반인 대비 4대 정보 취약 계층 디지털 정보화 종합 수준

저소득층	87.8%
장애인	75.2%
농어민	70.6%
고령층	63.3%

(출처: 과학기술정보통신부, 2019년 디지털 정보 격차 실태조사)

_____

_____

12 지금까지 공부한 내용을 십자말풀이로 정리해 보자.

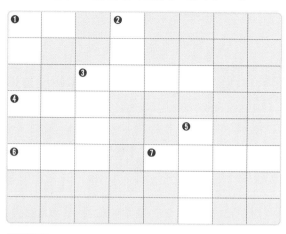

가로 열쇠

❶ 그동안 존재하지 않았던 새로운 문화 요소를 만들어 내는 것

❸ 물질문화의 변화 속도를 비물질문화가 따라가지 못하는 현상

❹ 지식과 정보가 사회 활동 전반에서 차지하는 비중이 커지는 현상

❻ 전체 인구에서 노인 인구가 차지하는 비율이 증가하는 현상

❼ 책, 텔레비전, 인터넷 등과 같은 매체를 통해 문화 요소가 전해지는 것

세로 열쇠

❶ 이미 존재하고 있었지만 알려지지 않았던 것을 찾아 내는 것

❷ 국가 간에 인적·물적 교류가 확대되면서 국가 간 상호 의존성이 커지고 지구촌 전체가 단일한 체계로 통합되는 현상

❸ 한 사회의 문화가 다른 사회의 문화로 흡수되거나 대체된 것

❺ 이주, 무역, 전쟁 등을 통해 사람이 다른 문화와 직접 접촉하여 문화 요소가 전해지는 것

6일

1 다음 사례를 통해 추론할 수 있는 청소년 문화의 특징을 〈보기〉에서 고르면?

> 대다수의 청소년들이 부모와 고민을 나누지 않는 것으로 드러났다. ○○시가 지난달 15~19세 청소년을 대상으로 시행한 설문 조사에 따르면 고민이 있을 때 부모님과 상담한다고 대답한 비율은 11.5%에 지나지 않았으며 대다수는 친구(85.2%)를 고민 상담자로 꼽았다. 또한 여가 시간에 독서나 문화 예술 감상을 즐기는 이들은 소수(각각 10.0%, 5.9%)에 불과했고, 주로 컴퓨터 게임이나 인터넷(42.2%), TV 시청(16.8%)을 하며 여가를 보내는 것으로 드러났다.

→ 보기 ◆

ㄱ. 충동적이고 모방적인 성향이 있다.
ㄴ. 청소년 집단 내부의 결속력이 강하다.
ㄷ. 대중 매체나 대중문화의 영향을 많이 받는다.
ㄹ. 기성세대의 문화에 대해 비판적인 태도를 보인다.

① ㄱ, ㄴ   ② ㄱ, ㄷ   ③ ㄴ, ㄷ
④ ㄴ, ㄹ   ⑤ ㄷ, ㄹ

2 다음과 같은 현상으로 인해 나타날 수 있는 대중문화의 문제점으로 가장 적절한 것은?

> 개연성 없는 전개, 욕설과 폭력이 가득한 자극적인 상황은 '막장 드라마'의 필수 요소이다. 이런 막장 드라마가 만들어지는 이유는 무엇일까? 바로 시청률 때문이다. 자극적인 소재와 연출이 인터넷에서 화제가 되면서 인지도가 높아지고, 시청률도 오를 수 있다.

① 문화를 획일화시킨다.
② 지나치게 상업성을 추구한다.
③ 대중의 정치적 무관심을 조장한다.
④ 개성을 상실하고 유행에 민감해진다.
⑤ 지배층이 대중 조작 수단으로 악용한다.

3 사례를 통해 파악할 수 있는 문화 현상에 대한 설명으로 옳은 것은?

> 신라의 설총은 중국 한자의 음과 뜻을 빌려 우리말을 표현하는 문자인 이두를 만들었다.

① 발명을 통해 문화 변동이 일어났다.
② 매개체를 통해 다른 문화 요소가 전파되었다.
③ 서로 다른 문화 요소가 정체성을 유지하고 있다.
④ 다른 문화와 직접 접촉하여 새로운 문화가 생겼다.
⑤ 다른 사회의 문화 요소에서 아이디어를 얻어 새로운 문화 요소가 만들어졌다.

4 갑국과 을국의 접촉으로 인한 변화이다. 이에 대한 설명으로 옳은 것은?

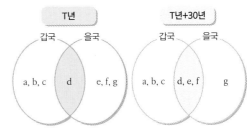

* a~g는 갑국 또는 을국에 존재하는 모든 문화 요소이다.

① e와 f는 문화 동화의 사례이다.
② 갑국에서는 문화 요소가 감소하였다.
③ 을국에서는 문화 요소가 증가하였다.
④ 갑국에서 을국으로 문화 전파가 일어났다.
⑤ 갑국과 을국의 문화적 동질성이 심화되었다.

5 사회 불평등 현상에 대한 설명으로 옳지 않은 것은?

① 계층 간 생활 양식, 가치관의 차이가 나타난다.
② 다양한 계층의 형성으로 사회 통합에 유리하다.
③ 사회 불평등 현상은 어느 사회에서나 나타난다.
④ 사회적 희소가치가 불평등하게 배분되는 것이다.
⑤ 사회적 자원이 차등적으로 분배되어 서열화된다.

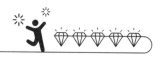

6 교사의 질문에 옳게 대답한 학생은?

> 교사: 계급과 계층에 대하여 발표해 보세요.
> 갑: 계급은 서열적, 연속적으로 계층을 인식합니다.
> 을: 계급은 지위 불일치 현상을 설명할 수 있습니다.
> 병: 계급은 계층에 비해 위계의 구분 기준이 다양합니다.
> 정: 계층은 다양한 요인에 의해 불평등이 나타난다고 봅니다.
> 무: 계층은 경제적 요인을 사회 불평등의 원인으로 보지 않습니다.

① 갑　② 을　③ 병　④ 정　⑤ 무

7 (가)~(라)에 대한 설명으로 옳지 <u>않은</u> 것은?

(가)　(나)　(다)　(라)

① (가)와 (나)는 사회 이동 가능성에 따른 구분이다.
② 현대 산업 사회는 (나)와 (다) 구조가 일반적이다.
③ 전통 신분제 사회에는 (가)와 (라) 구조가 일반적이다.
④ (다)와 (라)는 계층 구성 비율에 따라 구분한 것이다.
⑤ (다)에서는 (가)보다 (나)와 같은 이동이 주로 발생한다.

8 성 불평등 실태를 알아보기 위한 주제로 적합하지 <u>않은</u> 것은?

① 남성과 여성의 학력 비교
② 남성과 여성의 체력 비교
③ 남성과 여성의 국회 의원 비율 비교
④ 남성과 여성의 전문 경영인 비율 비교
⑤ 남성과 여성의 경제 활동 참가율 비교

9 빈곤의 유형 (가), (나)에 대한 설명으로 옳은 것을 〈보기〉에서 모두 고르면?

> [　(가)　]은 소득이 인간다운 최저 생활을 유지하는 데 필요한 기준에 미치지 못하는 상태이다.
> [　(나)　]은 사회의 전반적인 소득 수준과 대비하여 소득 수준이 낮은 상태이다.

　　　　　　　　　　　　　　　　　　▸ 보기 ◂
> ㄱ. 경제가 성장하면 (가)보다 (나)의 문제가 더 심각해진다.
> ㄴ. (가)는 대부분의 국가에서 소득이 중위 소득의 일정 비율에 못 미치는 가구로 파악한다.
> ㄷ. (나)는 인간의 기본적인 욕구 충족을 위한 자원이 심각하게 부족한 상태를 의미한다.

① ㄱ　　　② ㄴ　　　③ ㄷ
④ ㄱ, ㄴ　　⑤ ㄱ, ㄷ

10 우리나라의 사회 보장 제도 A, B를 항목에 따라 비교한 표이다. 이에 대한 분석으로 옳은 것은? (단, A, B는 사회 보험, 공공 부조 중 하나이다.)

구분	비교
소득 재분배 효과	A > B
(가)	A < B

① A는 사전 예방적 성격을 지닌다.
② A는 개인, 정부, 기업이 공동으로 분담하여 보험료를 마련한다.
③ B는 국가의 재정 부담이 크다는 한계가 있다.
④ B는 소득 및 재산이 일정 수준 이하인 계층에게 무상으로 지원한다.
⑤ (가)에는 '수혜 대상자의 범위'가 들어갈 수 있다.

11 우리나라의 사회 보장 제도 A, B의 특징을 연결한 것이다. (가)에 들어갈 수 있는 내용을 〈보기〉에서 고르면? (단, A와 B는 공공 부조, 사회 보험, 사회 서비스 중 하나이다.)

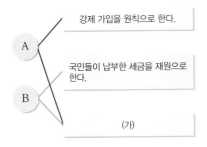

강제 가입을 원칙으로 한다.

A

국민들이 납부한 세금을 재원으로 한다.

B

(가)

━ 보기 ━
ㄱ. 소득 재분배 효과가 있다.
ㄴ. 금전적 지원을 원칙으로 한다.
ㄷ. 사전 예방적 성격을 지닌다.
ㄹ. 보조적 사회 보장에 그친다는 한계가 있다.

① ㄱ, ㄴ   ② ㄱ, ㄷ   ③ ㄴ, ㄷ
④ ㄴ, ㄹ   ⑤ ㄷ, ㄹ

12 다음 내용에 비추어 볼 때 유럽 국가들이 시행해야 할 정책으로 타당한 것을 〈보기〉에서 모두 고르면?

'요람에서 무덤까지'라는 말로 표현되던 유럽식 복지 모델이 퇴조하고 있다. 재정 위기가 유럽 전역으로 퍼지면서 유럽식 복지 모델은 이제 개혁되어야 할 대상으로 여겨지고 있다. 고령화되는 인구 구성과 저출산이 복지 모델 대수술을 부채질하고 있다.

━ 보기 ━
ㄱ. 정년 연장
ㄴ. 복지 서비스의 영역 확대
ㄷ. 생산과 복지를 연계하는 정책

① ㄱ   ② ㄴ   ③ ㄷ
④ ㄱ, ㄴ   ⑤ ㄱ, ㄷ

13 사회 변동에 대한 설명으로 옳지 않은 것은?

① 사람들의 생활 모습은 시간에 따라 바뀐다.
② 사회 변동의 양상은 사회와 관계없이 보편적이다.
③ 과거와 비교하여 사회 변동 속도가 더욱 빨라졌다.
④ 개인의 일상생활뿐만 아니라 사회 전반에까지 영향을 미친다.
⑤ 사회 변동의 요인으로 과학과 기술의 발달, 인구 변화, 사회 운동 등이 있다.

14 (가)에 해당하는 사회 변동 이론의 특징으로 옳은 것은?

사회학자 스펜서는 인류가 살아남기 위한 경쟁이 인류의 발전을 가져온다고 보았다. 이와 관련된 사회 변동 이론은 (가) 이다.

① 급격한 사회 변동을 설명하기에 유용하다.
② 점진적인 사회 변동을 설명하는 데 유용하다.
③ 사회가 퇴보하고 소멸할 수 있음을 인정한다.
④ 사회는 생성, 성장, 쇠퇴, 해체를 반복한다고 본다.
⑤ 사회는 미분화된 상태에서 분화된 상태로 변화한다고 본다.

15 사회 변동에 대한 갑의 입장으로 옳은 것은?

산업화 과정에서 나타난 남편과 아내의 역할 분화는 가족 통합의 토대가 되었어요.

산업화 이후 나타난 부부간 역할 변화를 어떻게 볼 수 있을까요?

산업화 과정에서의 성 역할 분담은 기존의 남성 지배적인 가족 관계와 가치를 그대로 반영한 것이라고 봅니다.

갑   사회자   을

① 진화론   ② 순환론   ③ 기능론
④ 갈등론   ⑤ 사회 실재론

16 사회 운동과 관련한 옳은 설명에만 'V'를 표시한 학생은?

설명 　　　학생	갑	을	병	정	무
사회 운동은 기존 질서의 변동을 목적으로만 이루어진다.	V				V
사회 운동은 목표와 이념, 목표 달성을 위한 조직이 있다.			V	V	V
오늘날 사회 운동은 과거보다 단순화되어 전개된다.	V	V		V	
사회 운동이 사회 변동으로 이어지기 위해서는 사회 구성원의 지지가 필요하다.		V	V		V

① 갑　　② 을　　③ 병　　④ 정　　⑤ 무

17 저출산의 원인에 해당하는 것을 〈보기〉에서 고르면?

┌─────────────── ● 보기 ●
│ ㄱ. 의료 기술의 발전
│ ㄴ. 여성의 사회 진출
│ ㄷ. 결혼과 자녀에 대한 가치관 변화
│ ㄹ. 국가 간 인적·물적 교류의 확대
└───────────────

① ㄱ, ㄴ　　　② ㄱ, ㄷ　　　③ ㄴ, ㄷ
④ ㄴ, ㄹ　　　⑤ ㄷ, ㄹ

18 세계화에 대한 설명으로 옳지 <u>않은</u> 것은?

① 국가 간 빈부 격차가 완화된다.
② 국가 간 교류의 범위가 확대되었다.
③ 전 세계의 문화가 획일화될 수 있다.
④ 다국적 기업의 영향력이 증대되고 있다.
⑤ 국가 간 상품, 노동, 자본 등이 자유롭게 이동한다.

19 수행평가 보고서의 일부이다. 밑줄 친 ㉠~㉤ 중 옳지 <u>않은</u> 것은?

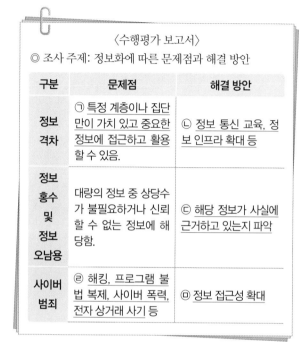

〈수행평가 보고서〉

◎ 조사 주제: 정보화에 따른 문제점과 해결 방안

구분	문제점	해결 방안
정보 격차	㉠ <u>특정 계층이나 집단만이 가치 있고 중요한 정보에 접근하고 활용할 수 있음.</u>	㉡ <u>정보 통신 교육, 정보 인프라 확대 등</u>
정보 홍수 및 정보 오남용	대량의 정보 중 상당수가 불필요하거나 신뢰할 수 없는 정보에 해당함.	㉢ <u>해당 정보가 사실에 근거하고 있는지 파악</u>
사이버 범죄	㉣ <u>해킹, 프로그램 불법 복제, 사이버 폭력, 전자 상거래 사기 등</u>	㉤ <u>정보 접근성 확대</u>

① ㉠　　② ㉡　　③ ㉢　　④ ㉣　　⑤ ㉤

20 세계 시민의 자질에 해당하지 <u>않는</u> 것은?

① 생태적·문화적 다양성 존중
② 인권, 평화와 같은 인류 보편의 가치 지향
③ 자신이 속한 국가의 이해관계를 반영하여 행동
④ 현재 세대와 미래 세대의 인권을 조화롭게 인식
⑤ 세계 공동체 의식을 가지고 지구촌 문제 해결을 위해 협력

1 (가)~(다)에 들어갈 하위문화의 유형을 바르게 연결한 것은?

유형	의미
(가)	공통의 의식을 가진 비슷한 연령대의 사람들이 공유하는 문화
(나)	한 나라를 구성하는 여러 지역 사회에서 각각 나타나는 고유한 생활 양식
(다)	한 사회의 주류 문화를 거부하거나 저항하는 사람들이 공유하는 문화

	(가)	(나)	(다)
①	반문화	세대 문화	지역 문화
②	반문화	지역 문화	세대 문화
③	세대 문화	반문화	지역 문화
④	세대 문화	지역 문화	반문화
⑤	지역 문화	반문화	세대 문화

2 다음 글을 읽고 추론할 수 있는 대중문화의 특징은?

> 텔레비전에 나오는 유명한 연기자나 모델이 입었던 청바지는 유행에 영향을 주기도 한다. 많은 사람이 자신의 개성을 찾기보다는 유행을 좇아 청바지를 구매하고 입는다.

① 확산과 변화 속도가 느리다.
② 대중 매체를 통해 상품화된다.
③ 대중 매체를 통해 널리 공유된다.
④ 사람들의 생활 양식이 다양해진다.
⑤ 상업성이 강조될 경우 질이 낮아질 수 있다.

3 다음 사례에 나타난 문화 접변의 결과는?

> 돌침대는 우리의 온돌 문화와 서구의 침대 문화가 어우러진 것으로, 많은 사람이 사용하고 있다.

① 발명 ② 발견 ③ 문화 융합
④ 문화 병존 ⑤ 문화 동화

4 변동 요인에 따라 갑국~정국에서 나타난 문화 접변 양상을 분류한 것이다. 이에 대한 설명으로 옳은 것은?

① 갑국에서는 자발적 문화 접변을 겪었다.
② 갑국에서는 발명으로 문화 변동이 일어났다.
③ 을국에서는 직접 전파로 인하여 문화 변동이 나타났다.
④ 병국에서는 간접 전파로 인하여 문화 변동이 나타났다.
⑤ 정국에서는 자극 전파로 인하여 문화 변동이 나타났다.

5 다음 그림에 나타난 문화 변동의 양상에 해당하지 <u>않는</u> 것은?

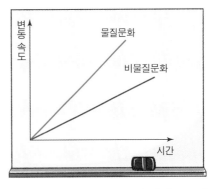

① 우리나라에 토착 종교와 외래 종교가 함께 존재하고 있다.
② 에너지 소비량은 증가하지만 에너지 소비 문화가 정착되지 않고 있다.
③ 기술 발전으로 자동차 수는 증가하지만 교통 질서가 제대로 지켜지지 않고 있다.
④ 새로운 기계의 활용이 활발해지고 있으나, 직업 교육의 미비로 실업이 증가하고 있다.
⑤ 온라인 콘텐츠 시장이 확대되어 편리한 점이 많지만, 불법 다운로드는 여전히 줄지 않고 있다.

6 사회 불평등 현상을 바라보는 을의 관점에 부합하는 내용은?

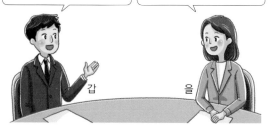

> 공사장에서 장비를 조종하는 사람과 깃발로 안내를 하는 사람이 같은 시간을 일했다고 해서 보수가 같다면 누가 어려운 장비 조종 기술을 배우려 하겠습니까?
>
> 장비를 조종하는 것도 중요하지만, 깃발로 안내하는 것도 중요합니다. 일의 중요성에 대한 현재의 평가 기준은 기득권층이 정했을 뿐입니다.

갑   을

① 사회 불평등은 구성원의 성취동기를 높인다.
② 사회 불평등은 자연스럽고 불가피한 현상이다.
③ 사회 불평등은 사회적 자원을 불공정하게 분배한 결과이다.
④ 차등 분배는 사회적으로 효율적인 자원 배분을 가능하게 한다.
⑤ 사회적으로 더 큰 기여를 한 사람이 보상을 더 받는 것은 당연하다.

7 (가), (나)는 사회 불평등 현상을 설명하는 개념이다. (가), (나)에 대한 옳은 설명을 〈보기〉에서 모두 고르면?

질문	(가)	(나)
이분법적·불연속적으로 구분되는가?	예	아니요
현대 사회의 불평등 현상을 설명하기에 적합한가?	아니요	예

┌─── 보기 ───
│ ㄱ. (가)는 경제적 요소를 중시한다.
│ ㄴ. (나)는 지배, 피지배 관계로 인한 갈등은 불가피하다고 본다.
│ ㄷ. (나)는 (가)에 비해 동일한 계층에 대한 소속감이 약하다.
└

① ㄱ   ② ㄴ   ③ ㄴ, ㄷ
④ ㄱ, ㄷ   ⑤ ㄱ, ㄴ, ㄷ

8 다음 조건에 부합하는 계층 구조의 유형은?

┌──────
│ • 상층과 하층에 비해 중층 구성원의 비율이 가장 높은 구조이다.
│ • 중층이 상층과 하층의 완충 역할을 하여 사회가 상대적으로 안정된 특성을 가진다.
└──────

① 개방적 계층 구조   ② 폐쇄적 계층 구조
③ 모래시계형 계층 구조   ④ 피라미드형 계층 구조
⑤ 다이아몬드형 계층 구조

9 갑국, 을국, 병국의 계층별 구성 비율을 나타낸 표이다. 이에 대한 옳은 분석을 〈보기〉에서 모두 고르면?

(단위: %)

구분	갑국	을국	병국
상층	10	15	30
중층	30	65	15
하층	60	20	55

┌─── 보기 ───
│ ㄱ. 상층 인구는 병국이 가장 많다.
│ ㄴ. 갑국에 비해 병국은 양극화가 심하다.
│ ㄷ. 을국과 달리 갑국은 수직 이동이 제한된다.
└

① ㄱ   ② ㄴ   ③ ㄷ   ④ ㄱ, ㄴ   ⑤ ㄴ, ㄷ

10 사회적 소수자에 대한 차별 문제를 개선하기 위한 방안으로 적절하지 **않은** 것은?

① 적극적 차별 시정 조치를 도입한다.
② 사회 구성원들은 차별에 대한 경각심을 높인다.
③ 사회적 소수자에 대한 차별을 금지하는 법을 만든다.
④ 특정 유형의 사회적 소수자끼리 집단 거주지를 형성하여 상호 의존하도록 한다.
⑤ 다양한 유형의 사회적 소수자의 존재를 인정하고 그들과 공존하는 문화를 만든다.

11 다음 법에 대한 옳은 설명을 〈보기〉에서 고르면?

> 정당이 비례 대표 국회 의원 선거 및 비례 대표 지방 의회 의원 선거에 후보자를 추천하는 때에는 그 후보자 중 100분의 50 이상을 여성으로 추천하되, 그 후보자 명부 순위의 매 홀수에는 여성을 추천하여야 한다.
> – 「공직 선거법」 제47조 3항 –

── 보기 ──

ㄱ. 법적, 제도적 개선에 해당한다.
ㄴ. 일과 가정의 양립을 추구하려는 제도이다.
ㄷ. 성별 과소 대표의 문제를 해결하고자 한다.
ㄹ. 성 평등 교육을 강화하기 위한 교육 지침이다.

① ㄱ, ㄴ ② ㄱ, ㄷ ③ ㄴ, ㄷ
④ ㄴ, ㄹ ⑤ ㄷ, ㄹ

12 A, B국의 빈곤율 변화를 나타낸 표이다. 이에 대해 옳은 분석을 한 학생은?

(단위: %)

구분	A국		B국	
	2010년	2015년	2010년	2015년
절대적 빈곤율	5	7	10	7
상대적 빈곤율	10	10	5	12

A국의 절대적 빈곤율이 증가하였다.
갑

B국의 절대적 빈곤 가구 수가 감소하였다.
을

2015년 A국과 B국의 절대적 빈곤율은 같다.
병

A국과 B국의 2015년 절대적 빈곤율은 상대적 빈곤율보다 높다.
정

① 갑, 을 ② 갑, 병 ③ 을, 병
④ 을, 정 ⑤ 병, 정

13 A, B에 해당하는 사회 보장 제도를 바르게 연결한 것은?

질문	사회 보장 제도 유형	
	A	B
수혜자와 부담자가 일치하는가?	아니요	예
부담 능력에 따라 비용을 부담하는가?	아니요	예

　　　 A 　　　 B 　　　 A 　　　 B
① 공공 부조　사회 보험 ② 공공 부조　사회 서비스
③ 사회 보험　공공 부조 ④ 사회 보험　사회 서비스
⑤ 사회 서비스 공공 부조

14 사회 보장 제도 중 일부를 도식화한 것이다. (가), (나)에 대한 설명으로 옳은 것은?

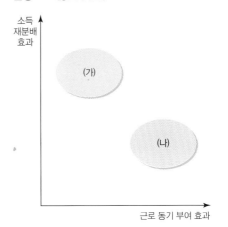

① (나)는 소득 재분배 효과가 크다.
② (가)는 강제 가입을 원칙으로 한다.
③ 의료 급여, 기초 연금은 (나)에 해당한다.
④ 수혜 대상자의 범위는 (가)보다 (나)가 넓다.
⑤ 국민연금, 국민 건강 보험은 (가)에 해당한다.

15 복지병을 해결하기 위한 정부 정책으로 가장 적절한 것은?
① 흑자 재정 운용　　② 사회 보장 확대
③ 정부의 시장 개입 강화　④ 생산적 복지 정책 추진
⑤ 기업의 사회적 책임 강조

16 다음 대화에 나타난 갑과 을의 관점을 사회 변동에 적용했을 때의 설명으로 옳은 것은?

사회는 수많은 부분들이 각각의 기능을 원활하게 수행할 때 균형을 이루고 안정을 유지할 수 있어.

갑

그렇지 않아. 사회는 경제적 부, 정치적 권력, 사회적 명예와 같은 희소가치를 유지하려는 기득권층과 이를 부정하고 바꾸려는 집단 간에 나타나는 투쟁과 갈등의 장이야.

을

① 갑의 관점에 따르면 사회는 항상 발전한다.
② 갑의 관점은 급격한 사회 변동을 설명하기에 유용하다.
③ 을의 관점에 따르면 사회는 미분화된 상태에서 분화된 상태로 변화한다.
④ 을의 관점은 사회 변동에 대응하는 인간의 노력을 과소평가한다는 비판을 받는다.
⑤ 갑, 을의 관점 모두 사회 변동의 원인을 구조적 측면에서 찾는다.

17 다음 사례를 통해 사회 운동의 영향을 추론한 내용으로 가장 적절한 것은?

> 환경 운동 단체인 A는 원자력 발전과 화력 발전의 폐해를 지적하며 태양광과 풍력을 이용한 재생 에너지 사용을 촉진하는 법률 제정을 요구하고 있다. 이에 A 단체는 입법 청원을 위한 시민들의 서명 받기, 재생 에너지 홍보 활동, 시위, 언론 기고 등 다양한 활동을 전개하고 있다.

① 사회 운동은 사회 변동의 속도를 늦춘다.
② 사회 운동은 주로 개발 도상국에서 나타난다.
③ 사회 운동은 기존 질서의 변동을 목적으로 한다.
④ 뛰어난 역량이 있는 개인은 사회 운동에 참여한다.
⑤ 사회 운동은 사회 구성원들의 호응을 얻어 사회 변동을 이끌 수 있다.

18 우리나라 합계 출산율 추이 그래프이다. 다음과 같은 현상을 해결하기 위한 방안으로 가장 적절한 것은?

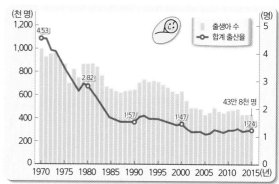
(통계청, 2016.)

① 출산이나 육아를 개인이 책임진다는 인식이 필요하다.
② 과도한 교육비 부담을 줄이기 위한 노력이 필요하다.
③ 직장 여성이 출산과 육아로 인한 불이익을 받도록 해야 한다.
④ 출산과 육아에 관련한 비용 지원을 축소해야 한다.
⑤ 다자녀 가구에 대한 세제 혜택을 축소하고 소자녀 중심의 가정을 지원해야 한다.

19 다음 사례에 해당하는 현대 사회의 변화 양상은?

> 동네 슈퍼마켓에서도 외국에서 생산된 물건을 쉽게 살 수 있고, 우리나라 유명 기업의 제품이 세계 곳곳에서 생산·소비되고 있다.

① 세계화 ② 산업화 ③ 정보화
④ 저출산 ⑤ 고령화

20 다문화적 변화의 대응 방안으로 적절하지 <u>않은</u> 것은?

① 외국인 근로자의 노동 환경을 개선한다.
② 문화의 다양성을 인정하는 태도를 키운다.
③ 단일 민족으로서의 공동체 의식을 강화한다.
④ 이주민의 권리 보장을 위한 법과 제도를 정비한다.
⑤ 다양한 문화를 체험할 수 있는 교육 기회를 마련한다.

Memo

정답과 해설

1일 기초 확인 문제 9, 11쪽

1 (1) 하위문화 (2) 지역 문화 (3) 반문화 **2** 세대 문화 **3** (1) 상대적인 (2) 세대 갈등 (3) 주류 문화 **4** (1) ㄷ (2) ㄴ (3) ㄱ **5** 반문화 **6** (1) 대중문화 (2) 대중 매체 (3) 뉴 미디어 **7** (1) ㄱ (2) ㄷ (3) ㄹ **8** (1) 다수 (2) 촉진 (3) 대량 (4) 빠르다 **9** (1) ⓒ (2) ⓔ (3) ⓛ (4) ⓐ **10** (1) ○ (2) × (3) ○ **11** ⓐ: 획일화, ⓛ: 상업성

1일 내신 기출 베스트 12~13쪽

1 ① **2** ⑤ **3** ⑤ **4** ① **5** ④ **6** ② **7** ① **8** ②

1 하위문화

① 하위문화는 한 사회 내의 일부 구성원들이 공유하는 문화로, 전체 문화를 파괴하기보다는 전체 문화를 풍부하게 하는 경우가 많다. 하위문화는 형성 요인과 배경 및 양상 등이 다양하기 때문에 사회 전체의 문화를 다양하게 한다.

더 알아보기 ➕ **하위문화의 유형**

지역 문화	• 한 나라를 구성하는 여러 지역 사회에서 각각 나타나는 고유한 생활 양식 • 지역 주민의 동질감과 유대감을 높여 지역 통합에 기여함.
세대 문화	• 공통의 의식을 가진 비슷한 연령대의 사람들이 공유하는 문화 • 같은 세대에 속하는 사람들 간의 일체감과 정체성 형성에 기여함.
반문화	• 한 사회의 주류 문화를 거부하거나 저항하는 사람들이 공유하는 문화 • 기존 문화의 보수성과 문제점을 노출시켜 사회 발전의 계기를 제공함.

2 지역 문화

지역 문화는 지역의 고유성과 문화 창조성을 살리며, 주민의 문화 자긍심을 높이는 동시에 관광 상품으로 개발되어 지역 사회의 발전에 도움이 되기도 한다.

3 세대 문화

공통의 의식을 가진 비슷한 연령대의 사람들을 세대라고 하는데, 이들이 공유하는 문화를 세대 문화라고 한다. 청소년 문화, 장년 문화, 노년 문화 등이 그 예이다. 청소년 문화는 기성 세대의 문화에 비해 자유롭고 새로운 것을 추구하는 경향이 있다.

선택지 바로 보기

① (가)는 반문화이다. (×)
→ 반문화는 한 사회의 주류 문화를 거부하거나 저항하는 사람들이 공유하는 문화이다.
② (가)는 주류 문화에 해당한다. (×)
→ 주류 문화는 한 사회의 구성원 대다수가 공유하는 문화이다.
③ (가)는 지역 주민의 동질감을 높여 준다. (×)
→ 지역 문화에 대한 설명이다.
④ (가)에 대한 규정은 시대나 사회에 따라 달라진다. (×)
→ 세대 문화는 세대를 기준으로 구분한다.
⑤ (나)에는 '청소년 문화'가 들어갈 수 있다. (○)

4 반문화

제시문은 히피 문화에 대한 설명으로, 히피 문화는 반문화의 사례이다. 반문화는 한 사회의 주류 문화를 거부하거나 저항하는 사람들이 공유하는 문화이다.

오답 피하기

② 대중문화는 대중이 즐기고 누리는 문화이다. ③ 대중 매체는 대량의 정보를 많은 사람에게 전달하는 수단이다. ④ 지역 문화는 한 나라를 구성하는 여러 지역 사회에서 각각 나타나는 고유한 생활 양식이다. ⑤ 세대 문화는 공통의 의식을 가진 비슷한 연령대의 사람들이 공유하는 문화이다.

5 대중문화

대중문화는 다수의 사람이 즐기고 누리는 문화이다. 현대 사회는 대중을 기반으로 하여 형성된 사회라는 특징을 띠고 있으며, 대중이 문화의 생산과 소비에 직접 참여하기도 한다.

오답 피하기

ㄱ. 대중문화는 대중이 문화의 생산과 소비에 직접 참여할 기회를 제공한다. ㄷ. 대중문화는 사회 구성원 다수가 누리는 문화로서 계층 간 문화적 차이를 줄여 준다.

더 알아보기 ➕ **대중문화**

의미	대중이 즐기는 문화
기능	• 계층 간 문화적 차이를 줄임. • 오락이나 여가의 기회를 제공함. • 사회에 대한 관심이나 비판적 욕구를 표출하고 공유하는 기회를 제공함.
특징	• 대부분의 사람이 손쉽게 접할 수 있음. • 확산과 변화 속도가 빠름. • 대량으로 생산되고 소비됨.
문제점	• 생활 양식이나 가치관이 획일화될 수 있음. • 상업성, 폭력성, 선정성을 띠는 등 질이 낮아질 수 있음. • 사회 문제에 대한 관심을 줄어들게 할 수 있음.

6 대중 매체

제시된 매체들은 모두 대중 매체이다. ② 쌍방향 의사소통이 가

능한 매체는 인터넷과 이동 통신이다. 신문, 잡지, 라디오, 텔레비전은 일방향 매체이다.

더 알아보기 ➕ 대중 매체의 종류

인쇄 매체	• 활자를 통해 정보를 전달하는 매체 • 복잡하고 깊이 있는 정보 전달에 유리함. • 정보 전달 속도가 상대적으로 느림.
음성 매체	• 소리를 통해 정보를 전달하는 매체 • 적은 비용으로 정보 전달이 가능함. • 시각 정보를 다루기 어려움.
영상 매체	• 소리와 영상을 통해 정보를 전달하는 매체 • 다수의 사람에게 동시에 빠른 속도로 공감각적인 정보 전달이 가능함. • 상대적으로 깊이 있는 정보 전달에 한계가 있음.
뉴 미디어	• 정보의 생산자와 소비자 간 쌍방향 의사소통이 가능함. • 기존 매체보다 신속하게 정보 전달이 이루어짐. • 무책임하고 왜곡된 정보를 양산할 수 있음.

7 대중문화의 문제점

대중 매체가 대량으로 생산하는 문화 상품들이 유행하면서 대중은 자신도 모르게 비슷한 정서와 취향을 가지게 되며, 이로 인해 사람들의 생활 양식이나 가치관이 획일화될 수 있다.

8 대중문화의 문제점

대중문화의 상업성이 지나치게 강조될 경우 폭력성, 선정성을 띠는 등 질이 낮아질 수 있고, 사람들이 대중문화의 유행이나 오락적 측면에만 집중하게 되면 사회의 중요한 문제에 관한 관심이 줄어들 수 있다. 따라서 대중 매체를 통해 전파되는 대중문화의 상업성을 경계하고 비판적으로 성찰하면서 주체적으로 활용해야 한다.

2일 기초 확인 문제 17, 19쪽

1 (1) 문화 변동 (2) 발명 (3) 문화 접변 　**2** (1) 내부적 (2) 직접 (3) 간접 (4) 자발적 　**3** 자극 전파 　**4** (1) ㄱ (2) ㄷ (3) ㄹ (4) ㅁ (5) ㄴ 　**5** (가): 문화 병존 (나): 문화 동화 (다): 문화 융합 　**6** (1) 동화 (2) 아노미 현상 (3) 물질, 비물질 　**7** ㄱ, ㄴ 　**8** (1) ㄱ (2) ㄷ (3) ㄷ (4) ㄴ (5) ㄱ 　**9** (1) × (2) ○ (3) × (4) ○

2일 내신 기출 베스트 20~21쪽

1 발명 　**2** A: 발명 또는 발견, B: 자극 전파, C: 직접 전파 또는 간접 전파 　**3** ⑤ 　**4** ㉣ 　**5** ① 　**6** (가): 문화 동화 (나): 문화 병존 (다): 문화 융합 　**7** ④ 　**8** ②

1 발명

발명은 그동안 존재하지 않았던 새로운 문화 요소를 만들어 내는 것이다.

더 알아보기 ➕ 문화 변동의 요인

내재적 요인	발명	그동안 존재하지 않았던 새로운 문화 요소를 만들어 내는 것
	발견	이미 존재하고 있었지만 알려지지 않았던 것을 찾아내는 것
외재적 요인	직접 전파	이주, 무역, 전쟁 등을 통해 사람이 다른 문화와 직접 접촉하여 문화 요소가 전해지는 것
	간접 전파	책, 텔레비전, 인터넷 등과 같은 매체를 통해 문화 요소가 전해지는 것
	자극 전파	다른 사회의 문화 요소에서 아이디어를 얻어 새로운 문화 요소를 만들어 내는 것

2 문화 변동의 요인

A는 발명 또는 발견, B는 자극 전파, C는 직접 전파 또는 간접 전파이다.

자료 분석 ➕ 문화 변동의 요인

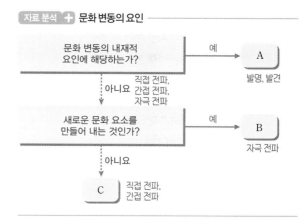

3 자극 전파

자극 전파는 다른 사회의 문화 요소에서 아이디어를 얻어 새로운 문화 요소를 만들어 내는 것으로, 과거에 중국 한자의 음과 뜻을 빌려 우리말을 표기했던 이두가 자극 전파의 사례에 해당한다.

4 강제적 문화 접변과 자발적 문화 접변

㉣ 불이나 바이러스를 찾아낸 것은 이미 존재하고 있었지만 알려지지 않았던 것을 찾아내는 발견의 사례이다.

더 알아보기 ➕ 문화 접변의 유형

강제적 문화 접변	정복이나 식민 지배 등의 상황에서 지배 사회의 문화가 피지배 사회에 강제적으로 이식되어 나타나는 것
자발적 문화 접변	다른 문화와 교류하면서 구성원이 어떤 문화 요소의 필요성을 인식하여 스스로 그것을 받아들이는 것

5 문화 변동의 양상

필리핀이 미국의 식민 지배를 받은 이후 타갈로그어와 영어를 모두 공용어로 사용한다는 점에서 문화 병존이 나타나고 있다.

6 문화 접변의 결과

(가)는 A 문화와 B 문화가 접촉해서 B 문화는 사라지고 A 문화만 남았다는 점에서 문화 동화임을 알 수 있다. (나)는 A 문화와 B 문화가 접촉해서 A 문화와 B 문화가 모두 남아 있다는 점에서 문화 병존임을 알 수 있다. (다)는 A 문화와 B 문화가 접촉해서 새로운 C 문화가 생겼다는 점에서 문화 융합임을 알 수 있다.

더 알아보기 + 문화 접변의 결과

문화 병존	• 서로 다른 사회의 문화가 한 사회의 문화 속에서 나란히 존재하는 현상 • 우리나라에 토착 종교와 외래 종교가 함께 존재하는 것
문화 동화	• 한 사회의 문화가 다른 사회의 문화로 흡수되거나 대체되어 정체성을 상실하는 현상 • 라틴 아메리카 원주민들이 원래 사용하던 언어 대신 포르투갈어나 에스파냐어를 사용하는 것
문화 융합	• 서로 다른 사회의 문화 요소가 결합하여 두 문화 요소의 성격을 지니면서도 두 문화 요소와는 다른 성격을 지닌 새로운 문화가 나타나는 현상 • 미국에서 아프리카의 흑인 음악과 백인 음악의 요소가 결합하여 재즈가 탄생한 것

7 문화 변동에 따른 문제점

아노미 현상은 문화 변동 과정에서 전통적 규범과 가치관을 대체할 새로운 규범과 가치관이 아직 정립되지 못하여 혼란과 무규범 상태에 빠지는 현상을 말한다.

더 알아보기 + 문화 변동 과정에서 발생하는 문제점

집단 간 갈등	새로운 문화 요소가 유입되는 과정에서 이를 받아들여 기존 문화를 대체하려는 집단과 기존 문화를 유지하려는 집단 간에 갈등이 발생할 수 있음.
아노미 현상	급격한 문화 변동으로 전통적 규범과 가치관을 대체할 새로운 규범과 가치관이 아직 정립되지 못하여 사회가 혼란과 무규범 상태에 빠질 수 있음.
문화 충격 및 정체성 혼란	급격하게 외래문화가 유입되면서 문화 정체성이 약화되거나 혼란이 생길 수 있음.
문화 지체 현상	물질문화의 빠른 변동 속도를 비물질문화가 따라가지 못하여 부조화 현상이 나타날 수 있음.

8 문화 변동에 따른 문제점

문화 지체 현상은 물질문화의 빠른 변동 속도를 비물질문화가 따라가지 못하여 나타나는 문화 요소 간의 부조화 현상이다. 새로운 물질문화는 비교적 쉽게 수용하여 변동 속도가 빠른 것에 비해, 비물질문화는 수용하는 데 시간이 걸려 변동 속도가 느리다. 과학 기술은 물질문화, 의식 수준은 비물질문화에 해당한다.

3일 기초 확인 문제 25, 27쪽

1 (1) 사회 불평등 현상 (2) 경제적 불평등, 정치적 불평등 (3) 희소 자원 (4) 기득권 **2** (1) 기능론 (2) 갈등론 (3) 기능론, 갈등론 **3** (1) ㉡, ㉢ (2) ㉠, ㉣ **4** 지위 불일치 현상 **5** (1) ○ (2) × (3) ○ **6** (1) 사회 계층 (2) 사회 이동 (3) 구조적 이동 (4) 세대 내 이동 **7** (1) 다이아몬드형 (2) 모래시계형 (3) 수평 이동, 수직 이동 (4) 개방적 **8** (1) ㉣ (2) ㉡ (3) ㉠ (4) ㉢ **9** (1) ○ (2) × (3) ○ **10** 수직 이동, 구조적 이동, 세대 내 이동, 세대 간 이동

3일 내신 기출 베스트 28~29쪽

1 ② **2** ② **3** ③ **4** ⑤ **5** ⑤ **6** ③ **7** ② **8** 세대 내 이동, 수직 이동, 개인적 이동

1 사회 불평등 현상

사회 불평등 현상의 유형은 정치적 불평등, 경제적 불평등, 사회·문화적 불평등으로 구분할 수 있다. (가)는 경제적 불평등, (나)는 정치적 불평등, (다)는 사회·문화적 불평등에 해당한다.

선택지 바로 보기

ㄱ. (가)는 사회·문화적 불평등에 해당한다. (×)
→ (가)는 경제적 불평등에 해당한다.
ㄴ. (나)는 정치적 불평등에 해당한다. (○)
ㄷ. (가)~(다)의 구체적인 모습은 모든 사회가 동일하다. (×)
→ 사회 불평등 현상은 어느 사회에서나 나타나지만, 구체적인 모습은 사회마다 조금씩 다르게 나타난다.

2 사회 불평등 현상을 바라보는 관점

기능론은 사회 계층 현상이 사회적 희소가치의 차등 분배로 인해 나타나며, 사회의 유지·발전에 필수적이라고 본다.

선택지 바로 보기

ㄱ. 사회의 유지, 발전에 필수적인 현상이다. (○)
ㄴ. 사회적 희소가치의 불공정한 분배로 나타난다. (×)
→ 갈등론적 관점이다.
ㄷ. 사회 불평등은 사회 구성원의 성취동기를 높인다. (○)
ㄹ. 사회 불평등은 기존의 불평등한 계층 구조를 재생산하게 된다. (×) → 갈등론적 관점이다.

3 사회 불평등 현상을 바라보는 관점

갑은 갈등론적 입장을 가지고 있다.

오답 피하기

①, ②, ④, ⑤는 기능론적 관점이다.

더 알아보기 ➕ 사회 불평등 현상을 바라보는 관점

기능론	보편적 현상, 성취동기 부여, 사회 발전에 기여, 희소가치 분배에 대한 사회적 합의가 있다고 봄.
갈등론	보편적이나 필연적인 것은 아님. 사회 발전에 장애가 됨. 희소가치가 권력자에 의해 불공정하게 분배됨.

4 계층 이론과 계급 이론

(가)는 마르크스의 계급 이론이고, (나)는 베버의 계층 이론이다. ⑤ 계층의 세 가지 차원은 상호 관련성이 있지만 별개의 개념이므로 반드시 일치하지 않을 수 있으며, 이를 바탕으로 계층은 지위 불일치를 설명할 수 있다.

더 알아보기 ➕ 계급과 계층

계급	일원론적 관점, 생산 수단의 소유 여부에 따라 계급 결정, 노동자 계급의 연대 의식 강조
계층	다원론적 관점, 경제적 계급·사회적 위신·정치적 권력 등 다차원적으로 불평등을 분석함. 지위 불일치 설명에 적합, 계층의 연대 의식이 약함.

5 사회 계층 구조의 유형

다이아몬드형 계층 구조는 상층과 하층에 비해 중층 구성원의 비율이 가장 높은 구조로, 근대 이후 산업 사회에서 주로 나타난다. 중층이 상층과 하층의 완충 역할을 하므로 사회가 상대적으로 안정적이다.

더 알아보기 ➕ 계층 구조의 다양한 형태

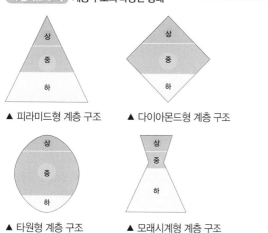

▲ 피라미드형 계층 구조   ▲ 다이아몬드형 계층 구조

▲ 타원형 계층 구조   ▲ 모래시계형 계층 구조

6 사회 계층 구조의 유형

피라미드형 계층 구조에 비해 중층의 비율이 높은 다이아몬드형 계층 구조는 상대적으로 사회 구조의 안정성이 높다.

7 계층 구조의 변화

1990년은 폐쇄적인 피라미드형, 2000년은 수직 이동 가능성

이 높아진 다이아몬드형, 2020년은 개방적인 타원형 계층 구조를 보이고 있다. 수직 이동 가능성이 높을수록 개방형 계층 구조라고 할 수 있다. 상류층 비율이 고정되어 있으므로, 중층과 하층의 상대적 비율을 가지고 전체 계층의 비율을 계산할 수 있다. 2020년의 경우 상층은 전체의 10%, 나머지 90%를 중층과 하층이 8 : 1의 비율로 나누어 가진다. 따라서 상, 중, 하의 비율이 10% : 80% : 10%가 된다. 2000년은 10% : 54% : 36%이고, 1990년은 10% : 30% : 60%이다.

8 사회 이동

사례에는 세대 내 이동, 수직 이동, 개인적 이동이 나타나 있다.

더 알아보기 ➕ 사회 이동

이동 방향에 따라	수직 이동	어떤 계층에서 다른 계층으로 계층적 위치가 바뀌는 것
	수평 이동	동일한 계층 내에서 지위만 변하는 것
이동 원인에 따라	개인적 이동	개인의 능력이나 노력에 의해 계층적 위치가 변하는 것
	구조적 이동	신분제 철폐, 혁명, 전쟁, 산업화 등 급격한 사회 변동으로 인해 계층적 위치가 변하는 것
세대 범위에 따라	세대 간 이동	부모 세대와 자녀 세대 등 세대를 가로질러 계층적 위치가 변하는 것
	세대 내 이동	한 개인의 일생 동안에 계층적 위치가 변하는 것

4일 기초 확인 문제   33, 35쪽

1 사회적 소수자   **2** (1) 성 불평등 (2) 빈곤   **3** (1) 절대적 빈곤 (2) 상대적 빈곤   **4** (1) ⓒ (2) ⓛ (3) ⓞ   **5** (1) ㄱ, ㄷ, ㄹ, ㅁ (2) ㄴ, ㅂ   **6** (1) 사회 복지 (2) 공공 부조 (3) 생산적 복지 (4) 사회 보험   **7** (1) ㄴ, ㅂ (2) ㄱ, ㄷ, ㄹ, ㅁ (3) ㅅ   **8** (1) 사후 처방적 (2) 있다 (3) 공공 부조 (4) 비금전적   **9** (1) 기초 연금 (2) 산업 재해 보상 보험

4일 내신 기출 베스트   36~37쪽

1 ⑤   **2** ①   **3** ①   **4** ④   **5** ②   **6** ②   **7** ③   **8** ①

1 사회적 소수자

신문 기사는 장애인 차별을 개선하기 위한 내용으로, 사회적 소수자 차별을 해결하기 위한 방안이다. 사회적 소수자란 신체적 또는 문화적 특성으로 인해 자기가 사는 사회의 다른 구성원들과 구별되어 불평등한 처우를 받는 사람들을 말한다.

2 성 불평등

제시된 자료의 동화 속에서 어려운 상황에 처하거나 마법에 걸린 공주들이 스스로 문제를 해결하지 못하고 왕자나 남자 영웅이 구해 주기만을 기다리는 존재로 표현한 내용은 여성을 스스로 어려움을 극복할 능력이 없는 무능력하고 나약하며 수동적인 존재라고 여기는 잘못된 인식을 심어 줄 수 있다.

3 빈곤

노래 가사에는 가난한 유년기를 보냈던 화자의 상황이 나타나 있다. 빈곤은 인간의 기본적 욕구와 관련된 물질적 결핍이 만성적으로 지속되는 경제적 상태를 의미하며, 국가가 사회적 안전망 구축을 통해 해결해야 할 문제이다.

4 빈곤 유형

절대적 빈곤은 인간의 기본적인 욕구 충족을 위한 자원이 심각하게 부족한 상태를 의미한다. 상대적 빈곤은 사회의 전반적인 소득 수준과 대비하여 소득 수준이 낮은 상태를 의미하며, 대부분의 국가에서 소득이 중위 소득의 일정 비율에 못 미치는 가구를 상대적 빈곤층으로 파악한다.

5 사회 보장 제도

그림은 공공 부조를 나타내고 있다. 공공 부조는 국가와 지방 자치 단체의 책임하에 생활을 유지할 능력이 없거나 생활이 어려운 국민의 최저 생활을 보장하고 자립을 지원하기 위해 금전적·물질적 급여를 제공하는 제도이다.

오답 피하기
① 국민연금, ③ 고용 보험, ④ 노인 장기 요양 보험, ⑤ 산업 재해 보상 보험은 모두 사회 보험에 해당한다.

자료 분석 + 공공 부조

▲ 재원 마련 방법   ▲ 수급 과정

국민들이 납부한 세금을 재원으로 하여, 소득 및 재산이 일정 수준 이하인 계층에게 무상으로 지원하는 것을 보여 주는 그림이다. 이를 통해 수혜자와 부담자가 불일치함을 알 수 있다.

6 사회 보장 제도

그림은 사회 보험을 나타내고 있다. 사회 보험은 국민에게 미래에 발생할 수 있는 상해, 질병, 노령, 실업, 사망 등의 사회적 위험을 보험의 방식으로 대처함으로써 국민의 건강과 소득을 보장하는 제도이다.

자료 분석 + 사회 보험

▲ 재원 마련 방법   ▲ 수급 과정

가입자 개인과 정부, 기업이 공동으로 분담하여 보험료를 마련하고, 사회적 위험이 발생했을 때 보험료를 낸 개인이 혜택을 받는다는 것을 보여 주는 그림이다. 이를 통해 수혜자와 부담자가 일치함을 알 수 있다.

더 알아보기 + 공공 부조와 사회 보험

공공 부조	• 사후 처방적 성격 • 소득 재분배 효과가 큼. • 금전적·물질적 급여 제공 • 수혜자와 부담자 불일치
사회 보험	• 사전 예방적 성격 • 금전적 지원 • 강제 가입이 원칙 • 수혜자와 부담자 일치

7 사회 서비스

박○○(17세)이 지원받은 사회 보장 제도는 가출 청소년 상담 및 학교 복귀 프로그램으로, 이는 사회 서비스에 해당한다. 사회 서비스는 국가·지방 자치 단체 및 민간 부문의 도움이 필요한 모든 국민에게 복지, 보건 의료, 교육, 고용, 주거, 문화, 환경 등의 분야에서 인간다운 생활을 보장하고 상담, 재활, 돌봄, 정보 제공, 관련 시설의 이용, 역량 개발, 사회 참여 지원 등을 통하여 국민의 삶의 질이 향상되도록 지원하는 제도이다.

8 근로 장려 세제

근로 장려 세제는 일정 요건을 충족하는 저소득 근로자 가구에 대하여 근로 소득에 따라 산정된 근로 장려금을 지급하는 근로 연계형 소득 지원 제도로 생산적 복지 정책에 해당한다. 정부의 복지 정책이 강화됨에 따라 국민의 복지 의존성이 높아져서 국민의 근로 의욕이 줄어들고 사회 전체의 생산성과 효율성이 저하되는 복지병과 같은 부작용이 발생할 수 있다. 이에 따라 최근에는 복지 정책의 방향이 개인의 자활 노력과 국가 복지를 연계하는 생산적 복지로 바뀌고 있다.

더 알아보기 + 복지 제도의 한계와 극복 방안

한계	• 복지 사각지대 존재 • 급여 부정 수급 • 생산성과 효율성이 저하되는 복지병 발생
극복 방안	• 사회적 합의를 통한 복지 예산 확충 • 복지 예산 낭비와 복지 제도 악용 방지 • 생산적 복지 추구

1 (1) 사회 변동 (2) 인구 변화   **2** 과학과 기술의 발달   **3** (1) 긍정적 (2) 적합하지 않다 (3) 급격한 (4) 병리적인   **4** (1) ㄹ (2) ㄷ (3) ㄱ (4) ㄴ   **5** 사회 운동   **6** (1) 저출산 (2) 고령화 (3) 다문화 (4) 세계화 (5) 정보화   **7** (1) 줄어들어 (2) 문화 상대주의 (3) 증가 (4) 쌍방향적인   **8** (1) ⓒ (2) ⓔ (3) ㉠ (4) ⓛ   **9** (1) ㄴ (2) ㄷ (3) ㄱ

5일 내신 기출 베스트   44~45쪽

1 ④   **2** ①   **3** ①   **4** ④   **5** ①   **6** ⑤   **7** ③   **8** 지속 가능한 사회

1 사회 변동의 요인

사회 변동의 요인에는 과학과 기술의 발달, 가치관이나 이념의 변화, 인구 변화, 자연환경의 변화, 사회 운동 등이 있다. 민주주의는 가치관이나 이념에 해당한다.

더 알아보기 ➕ 사회 변동의 요인

과학과 기술의 발달	• 증기 기관의 발명으로 대량 생산이 가능하게 되어 산업화가 촉진됨. • 정보 통신 기술의 발전이 정보 사회의 변화를 촉발함.
가치관이나 이념의 변화	• 계몽사상이나 천부 인권 사상은 시민 혁명이 일어나는 데 영향을 끼침. • 프로테스탄트 윤리는 자본주의 발전을 촉진시킴.
인구의 변화	• 외국인의 유입이 증가하면서 다문화 사회로 변화함. • 노인 인구 비중이 늘어나면서 사회 정책과 산업 구조 등이 변화함.
자연환경의 변화	기후 변화가 진행되면서 친환경적인 생활 양식이 확산함.
사회 운동	참정권 확대 운동으로 보통 선거제가 확립됨.

2 사회 변동 이론

A, B는 사회 변동의 방향을 설명하는 이론으로, 진화론과 순환론이 여기에 해당한다. A는 사회 변동이 곧 발전이나 진보를 의미한다고 보므로 진화론이다. B는 사회가 퇴보하고 붕괴할 수도 있음을 인정하므로 순환론이다.

자료 분석 ➕ 진화론과 순환론

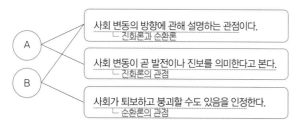

더 알아보기 ➕ 진화론과 순환론

진화론	• 사회 변동은 일정한 방향을 가짐. • 사회 변동이 곧 진보를 의미하여 긍정적임. • 사회는 단순하고 미분화된 상태에서 복잡하고 분화된 상태를 향하여 변화함. • 현대 사회가 과거 사회보다 모든 면에서 발전된 것은 아니며, 퇴보한 사회를 설명할 수 없음.
순환론	• 사회 변동은 순환(생성, 성장, 쇠퇴, 해체)함. • 사회의 발전과 쇠퇴 가능성까지 설명하고, 지난 역사의 반복되는 사회 변동을 설명하기에 유리함. • 미래 사회의 변동을 예측하는 데 적합하지 않고, 숙명론에 빠져 인간의 노력을 과소평가한다는 비판이 있음.

3 사회 변동 이론

갑은 호주제 폐지를 사회가 새로운 균형을 찾은 결과로 여기므로 기능론적 관점이다. 을은 호주제 폐지를 남성이 지배하던 사회 구조 속에서 억압받던 여성이 투쟁을 통해 얻어 낸 결과로 보므로 갈등론적 관점이다.

더 알아보기 ➕ 기능론과 갈등론

기능론	• 사회는 통합과 안정을 추구하며 유기체와 같이 균형을 유지하고자 함. • 사회 변동은 일시적으로 불균형한 상황을 극복하고 사회 구조가 다시 안정을 찾는 과점임. • 점진적인 사회 변동을 설명하기에 유리하나 전쟁, 혁명 등 급진적인 변화를 설명할 수 없음.
갈등론	• 사회는 지배 집단이 기득권을 유지하려는 것에 대한 피지배 집단의 도전이 나타나는 구조이므로 갈등이 항상 존재함. • 사회적 희소가치를 둘러싼 집단 간 갈등 속에서 사회 변동은 자연스럽게 나타남. • 급격한 사회 변동을 설명하는 데 유리하지만 사회 변동을 갈등과 대립의 산물로만 간주함.

4 사회 운동

㉠은 ×, ⓒ은 ○로 표시해야 정답이다.

자료 분석 ➕ 사회 변동

설명	답안
사회 운동은 대중이 자발적으로 하는 집단적이고 일시적 행위이다. → 사회 운동은 구체적인 사회 문제를 해결하거나 사회 체제를 근본적으로 변혁하기 위하여 대중이 자발적으로 하는 집단적이고 지속적인 행위이다.	㉠ ○ → ×
사회 운동은 뚜렷한 목표와 이념이 있다.	ⓒ ○
우리나라의 민주화 운동은 사회 운동에 해당한다. → 4·19 혁명, 5·18 민주화 운동, 6월 민주 항쟁으로 대표되는 우리나라의 민주화 운동은 시민들이 주축이 되어 권력에 대항하여 민주주의를 지켜 낸 사회 운동이다.	ⓒ × → ○

정답

5 저출산

여성의 경력 단절을 막기 위해 보육 서비스를 강화하고 부양 자녀 수를 기준으로 가족 수당을 지급하는 것은 저출산 현상의 대책이다.

더 알아보기 ✚ 저출산·고령화의 대응 방안

제도적 측면	• 출산 장려 정책: 출산과 양육에 대한 사회적 책임 강화, 일·가정 양립을 위한 제도적 지원 강화 등 • 고령화 대비 정책: 노인의 재취업 기회 확대, 여성의 노동 시장 참여 유도, 고령 친화 사업 육성, 노후 소득 보장을 위한 연금 제도 개선, 외국인 노동자 수용 확대 등
개인적 측면	• 육아에 대한 책임이 부부 모두에게 있음을 인식함. • 고령화에 대비한 개인의 자산 관리 등

6 다문화적 변화

다문화적 변화로 여러 문화가 한 사회 속에서 공존하게 되면 문화 다양성이 증가하고 여러 문화가 상호 작용하는 과정에서 문화 발전이 촉진될 수 있다. 하지만 서로 다른 문화를 가진 개인 혹은 집단 간 대립과 갈등이 발생할 수도 있다.

7 정보화

정보 사회에서 나타날 수 있는 사이버 범죄는 개인 정보 유출, 해킹, 악성 루머 유포, 저작권 침해 등이다.

더 알아보기 ✚ 정보화의 문제점

정보 오남용	질이 낮고, 정확하지 않은 정보로 인한 폐해 증가
사이버 범죄	개인 정보 유출, 해킹, 악성 루머 유포, 저작권 침해 등
정보 격차	새로운 정보 기술에 접근할 수 있는 능력에 따라 경제적·사회적 격차가 심화됨.
정보 통제와 감시	특정 집단이나 권력자가 시민의 자유와 권리를 위축시킬 수 있음.
인간 소외	인터넷을 매개로 한 형식적이고 피상적 인간관계가 확산됨.

8 지속 가능한 사회

지속 가능한 사회는 지속 가능성에 기초하여 경제 성장, 사회의 안정과 통합, 환경의 보전이 균형을 이루는 사회이다.

더 알아보기 ✚ 전 지구적 수준의 문제

환경 문제	• 지구 온난화: 해수면 상승, 기상 이변 현상 발생 • 열대 우림 파괴: 생물 다양성 훼손, 기상 이변 증가, 지구 온난화 현상 가속화 • 사막화, 황사 및 미세 먼지, 빠르게 사라지는 빙하 등
자원 문제	• 자원 고갈: 재생 불가능한 에너지 자원이 줄어듦. • 식량 부족: 사막화와 이상 기후로 인한 곡물 생산 감소 • 물 부족: 지구 온난화로 인한 물 공급 감소
전쟁과 테러	• 전쟁: 대규모의 인명 및 재산 피해 발생, 인간의 존엄성 파괴, 인류 문명과 자연환경 파괴 • 테러: 사람들의 일상을 위협

1 ② **2** ③ **3** ③ **4** ④ **5** ③ **6** ⑤ **7** ⑤ **8** ⑤
9 ② **10** ⑤

1 하위문화

청소년 문화와 같은 세대 문화, 히피 문화나 범죄 문화와 같은 반문화는 모두 하위문화의 한 종류이다. 하위문화는 한 사회 내의 일부 구성원들이 공유하는 문화를 말한다.

2 대중 매체

제시된 매체들은 모두 대중 매체이다. 쌍방향 의사소통이 가능한 매체는 인터넷과 이동 통신이다.

오답 피하기

ㄱ. 신문, ㄷ. 라디오, ㄹ. 텔레비전은 일방향적인 정보 전달이 이루어지는 일방향 매체이다.

3 반문화

히피 문화는 기존 기성세대의 문화에 저항하는 반문화이다.

선택지 바로 보기

① 지역 사회의 발전과 교류에 이바지한다. (×)
→ 지역 문화에 대한 설명이다.

② 특정 연령층이 공유하는 경험에 의해 형성되었다. (×)
→ 세대 문화에 대한 설명이다.

③ 보수 사회에 대한 저항의 문화로 사회 변화를 이끌었다. (○)

④ 지역 주민들의 정체성을 확립하고 유대감을 길러주는 역할을 하였다. (×)
→ 지역 문화에 대한 설명이다.

⑤ 대중 매체의 영향을 바탕으로 충동적이고, 모방적인 성향을 보였다. (×)
→ 대중문화에 대한 설명이다.

4 대중문화의 문제점

주어진 사례를 통해 연예인들의 소비 행태가 대중 매체를 통해 전파되면서 일반 대중들의 모방 소비를 부추긴다는 것을 알 수 있다.

5 문화 접변의 결과

(가)는 문화 병존, (나)는 문화 동화, (다)는 문화 융합에 해당한다. 문화 병존은 서로 다른 사회의 문화가 한 사회의 문화 속에서 나란히 존재하는 것이다. 문화 동화는 한 사회의 문화가 다른 사회의 문화로 흡수되거나 대체되는 것이다. 문화 융합은 서로 다른 사회의 문화 요소가 결합하여 기존의 두 문화 요소와는 다른 성격을 지닌 새로운 문화가 나타나는 것이다.

자료 분석 ✚ 문화 접변의 결과

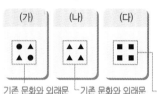

기존 문화와 외래문
화의 접촉 결과, 기
존 문화와 외래문화
가 같이 존재한다.

기존 문화와 외래문
화의 접촉 결과, 외
래문화만 남았다.

기존 문화와 외래문
화의 접촉 결과, 새
로운 문화가 생겼다.

6 문화 지체 현상

문화 변동 과정에서 물질문화와 비물질문화의 변동 속도 차이로
인해 부조화 현상이 발생하는데, 이를 문화 지체 현상이라고 한다.

더 알아보기 ✚ 문화 지체 현상

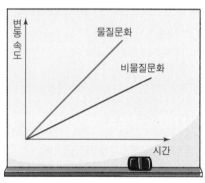

물질문화의 변동 속도를 비물질문화의 변동 속도가 따라가지 못하는 문화
지체 현상을 그래프로 나타낸 것이다.

7 사회 불평등 현상

사회적 자원이 불평등하게 분배됨으로써 개인과 집단이 서열화
되는데, 이를 사회 불평등 현상이라고 한다. 사회 불평등 현상
은 사회적 자원의 종류에 따라 다양한 유형으로 나타난다. 경제
적 불평등은 주로 재산이나 소득의 차이로 나타난다. 정치적 불
평등은 권력의 소유와 행사의 차이로 나타난다. 사회·문화적 불
평등은 사회적 위신, 명예, 교육 수준, 지식 소유 등 사회·문화적
생활의 기회와 수준의 차이로 나타난다.

8 계급과 계층

(가)는 계급 이론, (나)는 계층 이론을 보여 준다. 베버의 계층 이
론에 따르면 다양한 차원의 지위는 불일치할 수 있다.

선택지 바로 보기

① (가)는 베버의 일원론에 입각한다. (×)
→ 마르크스의 일원론에 입각한다.

② (가)는 계급 간에 연속성을 보인다. (×)
→ 계급 간 이분법적·불연속적이다.

③ (가)는 현대 사회 계층 이론의 토대가 되었다. (×)
→ (나) 계층에 대한 설명이다.

④ (나)의 계층은 불연속적 분포를 보인다. (×)
→ 계층은 서열적·연속적이다.

⑤ (나)의 세 가지 차원은 서로 밀접한 관련이 있으나 반드시 일치
하는 것은 아니다. (○)

더 알아보기 ✚ 계급과 계층

〈계급 이론〉
• 생산 수단의 소유 여부에 의해 결정됨.
• 이분법적·불연속적으로 구분되고, 지배와
피지배 관계의 의미를 포함하고 있음.
• 지위 불일치 현상을 설명할 수 없음.

〈계층 이론〉
• 계층은 경제적인 부, 사회적 위신, 정치적
권력 요인들에 의해 복합적으로 형성됨.
• 서열적·연속적으로 구분되고, 지배와 피
지배 관계 같은 의미를 포함하지 않음.
• 지위 불일치 현상을 설명할 수 있음.

9 사회 계층 구조

(가) 피라미드형 계층 구조는 상층에서 하층으로 갈수록 구성원
의 비율이 높아지는 구조로, 과거 전통적인 신분제 사회나 오늘
날의 저개발국 등에서 주로 나타난다. (나) 다이아몬드형 계층
구조는 상층과 하층에 비해 중층 구성원의 비율이 가장 높은 구
조로, 근대 이후 산업 사회에서 주로 나타난다. 중층이 상층과 하
층의 완충 역할을 하므로 사회가 상대적으로 안정된 특성을 보
인다.

선택지 바로 보기

ㄱ. (가)는 피라미드형 계층 구조이다. (○)

ㄴ. (가)는 다이아몬드형 계층 구조보다 계층 간 격차가 줄어든 형
태이다. (×)
→ 다이아몬드형 계층 구조가 피라미드형 계층 구조보다 계층 간 격차가 줄어
든 형태이다.

ㄷ. (나)는 표주박형 계층 구조이다. (×)
→ (나)는 다이아몬드형 계층 구조이다.

ㄹ. (나)는 사회가 상대적으로 안정된 특성을 보인다. (○)

10 사회 이동

대지주의 딸에서 전 재산을 잃은 사람이 된 것은 하강 이동이다.

부모의 지위와 나의 지위가 다르기 때문에 세대 간 이동이며, 대지주의 딸이었을 때의 지위와 지금의 지위가 다르기 때문에 세대 내 이동이며 개인적 이동이다. 반면, 김길상의 경우 개인의 노력에 의한 것이 아니라, 개혁이라는 사회 계층 구조의 변화로 평민이 된 것이므로 구조적 이동이다.

6일 누구나 100점 테스트 2회 48~49쪽

1 ⑤ 2 ④ 3 ⑤ 4 ② 5 ③ 6 ⑤ 7 ⑤ 8 ④
9 ④ 10 ⑤

1 사회적 소수자
어떤 사람들은 신체적 또는 문화적 특성으로 인해 자기가 사는 사회의 다른 구성원들과 구별되어 불평등한 처우를 받기도 하는데 이들을 사회적 소수자라고 한다. 제시된 법률과 정책은 사회적 소수자들이 받는 차별을 개선하고 그들을 우대하기 위한 정책들이다.

2 빈곤
절대적 빈곤은 소득이 인간다운 최저 생활을 유지하는 데 필요한 기준에 미치지 못하는 경우로, 인간의 기본적인 욕구 충족을 위한 자원이 심각하게 부족한 상태를 의미한다. 상대적 빈곤은 사회 전반적인 소득 수준과 대비하여 소득 수준이 낮은 상태를 의미하며, 대부분의 국가에서 소득이 중위 소득의 일정 비율에 못 미치는 가구를 상대적 빈곤층으로 파악한다.
④ 2007년에 7.0%, 2011년에 6.3%로 절대적 빈곤율은 줄어들었지만, 절대 빈곤 가구 수가 줄어들었는지는 알 수 없다.

오답 피하기
①, ② 절대적 빈곤율과 상대적 빈곤율이 모두 하락하고 있으므로 빈곤이 완화되고 있다고 볼 수 있다. ③ 모든 연도에서 상대적 빈곤율이 절대적 빈곤율보다 높다. ⑤ 2013년의 경우 상대적 빈곤율이 11.7%로 절대적 빈곤율 5.9%에 비해 약 2배 크다.

3 사회 복지 제도
(가)는 사회 서비스, (나)는 사회 보험, (다)는 공공 부조에 해당한다. 사회 서비스는 국가·지방 자치 단체 및 민간 부문의 도움이 필요한 모든 국민에게 다양한 분야에서 인간다운 생활을 보장하고 상담, 재활, 돌봄 등을 통하여 국민의 삶의 질이 향상되도록 지원하는 제도이다. 사회 보험은 국민에게 미래에 발생할 수 있는 상해, 노령, 질병, 실업 등 사회적 위험을 보험의 방식으로 대처함으로써 국민의 건강과 소득을 보장하는 제도이다. 공공 부조는 국가와 지방 자치 단체의 책임하에 생활을 유지할 능력이 없거나 생활이 어려운 국민의 최저 생활을 보장하고 자립을 지원하기 위해 금전적·물질적 급여를 제공하는 제도이다.

4 공공 부조
공공 부조는 국민들이 납부한 세금을 재원으로 하여, 소득 및 재산이 일정 수준 이하인 계층에게 무상으로 지원하므로 소득 재분배 효과가 크다.

선택지 바로 보기
① 강제 가입이 원칙이다. (×)
→ 사회 보험에 대한 설명이다.
② 소득 재분배 효과가 크다. (○)
③ 사전 예방적 성격을 지닌다. (×)
→ 사회 보험에 대한 설명이다.
④ 개인, 정부, 기업이 공동으로 보험료를 마련한다. (×)
→ 사회 보험에 대한 설명이다.
⑤ 국민연금, 국민 건강 보험, 고용 보험이 이에 해당한다. (×)
→ 사회 보험에 대한 설명이다.

5 사회 보험
사회 보험은 재산 및 소득 등 경제적 능력에 따라 보험료를 부담하고 사회적 위험이 발생했을 때 비슷한 수준의 보험 급여를 지급한다.

선택지 바로 보기
① 모든 국민을 대상으로 한다. (×)
→ 보험료를 부담한 사람을 대상으로 한다.
② 비금전적 지원을 원칙으로 한다. (×)
→ 금전적 지원을 원칙으로 한다.
③ 경제적 능력에 따라 보험료를 부담한다. (○)
④ 보조적 사회 보장에 그친다는 한계가 있다. (×)
→ 사회 서비스에 대한 설명이다.
⑤ 복지 서비스 제공에 민간 부문이 참여하기도 한다. (×)
→ 사회 서비스에 대한 설명이다.

6 사회 변동에 대한 갈등론적 관점
갈등론은 지배 집단이 기득권을 유지하려고 하지만 피지배 집단이 이에 도전하여 불평등한 구조를 변화시키려고 하는 과정에서 사회 변동이 발생한다고 본다.

선택지 바로 보기
① 사회의 전체적인 균형을 중시한다. (×)
→ 기능론에 대한 설명이다.
② 사회 변동의 방향성을 설명하는 데 용이하다. (×)
→ 진화론, 순환론에 대한 설명이다. 갈등론은 구조적인 측면에서 사회 변동을 설명한다.
③ 사회 변동은 균형에 위협을 줄 수 있다고 본다. (×)
→ 기능론에 대한 설명이다.
④ 사회가 생성, 성장, 쇠퇴, 해체를 반복한다고 본다. (×)
→ 순환론에 대한 설명이다.
⑤ 사회의 여러 부분이 대립하는 과정에서 나타나는 변화를 사회 변동으로 본다. (○)

7 사회 운동

사회 운동은 구체적인 사회 문제를 해결하거나 사회 체제를 근본적으로 변혁하기 위하여 대중이 자발적으로 하는 집단적이고 지속적인 행위를 의미한다.

8 고령화의 영향

고령화는 전체 인구에서 노인 인구가 차지하는 비율이 증가하는 현상을 의미한다. 우리나라는 이미 고령 사회에 진입하였으며 얼마 지나지 않아 초고령 사회에 진입할 것으로 예상된다. 이처럼 고령화가 급속도로 진행되면서 사회 전반에 광범위한 사회 변동이 나타날 것으로 예상된다. ㉣ 노인 인구를 대상으로 한 복지 지출이 증가하여 정부의 재정 건전성이 약화되는 문제가 발생할 수 있다.

더 알아보기 + 고령화의 영향

- 노인을 대상으로 한 새로운 산업의 성장
- 사회적 의사 결정 과정에서 노인층의 영향력 증대
- 노인 인구를 대상으로 한 복지 지출 증가로 인한 정부의 재정 건전성 약화

9 다문화적 변화

다문화적 변화로 여러 문화가 한 사회 속에서 공존하게 되면 문화 다양성이 증가할 수 있고, 새로운 문화가 출현하면서 문화 발전이 촉진될 수도 있다. 하지만 서로 다른 문화 간 갈등이 발생할 수 있으므로 다문화적 변화로 나타날 문제점을 예상하고 다양한 대응 방안을 마련하는 것이 필요하다.

자료 분석 + 외국인 주민 수와 비율 추이

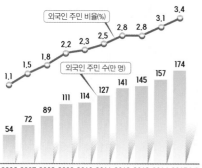

외국인 주민 비율(%)
3.4
3.1
2.8 2.8
2.5
2.2 2.3
1.8
1.5
1.1

외국인 주민 수(만 명)
54 72 89 111 114 127 141 145 157 174

2006 2007 2008 2009 2010 2011 2012 2013 2014 2015 (년)
(행정자치부, 「2016 행정자치 통계 연보」)

외국인 주민 비율이 2006년에 비해 2015년에 3배 이상 높아졌고, 외국인 주민 수도 2015년 현재 174만 명에 달하고 있다. 즉, 우리나라도 세계 여러 국가에서 온 이주민이 늘어나면서 사회, 문화, 정치, 경제 등 사회 전반에서 다문화적 변화가 나타나고 있다.

10 전 지구적 수준의 문제

제시문은 지구 온난화에 따른 이상 기후를 내용으로 한 환경 문제에 관한 기사이다. 환경 문제와 같은 전 지구적 수준의 문제를 해결하려면 환경 오염을 유발하는 국가들을 규제하는 것뿐만 아니라 인류 공동의 노력과 국제 협력이 필요하다.

---

6 일 서술형·사고력 테스트 / 창의·융합·코딩 테스트   50~53쪽

1 주류 문화와 하위문화

(1) (가): 주류 문화, (나): 하위문화

(2) ✎모범 답안 (가) 주류 문화는 한 사회의 일반적이고 주요한 생활 양식의 특징을 보여 주고, (나) 하위문화는 시간과 공간에 따라 상대적인 성격을 띤다.

핵심 단어 주류 문화, 일반적, 주요, 생활 양식, 하위문화, 상대적

채점 기준	구분
주류 문화와 하위문화를 쓰고, 각 문화의 특징을 한 가지씩 옳게 서술한 경우	상
주류 문화와 하위문화를 쓰고, 두 문화 중 한 가지의 특징만 옳게 서술한 경우	중
주류 문화와 하위문화만 쓴 경우	하

2 청소년 문화

✎모범 답안 청소년의 경우, 기성세대와 달리 변화 지향적이다. 이러한 변화 지향적인 성격은 대중문화를 단순히 수용하는 것이 아니라 새로운 문화를 창조하고 예술로 승화시킬 수 있는 능력을 지니고 있다. 새로운 문화를 창조하고 생산하는 것은 청소년 문화의 긍정적인 측면이다.

핵심 단어 변화 지향적, 창조, 생산

채점 기준	구분
글을 바탕으로 청소년 문화의 긍정적 특징을 서술한 경우	상
글을 바탕으로 청소년 문화의 긍정적 특징을 서술하였지만 미흡한 경우	중
일반적인 청소년 문화의 특징을 서술한 경우	하

3 올바른 대중문화 수용 태도

✎모범 답안 대중 매체를 통해 전파되는 대중문화를 맹목적으로 수용하기보다는 비판적인 시각으로 해석하고 검토해야 한다.

핵심 단어 비판적, 해석, 검토

채점 기준	구분
두 신문 기사를 바탕으로 대중문화의 수용 태도를 서술한 경우	상
두 신문 기사를 바탕으로 대중문화의 수용 태도를 서술하였지만 미흡한 경우	중
일반적인 대중문화의 수용 태도를 서술한 경우	하

4 문화 접변의 결과

(1) (가): 문화 병존, (나): 문화 동화, (다): 문화 융합

(2) ✎모범 답안 (가): 우리나라에 토착 종교와 외래 종교가 함께 존재한다. (나): 라틴 아메리카의 원주민들이 원래 사용하던 언어 대신 포르투갈어나 에스파냐어를 사용한다. (다): 미국에서

아프리카 흑인 음악과 유럽 백인 음악의 요소가 어우러져 재즈가 탄생하였다.

핵심 단어 문화 병존, 문화 동화, 문화 융합

채점 기준	구분
(가)~(다)에 해당하는 사례를 모두 옳게 서술한 경우	상
(가)~(다)에 해당하는 사례를 두 가지 옳게 서술한 경우	중
(가)~(다)에 해당하는 사례를 한 가지 옳게 서술한 경우	하

5 사회 불평등 현상

(1) A: 기능론, B: 갈등론

(2) ✍ 모범 답안 A는 사회적 희소 자원이 개인의 능력과 노력, 사회에 기여하는 정도에 따라 합리적으로 분배되어 사회 불평등 현상이 나타난다고 본다. B는 지배 집단이 자신의 기득권을 유지하기 위해 사회적 자원을 불공정하게 분배한 결과 사회 불평등 현상이 나타난다고 본다.

핵심 단어 사회적 희소 자원, 능력, 노력, 합리적, 분배, 지배 집단, 기득권, 불공정, 분배

채점 기준	구분
A, B의 관점에서 사회 불평등 현상의 원인을 모두 서술한 경우	상
A, B의 관점에서 본 사회 불평등 현상의 원인 중 한 가지만 옳게 서술한 경우	중
일반적인 사회 불평등 현상의 원인을 서술한 경우	하

6 사회 계층 구조

step 1 피라미드형, 다이아몬드형

step 2 전통 사회, 불안정, 산업 사회, 안정적

step 3 산업화, 피라미드형, 다이아몬드형

채점 기준	구분
step1~step3의 내용을 모두 옳게 쓴 경우	상
step1~step3의 내용 중 다섯 개 이상 옳게 쓴 경우	중
step1~step3의 내용 중 다섯 개 미만 옳게 쓴 경우	하

7 성 불평등

✍ 모범 답안 성 불평등 현상 / 학교 교육과 대중 매체 등 다양한 경로를 통해 성 평등 교육을 강화하고, 성차별적 요소가 있는 법률과 제도를 개선한다.

핵심 단어 성 불평등, 성 평등 교육, 법률, 제도, 개선

채점 기준	구분
성 불평등이라고 쓰고, 성 불평등 현상을 해결할 수 있는 방안을 두 가지 옳게 서술한 경우	상
성 불평등이라고 쓰고, 성 불평등 현상을 해결할 수 있는 방안을 한 가지 옳게 서술한 경우	중
성 불평등이라고만 쓴 경우	하

8 사회 보장 제도

✍ 모범 답안 (가)는 공공 부조이고 (나)는 사회 보험이다. 공공 부조는 사후 처방적인 성격을 지니며, 소득 재분배 효과가 크다. 사회 보험은 사전 예방적 성격을 지니며, 대상자의 강제 가입이 원칙이다.

핵심 단어 공공 부조, 사후 처방적, 소득 재분배, 사회 보험, 사전 예방적, 강제 가입

채점 기준	구분
공공 부조와 사회 보험의 특징을 두 가지씩 모두 옳게 서술한 경우	상
공공 부조와 사회 보험의 특징을 한 가지씩 옳게 서술한 경우	중
공공 부조와 사회 보험만 쓴 경우	하

9 사회 변동 이론

✍ 모범 답안 방향, 구조, 순환, 기능

채점 기준	구분
네 가지 용어를 모두 옳게 쓴 경우	상
세 가지 용어를 옳게 쓴 경우	중
두 가지 이하의 용어를 옳게 쓴 경우	하

10 다문화적 변화의 대응 방안

✍ 모범 답안 서로의 문화적 차이를 인정한다. 문화 상대주의적 태도를 갖는다.

핵심 단어 문화적 차이, 인정, 문화 상대주의

채점 기준	구분
개인적 차원의 노력을 한 가지 옳게 서술한 경우	상
개인적 차원의 노력을 한 가지 서술하였지만 미흡한 경우	중
사회적 차원의 노력을 서술한 경우	하

11 정보화

✍ 모범 답안 정보 격차 / 정보 통신 교육, 정보 인프라 등을 확대하고, 누구라도 손쉽게 가치 있는 정보를 이용할 수 있는 여건을 만들어야 한다.

핵심 단어 정보 통신 교육, 정보 인프라, 정보 이용

채점 기준	구분
정보 격차를 쓰고, 정보 격차를 해결할 수 있는 방안을 옳게 서술한 경우	상
정보 격차를 쓰고, 정보 격차를 해결할 수 있는 방안을 서술하였지만 미흡한 경우	중
정보 격차만 쓴 경우	하

12 십자풀이로 내용 정리

〈가로 열쇠〉 ① 발명 ③ 문화 지체 ④ 정보화 ⑥ 고령화 ⑦ 간접 전파

〈세로 열쇠〉① 발견 ② 세계화 ③ 문화 동화 ⑤ 직접 전파

채점 기준	구분
가로 퍼즐과 세로 퍼즐에 들어갈 단어를 모두 옳게 쓴 경우	상
가로 퍼즐과 세로 퍼즐에 들어갈 단어를 다섯 개 이상 아홉 개 미만 옳게 쓴 경우	중
가로 퍼즐과 세로 퍼즐에 들어갈 단어를 다섯 개 미만 옳게 쓴 경우	하

7일 학교시험 기본 테스트 1회 54~57쪽

1 ③ 2 ② 3 ⑤ 4 ⑤ 5 ② 6 ④ 7 ⑤ 8 ②
9 ① 10 ⑤ 11 ① 12 ⑤ 13 ② 14 ⑤ 15 ③
16 ③ 17 ③ 18 ① 19 ⑤ 20 ③

1 청소년 문화

ㄴ. 고민을 친구들과 나눈다고 답한 비율이 높은 것은 청소년 집단 내부의 결속력과 유대감이 강하다는 것을 보여 준다. ㄷ. 대부분의 여가 시간을 게임이나 인터넷 등을 하며 보내는 것으로 보아 대중문화의 영향을 많이 받고 있음을 추론할 수 있다.

2 대중문화의 문제점

② 상업화된 대중문화는 많은 사람의 흥미를 끌기 위해 자극적인 내용에만 치우칠 위험이 있다.

3 문화 변동 요인

이두는 중국 한자의 음과 뜻을 빌려 우리말을 표기한 것으로, 자극 전파의 사례이다.

선택지 바로 보기

① 발명을 통해 문화 변동이 일어났다. (×)
→ 발명은 문화 변동의 내재적 요인이다. 자극 전파는 문화 변동의 외재적 요인이다.
② 매개체를 통해 다른 문화 요소가 전파되었다. (×)
→ 간접 전파에 대한 설명이다.
③ 서로 다른 문화 요소가 정체성을 유지하고 있다. (×)
→ 문화 병존에 대한 설명이다.
④ 다른 문화와 직접 접촉하여 새로운 문화가 생겼다. (×)
→ 직접 전파에 대한 설명이다.
⑤ 다른 사회의 문화 요소에서 아이디어를 얻어 새로운 문화 요소가 만들어졌다. (○)

4 문화 변동 양상

그림은 갑국에만 존재하는 문화 요소, 갑국과 을국에 공통으로 존재하는 문화 요소, 을국에만 존재하는 문화 요소를 보여 준다.

⑤ 갑국과 을국의 공통적인 문화 요소가 증가했으므로 문화적 동질성이 심화되었다고 볼 수 있다.

선택지 바로 보기

① e와 f는 문화 동화의 사례이다. (×)
→ 을국에만 존재했던 문화 요소 e, f가 갑국과 을국의 공통적인 문화 요소가 되었다. 갑국의 문화 요소가 그대로 존재하므로 문화 병존의 사례이다.
② 갑국에서는 문화 요소가 감소하였다. (×)
→ 갑국에서는 문화 요소가 증가하였다.
③ 을국에서는 문화 요소가 증가하였다. (×)
→ 을국에서는 문화 요소의 변화가 없다.
④ 갑국에서 을국으로 문화 전파가 일어났다. (×)
→ 을국에서 갑국으로 문화 e, f가 전파되었다.
⑤ 갑국과 을국의 문화적 동질성이 심화되었다. (○)

5 사회 불평등 현상

사회 불평등 현상이란 부, 권력, 명예 등의 사회적 자원이 불평등하게 분배되어 개인 및 집단이 서열화하는 현상이다. ② 사회 불평등 현상은 계층 간, 집단 간 갈등을 초래하여 사회 통합을 저해할 수 있다.

6 계급과 계층

마르크스는 계급 개념으로 사회 불평등을 설명하였다. 계급이란 생산 수단에 대해 공통의 관계를 맺는 집단이다. 이러한 생산 수단의 소유에 따른 관계는 단순히 생산뿐만 아니라 분배, 교환, 소비 등 모든 경제 과정에 영향을 미치고, 이런 경제적 측면이 계급을 결정하게 된다. 베버는 계급뿐만 아니라 당파와 지위 집단 개념도 사용하여 사회 불평등을 설명하였다. 당파는 특정 정치적 속성을 공유하는 사람들의 공동체를 가리키고, 지위 집단은 사회적으로 귀속된 공통의 위신이나 명예를 바탕으로 형성된 공동체를 뜻한다. 경제적 자원의 차이에 따라 계급이 만들어지고, 권력의 차이에 따라 당파가 만들어지며, 사회적 위신이나 명예의 차이에 따라 지위 집단이 만들어진다. 그것들을 사회 불평등의 세 차원이라고 한다.

선택지 바로 보기

갑: 계급은 서열적, 연속적으로 계층을 인식합니다. (×)
→ 계급은 이분법적, 불연속적으로 구분한다.
을: 계급은 지위 불일치 현상을 설명할 수 있습니다. (×)
→ 계층은 지위 불일치 현상을 설명할 수 있다.
병: 계급은 계층에 비해 위계의 구분 기준이 다양합니다. (×)
→ 계층은 계급에 비해 위계의 구분 기준이 다양하다.
정: 계층은 다양한 요인에 의해 불평등이 나타난다고 봅니다. (○)
무: 계층은 경제적 요인을 사회 불평등의 원인으로 보지 않습니다. (×)
→ 계층은 경제적 요인을 사회 불평등의 한 요인으로 본다.

7 계층 구조와 사회 이동

⑤ 다이아몬드형 계층 구조가 피라미드형 계층 구조보다 수직 이동이 활발할 수 있지만, 수평 이동보다 수직 이동이 주로 발생한다고는 말할 수 없다.

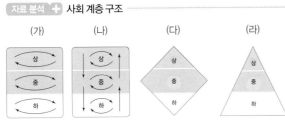

자료 분석 ➕ **사회 계층 구조**

(가)는 폐쇄적 계층 구조, (나)는 개방적 계층 구조이다. (다)는 다이아몬드형 계층 구조이고, (라)는 피라미드형 계층 구조이다. (가)와 (나)는 사회 이동의 가능성과 조건에 따른 것이고, (다)와 (라)는 계층 구성원의 비율에 따른 것이다.

8 성 불평등

② 남녀의 체력 차이는 육체적 차이이지 불평등의 차원으로 볼 수는 없다.

9 빈곤의 유형

(가)는 절대적 빈곤, (나)는 상대적 빈곤이다. 절대적 빈곤은 인간의 기본적인 욕구 충족을 위한 자원이 심각하게 부족한 상태를 의미한다. 상대적 빈곤은 사회의 전반적인 소득 수준과 대비하여 소득 수준이 낮은 상태로, 대부분의 국가에서 소득이 중위 소득의 일정 비율에 못 미치는 가구를 상대적 빈곤층으로 파악한다.

선택지 바로 보기

ㄱ. 경제가 성장하면 (가)보다 (나)의 문제가 더 심각해진다. (ㅇ)

ㄴ. (가)는 대부분의 국가에서 소득이 중위 소득의 일정 비율에 못 미치는 가구로 파악한다. (✕)
→ (나) 상대적 빈곤에 대한 설명이다.

ㄷ. (나)는 인간의 기본적인 욕구 충족을 위한 자원이 심각하게 부족한 상태를 의미한다. (✕)
→ (가) 절대적 빈곤에 대한 설명이다.

10 사회 보장 제도

A는 공공 부조, B는 사회 보험이다. 공공 부조는 국가와 지방 자치 단체의 책임하에 생활을 유지할 능력이 없거나 생활이 어려운 국민의 최저 생활을 보장하고 자립을 지원하기 위해 금전적·물질적 급여를 제공하는 제도이다. 사회 보험은 국민에게 미래에 발생할 수 있는 상해, 질병, 노령, 실업, 사망 등의 사회적 위험을 보험의 방식으로 대처함으로써 국민의 건강과 소득을 보장하는 제도이다. ⑤ 공공 부조는 생활이 어려운 국민을 대상으로 하므로 사회 보험보다 수혜 대상자의 범위가 좁다.

선택지 바로 보기

① A는 사전 예방적 성격을 지닌다. (✕)
→ B 사회 보험에 대한 설명이다.

② A는 개인, 정부, 기업이 공동으로 분담하여 보험료를 마련한다. (✕)
→ B 사회 보험에 대한 설명이다.

③ B는 국가의 재정 부담이 크다는 한계가 있다. (✕)
→ A 공공 부조에 대한 설명이다.

④ B는 소득 및 재산이 일정 수준 이하인 계층에게 무상으로 지원한다. (✕)
→ A 공공 부조에 대한 설명이다.

⑤ (가)에는 '수혜 대상자의 범위'가 들어갈 수 있다. (ㅇ)

11 사회 보장 제도

A는 사회 보험이고, B는 공공 부조이다. (가)에는 사회 보험과 공공 부조의 공통점이 들어가야 한다.

선택지 바로 보기

ㄱ. 소득 재분배 효과가 있다. (ㅇ)

ㄴ. 금전적 지원을 원칙으로 한다. (ㅇ)

ㄷ. 사전 예방적 성격을 지닌다. (✕)
→ 사전 예방적 성격을 지닌 것은 사회 보험이다.

ㄹ. 보조적 사회 보장에 그친다는 한계가 있다. (✕)
→ 사회 서비스에 대한 설명이다.

12 생산적 복지

정부의 복지 정책이 강화됨에 따라 국민의 복지 의존성이 높아져서 국민의 근로 의욕이 줄어들고 사회 전체의 생산성과 효율성이 저하되는 복지병과 같은 부작용이 발생할 수 있다. 이에 따라 최근에는 복지 정책의 방향이 개인의 자활 노력과 국가 복지를 연계하는 생산적 복지로 바뀌고 있다. ㄴ. 복지 지출로 발생하는 국가 재정 악화를 지적하고 있으므로 복지 서비스 영역은 축소되어야 한다.

13 사회 변동

사회 변동은 인간의 생활 방식, 의식 구조, 사회적 관계, 사회 구조 등이 총체적으로 변화하는 현상이다. ② 사회 변동의 양상은 사회마다 그 속도나 방향에서 차이가 있지만, 사회 변동은 어느 사회에서나 찾아볼 수 있는 보편적인 현상이다.

14 사회 변동 이론

(가)는 진화론이다. 진화론은 사회 변동이 일정한 방향을 가지고 있으며, 변동은 곧 진보를 의미한다고 보는 이론이다. 진화론에 의하면, 사회는 단순하고 미분화된 상태에서 복잡하고 분화된 상태를 향하여 변화한다. 이 과정에서 낡고 비합리적인 것에서 새롭고 합리적인 것으로 사회가 발전하는 진보적 변화가 나타나는 것이다.

① 급격한 사회 변동을 설명하기에 유용하다. (×)

→ 갈등론에 대한 설명이다.

② 점진적인 사회 변동을 설명하는 데 유용하다. (×)

→ 기능론에 대한 설명이다.

③ 사회가 퇴보하고 소멸할 수 있음을 인정한다. (×)

→ 순환론에 대한 설명이다.

④ 사회는 생성, 성장, 쇠퇴, 해체를 반복한다고 본다. (×)

→ 순환론에 대한 설명이다.

⑤ 사회는 미분화된 상태에서 분화된 상태로 변화한다고 본다. (○)

15 사회 변동 이론

갑은 기능론, 을은 갈등론의 입장이다. 기능론은 사회를 구성하는 부분들 간에 긴장이나 기능적 불균형이 나타나면 전체적으로 이를 조정하는 과정에서 사회 변동이 발생한다고 본다. 갈등론은 지배 집단이 기득권을 유지하려고 하지만 피지배 집단이 이에 도전하여 불평등한 구조를 변화시키려고 하는 과정에서 사회 변동이 발생한다고 본다.

16 사회 운동

사회 운동은 구체적인 사회 문제를 해결하거나 사회 체제를 근본적으로 변혁하기 위하여 대중이 자발적으로 하는 집단적이고 지속적인 행위를 의미한다.

자료 분석 ➕ 사회 운동

설명 학생	갑	을	병	정	무
사회 운동은 기존 질서의 변동을 목적으로만 이루어진다. → 사회 운동은 기존의 사회 질서를 유지하기 위해 이루어지기도 한다.	V				V
사회 운동은 목표와 이념, 목표 달성을 위한 조직이 있다.			Ⓥ	V	V
오늘날 사회 운동은 과거보다 단순화되어 전개된다. → 오늘날에는 새로운 쟁점을 제기하는 사회 운동이 다양하게 전개된다.	V	V		V	
사회 운동이 사회 변동으로 이어지기 위해서는 사회 구성원의 지지가 필요하다.			V	Ⓥ		V

17 저출산의 원인

저출산은 출산율이 적정 수준보다 낮은 현상을 의미한다. 저출산이 나타나는 원인으로는 결혼과 자녀에 대한 가치관 변화, 자녀 양육에 따른 경제적 부담 증가, 여성의 사회 진출 증가 등을 들 수 있다.

오답 피하기

ㄱ은 고령화, ㄹ은 세계화의 원인이다.

더 알아보기 ➕ 저출산의 영향

- 노동력이 줄어 국가의 경제 성장을 저해할 수 있음.
- 부양 인구가 줄어 사회 복지 지출 부담이 커지게 되면, 세대 간 갈등을 유발하고 사회 통합을 저해할 수 있음.

18 세계화

세계화란 국가 간에 인적, 물적 교류가 확대되면서 국가 간 상호 의존성이 커지고 지구촌 전체가 단일한 체계로 통합되는 현상을 의미한다. ① 세계화로 국가 간 경쟁이 심화하면서 경쟁력이 약한 국가의 산업 기반이 무너지고 국가 간·계층 간 격차가 더욱 벌어지기도 한다.

더 알아보기 ➕ 세계화

요인	• 교통·통신 기술의 발달로 인해 국가 간 교류와 소통이 활성화됨. • 기업들이 경제 활동의 범위를 세계 시장으로 넓힘에 따라 상품, 자본, 노동의 국가 간 이동이 늘어남. • 냉전 체제가 종식된 이후 국가 간 교류의 범위가 확대됨.
양상	• 사회·문화적 측면: 세계 여러 지역의 생활 양식이 널리 확산됨. • 경제적 측면: 전 세계가 단일한 시장으로 통합됨. • 정치적 측면: 지구촌 문제에 공동으로 대응하는 양상으로 진행됨.
대응	• 문화 정체성 약화 및 문화 간 충돌 발생 → 공동체 의식과 인류애를 바탕으로 서로의 문화를 존중하는 태도와 인식을 함양해야 함. • 빈곤, 불평등의 문제 심화 → 세계 시민 의식을 고려한 대응 방안을 마련해야 함.

19 정보화의 문제점

정보화는 지식과 정보가 사회 활동 전반에서 차지하는 비중이 커지는 현상이다. ⓛ은 정보 격차를 해결하는 방안이다. 사이버 범죄를 해결하려면 정보 통신 윤리 교육을 강화하거나 사이버 범죄를 예방하고 처벌하는 사회 제도를 마련해야 한다.

자료 분석 ➕ 정보화의 문제점과 해결 방안

구분	문제점	해결 방안
정보 격차	㉠ 특정 계층이나 집단만이 가치 있고 중요한 정보에 접근하고 활용할 수 있음.	㉡ 정보 통신 교육, 정보 인프라 확대 등
정보 홍수 및 정보 오남용	대량의 정보 중 상당수가 불필요하거나 신뢰할 수 없는 정보에 해당함.	㉢ 해당 정보가 사실에 근거하고 있는지 파악
사이버 범죄	㉣ 해킹, 프로그램 불법 복제, 사이버 폭력, 전자 상거래 사기 등	사이버 범죄를 예방하거나 처벌하는 사회 제도를 마련해야 하며, 개인 스스로도 사이버 범죄의 가해자 또는 피해자가 되지 않도록 주의해야 함.

20 세계 시민

전 지구적 수준의 문제에 능동적으로 대응하며 지속 가능한 사회를 이끌어 가기 위해서는 시민 각자가 세계 시민으로서의 자질을 함양할 필요가 있다. ③ 세계 시민은 국가를 초월하고, 특정한 이해관계를 벗어나 보편적인 가치를 추구하고 행동하는 시민성을 갖춰야 한다.

> **더 알아보기 ➕ 세계 시민**
>
> | 의미 | 세계 공동체 의식을 가지고 지구촌 문제 해결을 위해 협력하는 사람 |
> |---|---|
> | 자질 | • 인류의 보편적 가치 지향
• 현재 세대와 미래 세대 인권의 조화로운 인식
• 생태적·문화적 다양성 존중
• 전 지구적 수준의 문제에 대한 지속적 관심
• 다양한 문화를 이해하고 존중하는 자세 등 |

7일 학교시험 기본 테스트 2회 58~61쪽

1 ④ 2 ③ 3 ③ 4 ④ 5 ① 6 ③ 7 ④ 8 ⑤
9 ② 10 ④ 11 ② 12 ② 13 ① 14 ④ 15 ④
16 ⑤ 17 ⑤ 18 ② 19 ① 20 ③

1 하위문화의 유형

(가)는 세대 문화, (나)는 지역 문화, (다)는 반문화이다. 지역 문화는 한 나라를 구성하는 여러 지역 사회에서 각각 나타나는 고유한 생활 양식을 말한다. 세대 문화는 공통의 의식을 가진 비슷한 연령대의 사람들을 세대라고 하는데, 이들이 공유하는 문화를 말한다. 반문화는 한 사회의 주류 문화를 거부하거나 저항하는 사람들이 공유하는 문화를 말한다.

2 대중문화

③ 텔레비전이 청바지의 유행에 영향을 준다는 것을 통해 대중문화가 대중 매체를 통해 널리 공유됨을 추론할 수 있다.

> **더 알아보기 ➕ 대중문화의 특징**
>
> • 대부분의 사람이 손쉽게 접할 수 있음.
> • 확산과 변화 속도가 빠름.
> • 대량으로 생산되고 소비됨.

3 문화 융합

돌침대는 문화 융합의 사례이다. 문화 융합이란 서로 다른 사회의 문화 요소가 결합하여, 기존의 두 문화 요소와는 다른 성격을 지닌 새로운 문화가 나타나는 것이다.

4 문화 접변 양상

갑국은 강제적 문화 접변이, 을국~정국은 자발적 문화 접변이 나타났다. 을국에서는 자극 전파, 병국에서는 간접 전파, 정국에서는 직접 전파에 의한 문화 변동이 나타났다.

> **자료 분석 ➕ 문화 접변 양상**
>
>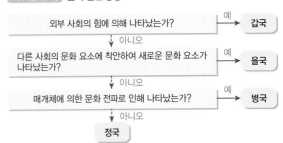

• 문화 제공자의 의지에 의한 문화 변동은 강제적 문화 접변이고, 문화 수용자의 의지에 의한 문화 변동은 자발적 문화 접변이다. 갑국은 강제적 문화 접변을, 을국~정국은 자발적 문화 접변을 겪었다.
• 갑국에서는 외부 사회의 힘에 의해 문화 변동이 나타났다. 따라서 내재적 요인에 해당하는 발명과 발견에 의해 문화 변동이 나타난 것이 아니다.
• 을국에서는 다른 사회에서 아이디어를 얻어 문화 변동이 나타났으므로 자극 전파에 의한 문화 변동을 경험하였다.
• 병국에서는 매개체에 의한 문화 전파로 문화 변동이 나타났으므로 간접 전파에 의한 문화 변동을 경험하였다.
• 정국에서는 직접 전파로 문화 변동이 일어났다.

5 문화 지체 현상

그림은 문화 지체 현상을 보여 준다. 문화 지체 현상은 물질문화의 변동 속도를 비물질문화가 따라가지 못하여 발생하는 부조화 현상이다. ① 우리나라에 토착 종교와 외래 종교가 함께 존재하는 것은 문화 병존의 사례이다.

> **자료 분석 ➕ 문화 지체 현상**
>
>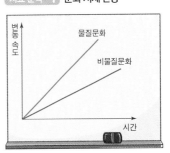

새로운 물질 문화는 사회 구성원들이 비교적 쉽게 수용하면서 변동 속도가 빠른 것에 비해, 비물질문화는 수용하는 데 시간이 걸려 변동 속도가 느리다. 따라서 물질문화와 비물질문화 간 변동 속도의 격차 때문에 부조화 현상이 나타날 수 있다.

6 사회 불평등 현상

갑은 기능론적 관점, 을은 갈등론적 관점을 가지고 있다. 기능론에서는 사회 불평등 현상을 사회적 희소 자원이 개인의 능력과 노력, 사회에 기여하는 정도에 따라 합리적으로 분배된 결과라

고 본다. 갈등론에서는 사회 불평등 현상을 지배 집단이 자신의 기득권을 유지하기 위해 사회적 자원을 불공정하게 분배한 결과라고 본다.

① 사회 불평등은 구성원의 성취동기를 높인다. (×)
→ 기능론의 관점에 부합하는 내용이다.

② 사회 불평등은 자연스럽고 불가피한 현상이다. (×)
→ 기능론의 관점에 부합하는 내용이다.

③ 사회 불평등은 사회적 자원을 불공정하게 분배한 결과이다. (○)

④ 차등 분배는 사회적으로 효율적인 자원 배분을 가능하게 한다.
→ 기능론의 관점에 부합하는 내용이다.   (×)

⑤ 사회적으로 더 큰 기여를 한 사람이 보상을 더 받는 것은 당연하다. (×)
→ 기능론의 관점에 부합하는 내용이다.

7 계급 이론과 계층 이론

(가)는 계급, (나)는 계층이다. 계급은 경제적 요인을 기준으로 하여 이분법적·불연속적으로 사람들의 위치를 구분한 개념이고, 계층은 경제적(계급), 정치적(권력), 사회적(지위) 요인이 복합적으로 작용하여 연속적으로 계층이 범주화된 개념이다.

ㄱ. (가)는 경제적 요소를 중시한다. (○)

ㄴ. (나)는 지배, 피지배 관계로 인한 갈등은 불가피하다고 본다. (×)
→ (가) 계급에 대한 설명이다.

ㄷ. (나)는 (가)에 비해 동일한 계층에 대한 소속감이 약하다. (○)

8 사회 계층 구조 유형

다이아몬드형 계층 구조는 상층과 하층에 비해 중층 구성원들의 비율이 가장 높은 구조로, 근대 이후 산업 사회에서 주로 나타난다. 중층이 상층과 하층의 완충 역할을 하므로 사회가 상대적으로 안정된 특성을 보인다.

① 개방적 계층 구조 (×)
→ 개인의 능력에 따라 지위 획득이 가능한 사회에서 나타나며, 성취 지위가 중시된다.

② 폐쇄적 계층 구조 (×)
→ 태어날 때부터 계층적 지위가 정해졌던 신분제 사회에서 주로 나타나며, 귀속 지위가 중시된다.

③ 모래시계형 계층 구조 (×)
→ 중간층의 비율이 현저히 낮은 계층 구조이다.

④ 피라미드형 계층 구조 (×)
→ 상층에서 하층으로 갈수록 구성원의 비율이 높아지는 구조로, 과거 전통적인 신분제 사회나 오늘날의 저개발국 등에서 주로 나타난다.

⑤ 다이아몬드형 계층 구조 (○)

9 사회 계층 구조 유형

갑국은 피라미드형, 을국은 다이아몬드형, 병국은 모래시계형 계층 구조이다.

ㄱ. 상층 인구는 병국이 가장 많다. (×)
→ 갑국, 을국, 병국의 전체 인구가 제시되어 있지 않으므로 병국의 상층 인구가 상대적으로 많은지 여부를 알 수 없다.

ㄴ. 갑국에 비해 병국은 양극화가 심하다. (○)

ㄷ. 을국과 달리 갑국은 수직 이동이 제한된다. (×)
→ 계층별 구성 비율만으로 수직 이동의 제한 여부를 확인할 수 없다.

10 사회적 소수자 차별 개선 방안

④ 사회적 소수자에 대한 차별 문제를 개선하려면 사회적 소수자를 격리하는 것이 아니라 그들과 공존하는 사회를 만들기 위해 노력해야 한다.

11 성 불평등 개선 방안

여성 인구에 비해 여성 국회 의원 수가 상대적으로 적은 과소 대표의 문제를 해결하기 위해 공직 선거법은 여성 추천 할당제를 규정하고 있다.

12 절대적 빈곤과 상대적 빈곤

절대적 빈곤은 소득이 인간다운 최저 생활을 유지하는 데 필요한 기준에 미치지 못하는 경우로, 인간의 기본적인 욕구 충족을 위한 자원이 심각하게 부족한 상태를 의미한다. 상대적 빈곤은 사회의 전반적인 소득 수준과 대비하여 소득 수준이 낮은 상태를 의미하며, 대부분의 국가에서 소득이 중위 소득의 일정 비율에 못 미치는 가구를 상대적 빈곤층으로 파악한다.

갑. A국의 절대적 빈곤율이 증가하였다. (○)

을. B국의 절대적 빈곤 가구 수가 감소하였다. (×)
→ 전체 가구 수 변화를 알 수 없으므로 절대 빈곤 가구 수가 감소했는지는 알 수 없다.

병. 2015년 A국과 B국의 절대적 빈곤율은 같다. (○)

정. A국과 B국의 2015년 절대적 빈곤율은 상대적 빈곤율보다 높다. (×)
→ A국과 B국의 2015년 절대적 빈곤율은 상대적 빈곤율보다 낮다.

13 사회 보장 제도

A는 공공 부조, B는 사회 보험이다. 공공 부조는 국가와 지방 자치 단체의 책임하에 생활을 유지할 능력이 없거나 생활이 어려운 국민의 최저 생활을 보장하고 자립을 지원하기 위해 금전적·물질적 급여를 제공하는 제도이다. 공공 부조는 이미 발생한 어려움에 대한 사후 처방적 성격을 지니고, 소득 및 재산이 일정 수준 이하인 계층에게 무상으로 지원하므로 소득을 재분배하는 효

과가 크다. 사회 보험은 국민에게 미래에 발생할 수 있는 상해, 질병, 노령, 실업, 사망 등의 사회적 위험을 보험의 방식으로 대처함으로써 국민의 건강과 소득을 보장하는 제도이다. 사회 보험은 미래의 위험에 대비하는 사전 예방적 성격을 지니며, 대상자의 강제 가입이 원칙이다. 가입자 간 상호 부조의 성격이 있으며, 사회적 위험이 발생했을 때 비슷한 수준의 보험 급여를 지급하므로 소득 재분배 효과도 어느 정도 지닌다.

14 사회 복지 제도

(가)는 공공 부조, (나)는 사회 보험에 해당한다.

> **선택지 바로 보기**
>
> ① (나)는 소득 재분배 효과가 크다. (×)
> → 소득 재분배 효과가 큰 것은 (가) 공공 부조이다.
> ② (가)는 강제 가입을 원칙으로 한다. (×)
> → 강제 가입을 원칙으로 하는 것은 (나) 사회 보험이다.
> ③ 의료 급여, 기초 연금은 (나)에 해당한다. (×)
> → 의료 급여, 기초 연금은 (가) 공공 부조에 해당한다.
> ④ 수혜 대상자의 범위는 (가)보다 (나)가 넓다. (○)
> ⑤ 국민연금, 국민 건강 보험은 (가)에 해당한다. (×)
> → 국민연금, 국민 건강 보험은 (나) 사회 보험에 해당한다.

15 생산적 복지

복지병은 영국에서 '요람에서 무덤까지'라는 복지 제도를 유지하는 과정에 근로자들은 나태해지고, 기업은 생산성이 떨어지며 국가 경쟁력이 약화된 현상을 비판한 말이다. 정부의 복지 정책이 강화됨에 따라 국민의 복지 의존성이 높아져 복지병과 같은 부작용이 발생하여 최근에는 개인의 자활 노력과 국가 복지를 연계하는 생산적 복지로 복지 정책 방향이 바뀌고 있다.

16 사회 변동 이론

갑은 기능론적 관점, 을은 갈등론적 관점을 가지고 있다.

> **선택지 바로 보기**
>
> ① 갑의 관점에 따르면 사회는 항상 발전한다. (×)
> → 사회는 항상 발전한다고 보는 관점은 진화론이다.
> ② 갑의 관점은 급격한 사회 변동을 설명하기에 유용하다. (×)
> → 급격한 사회 변동을 설명하기에 유용한 관점은 갈등론이다.
> ③ 을의 관점에 따르면 사회는 미분화된 상태에서 분화된 상태로 변화한다. (×)
> → 사회가 미분화된 상태에서 분화된 상태로 변화한다고 보는 관점은 진화론이다.
> ④ 을의 관점은 사회 변동에 대응하는 인간의 노력을 과소평가한다는 비판을 받는다. (×)
> → 사회 변화에 대응하는 인간의 노력을 과소평가한다는 비판을 받는 것은 순환론이다.
> ⑤ 갑, 을의 관점 모두 사회 변동의 원인을 구조적 측면에서 찾는다. (○)

17 사회 운동

사회 운동이 많은 사회 구성원들의 호응을 얻어 사람들의 의식 변화 및 제도 개선으로 이어지면 사회 변동을 이끌어 내는 요인으로 작용할 수 있다.

> **선택지 바로 보기**
>
> ① 사회 운동은 사회 변동의 속도를 늦춘다. (×)
> → 사회 운동은 사회 변동의 속도를 빠르게 한다.
> ② 사회 운동은 주로 개발 도상국에서 나타난다. (×)
> → 사회 운동은 선진국과 개발 도상국 모두에서 나타난다.
> ③ 사회 운동은 기존 질서의 변동을 목적으로 한다. (×)
> → 사회 운동은 기존 사회 질서를 유지하기 위해 전개되기도 한다.
> ④ 뛰어난 역량이 있는 개인은 사회 운동에 참여한다. (×)
> → 일반 시민들의 참여가 중심이 될 때 사회 전반적으로 호응을 얻을 수 있다.
> ⑤ 사회 운동은 사회 구성원들의 호응을 얻어 사회 변동을 이끌 수 있다. (○)

18 저출산 현상을 해결하는 방안

출산율이 계속 낮아지는 저출산 문제를 해결하기 위해서는 출산·양육에 대한 사회적 책임을 강화해야 한다.

> **선택지 바로 보기**
>
> ① 출산이나 육아를 개인이 책임진다는 인식이 필요하다. (×)
> → 출산과 육아에 대한 책임이 개인과 사회 모두에 있음을 인식해야 한다.
> ② 과도한 교육비 부담을 줄이기 위한 노력이 필요하다. (○)
> ③ 직장 여성이 출산과 육아로 인한 불이익을 받도록 해야 한다. (×)
> → 일과 가정의 양립을 위한 제도적 지원이 강화되어야 한다.
> ④ 출산과 육아에 관련한 비용 지원을 축소해야 한다. (×)
> → 출산과 육아에 관련한 비용 지원을 확대해야 한다.
> ⑤ 다자녀 가구에 대한 세제 혜택을 축소하고 소자녀 중심의 가정을 지원해야 한다. (×)
> → 다자녀 가구에 대한 세제 혜택을 확대해야 한다.

19 세계화

세계화란 국가 간에 인적, 물적 교류가 확대되면서 국가 간 상호 의존성이 커지고 지구촌 전체가 단일한 체계로 통합되는 현상이다. 세계 각국으로 상품, 노동력, 자본 등이 자유롭게 이동하면서 전 세계가 단일한 시장으로 통합되고 있다.

20 다문화적 변화의 대응 방안

다문화 사회란 서로 다른 문화적 배경을 가진 집단들이 함께 살아가는 사회이다. ③ 다문화 사회에 적응하기 위해서는 단일 민족으로서의 관념을 탈피하고 다문화 현실을 수용하는 개방적인 태도가 필요하다.

7일 끝!

핵심 용어 풀이

핵심 용어 풀이 활용 안내

💎 쉽고 재미있는 문제로 단원별 필수 어휘 익히기!

💎 교과서에서 뽑은 예시 문장으로 내용 학습에, 개념 학습까지 한 번 더!

핵심 용어 풀이

01 하위문화

한 사회 내의 일부 구성원들이 ❶ [　　　] 하는 문화

> 친구들끼리는 '생일 선물'이라는 말을 줄여서 '생선'이라고 해요.

답 ❶ 공유

예1 하위문화는 각각의 모습이 다양하며, 그 사회의 주류 문화 또는 다른 하위문화와 구별된다.

예2 하위문화에 속한 것을 구분하는 기준은 상대적이다.

02 대중문화

❶ [　　　] 이/가 즐기고 누리는 문화

> 과거에는 소수의 귀족만 즐길 수 있었던 음악, 미술 등을 이제는 누구나 누릴 수 있다.

답 ❶ 대중

예1 대중문화는 계층 간 문화적 차이를 줄인다.

예2 대중문화는 사람들에게 오락이나 여가의 기회를 제공해 준다.

03 대중 매체

책, 라디오, 텔레비전, 인터넷 등과 같이 ❶ [　　　] 의 정보를 많은 사람에게 전달하는 수단

◈ 인쇄 매체　　◈ 음성 매체　　◈ 영상 매체　　◈ 뉴 미디어

답 ❶ 대량

예1 인쇄 매체, 음성 매체, 영상 매체는 일방형 매체이고, 뉴 미디어는 쌍방향 의사소통이 가능한 매체이다.

04 발명

그동안 존재하지 않았던 ❶ [　　　] 문화 요소를 만들어 내는 것

답 ❶ 새로운

예1 물질문화, 비물질문화 모두 발명을 통해 만들어질 수 있다.

05 발견

이미 ❶ [　　　　] 하고 있었지만 알려지지 않았던 것을 찾아내는 것

> 만유인력의 법칙이다.

답 ❶ 존재

예1 발명과 발견은 문화 변동의 내재적 요인에 해당한다.

06 간접 전파

❶ [　　　　] 을/를 통해 문화 요소가 전해지는 것

답 ❶ 매체

예1 한류 드라마의 인기로 한국어를 배우려는 외국인이 늘어난 사례는 간접 전파에 해당한다.

07 직접 전파

이주, 무역, 전쟁 등을 통해 사람이 다른 문화와 ❶ [　　　　] 접촉하여 문화 요소가 전해지는 것

답 ❶ 직접

예1 선교사가 한국 청년들에게 처음 배구를 지도한 사례는 직접 전파에 해당한다.

08 자극 전파

다른 사회의 문화 요소에서 ❶ [　　　　] 을/를 얻어 새로운 문화 요소를 만들어 내는 것

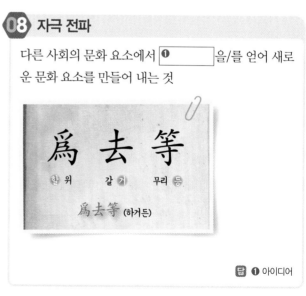

爲 去 等
할 위   갈 기   무리 등

爲去等 (하거든)

답 ❶ 아이디어

예1 과거에 중국 한자의 음과 뜻을 빌려 우리말을 표기했던 이두는 자극 전파의 사례이다.

핵심 용어

핵심 용어 풀이

09 문화 병존

서로 다른 사회의 문화가 한 사회의 문화 속에서 [**①**] 존재하는 것

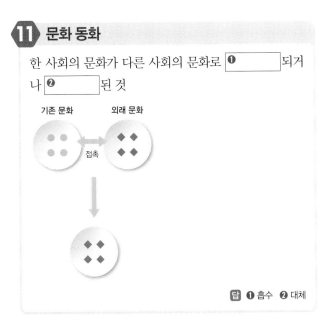

답 ❶ 나란히

예1 우리의 여러 토착 종교와 외래 종교가 함께 존재하는 것은 문화 병존의 사례이다.

10 문화 융합

서로 다른 사회의 문화 요소가 결합하여 기존의 두 문화 요소와는 다른 성격을 지닌 [**①**] 문화가 나타나는 것

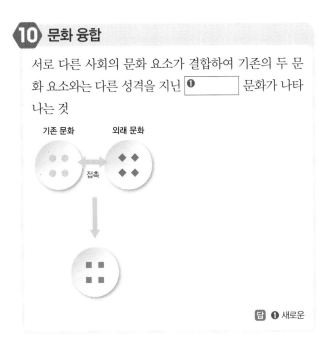

답 ❶ 새로운

예1 미국에서 아프리카 흑인 음악과 유럽 백인 음악의 요소가 어우러져 재즈가 탄생한 것은 문화 융합의 사례이다.

11 문화 동화

한 사회의 문화가 다른 사회의 문화로 [**①**] 되거나 [**②**] 된 것

기존 문화   외래 문화

접촉

답 ❶ 흡수 **❷** 대체

예1 라틴 아메리카의 원주민들이 원래 사용하던 언어 대신 포르투갈어나 에스파냐어를 사용하는 것은 문화 동화의 사례이다.

12 문화 지체 현상

[**①**] 의 변동 속도를 [**②**] 이/가 따라가지 못하여 발생하는 부조화 현상

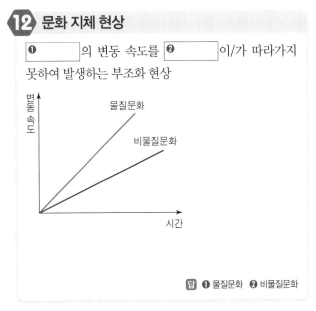

답 ❶ 물질문화 **❷** 비물질문화

예1 보행 중 스마트폰 사용의 위험성에 대한 인식 부족으로 안전사고가 급증하는 것은 문화 지체 현상의 사례이다.

⑬ 사회 불평등 현상

부, 권력, 명예 등의 ❶ [_____] 이/가 차등적으로 분배되어 개인 및 집단이 서열화하는 현상

답 ❶ 사회적 지원

예1 사회 불평등 현상은 자원의 희소성 때문에 어느 사회에서나 나타나지만 구체적인 모습은 사회마다 조금씩 다르다.

⑭ 계층

경제적(계급), 정치적(권력), 사회적(지위) 요인이 복합적으로 작용하여 ❶ [_____] (으)로 계층이 범주화된 개념

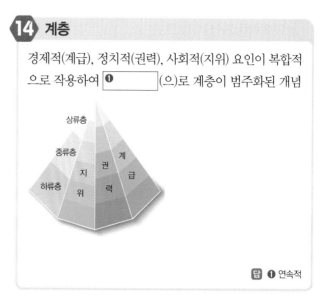

답 ❶ 연속적

예1 계층 이론은 지위 불일치 현상을 설명할 수 있다.

⑮ 계급

❶ [_____] 요인을 기준으로 하여 이분법적·불연속적으로 사람들의 위치를 구분한 개념

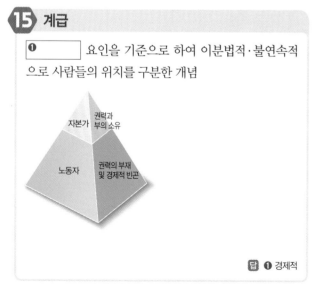

답 ❶ 경제적

예1 자본가와 노동자 두 계급 간의 관계는 적대적이다.

⑯ 피라미드형 계층 구조

상층에서 하층으로 갈수록 구성원의 비율이 ❶ [_____] 구조

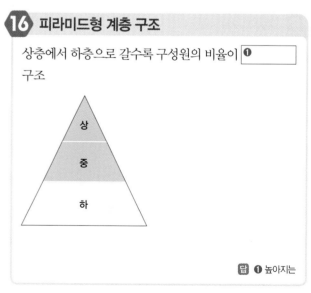

답 ❶ 높아지는

예1 피라미드형 계층 구조는 전통적 신분 사회와 오늘날의 저개발국에서 주로 나타난다.

17 다이아몬드형 계층 구조

상층과 하층에 비해 **❶** [   ] 구성원의 비율이 가장 높은 구조

답 ❶ 중층

예1 다이아몬드형 계층 구조는 중층이 상층과 하층의 완충 역할을 하므로, 사회가 상대적으로 안정된 특성을 보인다.

18 폐쇄적 계층 구조

태어날 때부터 계층적 지위가 정해졌던 신분제 사회에서 주로 나타나며, **❶** [   ] 이/가 중시되는 구조

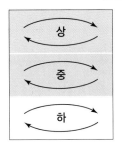

답 ❶ 귀속 지위

예1 폐쇄적 계층 구조는 계층 간 수직 이동이 제한되어 있다.

19 개방적 계층 구조

개인의 능력과 노력에 따라 지위 획득이 가능한 사회에서 나타나며 **❶** [   ] 이/가 중시되는 구조

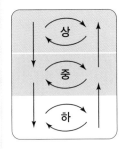

답 ❶ 성취 지위

예1 개방적 계층 구조는 폐쇄적 계층 구조보다 사람들에게 공평한 기회를 부여하여 사회 발전에 도움이 된다.

20 공공 부조

국가와 지방 자치 단체의 책임하에 생활을 유지할 능력이 없거나 생활이 어려운 국민의 **❶** [   ] 을/를 보장하고 자립을 지원하기 위해 금전적·물질적 급여를 제공하는 제도

답 ❶ 최저 생활

예1 공공 부조는 금전이나 물품 지원을 원칙으로 한다.

21 사회 보험

국민에게 미래에 발생할 수 있는 상해, 질병, 노령, 실업, 사망 등의 ❶ [____]을/를 보험의 방식으로 대처함으로써 국민의 건강과 소득을 보장하는 제도

답 ❶ 사회적 위험

예1 사회 보험은 상호 부조의 원칙이 적용된다.

22 사회 서비스

도움이 필요한 모든 국민에게 ❶ [____] 서비스 혜택을 지원하는 제도

답 ❶ 복지

예1 사회 서비스는 비금전적 지원을 원칙으로 한다.

23 진화론과 순환론

❶ [____]은/는 사회 변동이 일정한 방향을 가지고 있으며 변동은 곧 진보를 의미한다고 보는 이론이고, ❷ [____]은/는 사회가 생성, 성장, 쇠퇴, 해체를 반복한다고 보는 이론임.

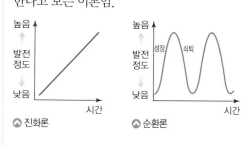

△ 진화론   △ 순환론

답 ❶ 진화론 ❷ 순환론

예1 진화론은 사회 변동 과정에서 나타나는 사회의 멸망을 설명하기 어렵다.

예2 순환론은 문명의 흥망성쇠를 확인하고 설명하는 데 유용하다.

24 저출산과 고령화

❶ [____]은/는 출산율이 적정 수준보다 낮은 현상을 의미하고, ❷ [____]은/는 전체 인구에서 노인 인구가 차지하는 비율이 증가하는 현상을 의미함.

*합계 출산율: 가임기(15~49세) 여성 1명당 평균 출생아 수

(통계청, 2016.)

답 ❶ 저출산 ❷ 고령화

예1 저출산 현상을 해결하기 위해서는 일과 가정의 양립을 위한 제도적 지원이 필요하다.

예2 고령화가 지속되면 노인 부양을 위한 사회적 비용이 증가한다.

핵심 용어

25 다문화 사회

서로 다른 ❶ ⬚ 적 배경을 가진 집단들이 함께 살아가는 사회

답 ❶ 문화

예 1 다문화 사회에서는 서로의 문화적 차이를 인정하고 문화 다양성을 존중하기 위해 문화 상대주의적 관점을 가져야 한다.

26 세계화

국가 간 인적, 물적 교류가 확대되면서 국가 간 ❶ ⬚ 이/가 커지고 지구촌 전체가 ❷ ⬚ 체계로 통합되는 현상

베트남
미국
필리핀
중국
인도
인도네시아

답 ❶ 상호 의존성 ❷ 단일한

예 1 세계화가 진행되면서 선진국과 개발 도상국 간의 경제적 격차가 심화되는 문제가 나타난다.

27 정보화

❶ ⬚ 와/과 ❷ ⬚ 이/가 사회 활동 전반에서 차지하는 비중이 커지는 현상

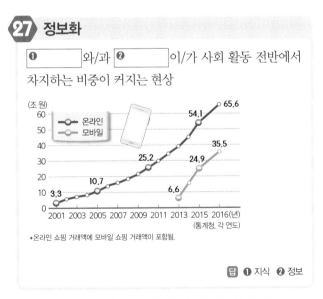

*온라인 쇼핑 거래액에 모바일 쇼핑 거래액이 포함됨.

답 ❶ 지식 ❷ 정보

예 1 정보화 사회에는 비대면 접촉의 비중이 높아지고 있다.

28 전 지구적 수준의 문제

국제적 교류가 증가하면서 한 지역이나 한 국가의 문제가 다른 국가나 ❶ ⬚ 차원에까지 영향을 미치는 문제

답 ❶ 전 지구적

예 1 전 지구적 수준의 문제는 특정 지역이나 특정 국가의 노력만으로는 해결할 수 없다.

핵심개념 01 하위문화

1. **의미:** 한 사회 내의 일부 구성원들이 **❶** [   ] 하는 문화
2. **유형**

지역 문화	한 나라를 구성하는 여러 지역 사회에서 각각 나타나는 고유한 생활 양식
세대 문화	공통의 의식을 가진 비슷한 연령대의 사람들이 공유하는 문화
반문화	한 사회의 주류 문화를 거부하거나 저항하는 사람들이 공유하는 문화

답 ❶ 공유

핵심개념 02 대중문화

1. **의미:** **❶** [   ] 이/가 즐기고 누리는 문화
2. **기능:** 계층 간 문화적 차이를 줄임. 오락이나 여가의 기회를 제공함. 비판적 욕구를 표출하고 공유하는 기회를 제공함.
3. **문제점:** 사람들의 생활 양식이나 가치관이 획일화될 수 있음. 대중문화의 상업성, 정치적 무관심 등

> 과거에는 소수의 귀족만 즐길 수 있었던 음악, 미술 등을 이제는 누구나 누릴 수 있다.

답 ❶ 대중

핵심개념 03 문화 변동

1. **의미:** 한 사회의 문화가 사회 대다수 구성원의 삶에 커다란 영향을 미칠 정도로 변화하는 현상
2. **원인**

내재적 요인	발명	그동안 존재하지 않았던 새로운 문화 요소를 만들어 내는 것
	❶ [ ]	이미 존재하고 있었지만 알려지지 않았던 것을 찾아내는 것
외재적 요인	직접 전파	사람이 다른 문화와 직접 **❷** [ ] 하여 문화 요소가 전해지는 것
	간접 전파	매체를 통해 문화 요소가 전해지는 것
	자극 전파	다른 사회의 문화 요소에서 아이디어를 얻어 새로운 문화 요소를 만들어 내는 것

답 ❶ 발견 **❷** 접촉

핵심개념 04 문화 접변의 결과

문화 병존	서로 다른 사회의 문화가 한 사회의 문화 속에서 나란히 존재하는 것
문화 동화	한 사회의 문화가 다른 사회의 문화로 흡수되거나 대체된 것
문화 융합	서로 다른 사회의 문화 요소가 결합하여 기존의 두 문화 요소와는 다른 성격을 지닌 **❶** [ ] 문화가 나타나는 것

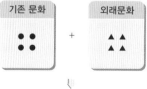

답 ❶ 새로운

[예제] 대중문화를 바라보는 갑~병의 견해에 대한 분석으로 옳은 설명을 〈보기〉에서 모두 고르면?

오늘날 누구나 약간의 비용만 부담하면 클래식 음악, 뮤지컬 등 수준 높은 문화를 즐길 수 있게 되었어.

사람들이 TV 오락 프로그램이나 드라마에 빠져 뉴스를 외면하고, 신문의 연예면 기사만 즐겨 보는 것은 심각한 문제야.

거리에 나가 보면 너나할 것 없이 유명 연예인을 따라 똑같은 머리 모양과 복장을 하고 있는 것도 문제야.

갑   을   병

──── 보기 ────
ㄱ. 갑은 정치적 무관심을 우려하고 있다.
ㄴ. 을은 대중문화의 질적 저하를 우려하고 있다.
ㄷ. 병은 대중문화가 개성을 상실한 획일적 인간을 양산하고 있다고 본다.

① ㄱ   ② ㄴ   ③ ㄷ   ④ ㄱ, ㄴ   ⑤ ㄱ, ㄷ

답 ③

★기억해요!

☐☐☐ 의 문제점에는 사람들의 생활 양식이나 가치관의 획일화, 지나친 상업성, 정치적 무관심 등이 있다.

답 대중문화

[예제] A~C에 대한 옳은 설명을 〈보기〉에서 모두 고르면? (단, A~C는 각각 반문화, 주류 문화, 하위문화 중 하나이다.)

• B는 한 사회 구성원 대부분이 공유하는 지배적인 문화이다.
• C는 A의 한 유형에 해당한다.

──── 보기 ────
ㄱ. A는 하위문화, B는 주류 문화이다.
ㄴ. A는 시대와 장소에 따라 상대적으로 규정된다.
ㄷ. B, C는 A와 달리 전체 사회에 문화의 다양성을 제공한다.

① ㄱ   ② ㄴ   ③ ㄱ, ㄴ   ④ ㄱ, ㄷ   ⑤ ㄱ, ㄴ, ㄷ

답 ③

★기억해요!

한 사회의 주류 문화를 거부하거나 저항하는 사람들이 공유하는 문화를 ☐☐☐ (이)라고 한다.

답 반문화

[예제] 밑줄 친 ㉠~㉢ 중 문화 융합에 해당하는 것은?

한국의 대표적인 발효 식품인 김치는 원래 ㉠ 채소를 소금에 절인 장아찌류의 형태로 만들어졌다. 하지만 ㉡ 임진왜란 무렵 일본군에 의해 우리나라에 고추가 유입되고, 이후 농업 생산성 증대를 위해 ㉢ 대한 제국 황실이 중국으로부터 통배추를 들여오면서 빨간김치가 만들어진 것이다. 최근 김치의 다양한 효능이 알려지면서 ㉣ 김치는 해외에서도 인기 있는 음식으로 자리 잡고 있다. 이에 따라 ㉤ 멕시코의 타코와 김치가 결합된 '김치 타코'처럼 김치를 활용한 색다른 음식도 등장하고 있다.

답 ㉤

★기억해요!

문화 접변 결과 ☐☐☐, 문화 동화, 문화 융합과 같은 다양한 변동 양상이 나타난다.

답 문화 병존

[예제] A~D에 해당하는 문화 변동 요인을 쓰시오.

내재적 요인에 해당하는가?
예 → 존재하지 않았던 새로운 문화 요소를 만들었는가? 예 → A / 아니오 → B
아니오 → 문화 요소의 전달이 매개체에 의해 이루어졌는가? 예 → C / 아니오 → D

답 A: 발명, B: 발견, C: 간접 전파, D: 직접 전파

★기억해요!

문화 변동의 내재적 요인으로 발명과 ☐☐☐, 외재적 요인으로 ☐☐☐, 간접 전파, 자극 전파가 있다.

답 발견, 직접 전파

핵심개념 05 문화 변동에 따른 문제점

1. **아노미 현상**: 전통적 규범과 가치관을 대체할 새로운 규범과 가치관이 아직 정립되지 못하여 혼란과 **❶**   상태에 빠지는 현상

2. **문화 지체 현상**: **❷**   의 변동 속도를 비물질문화가 따라가지 못하여 발생하는 부조화 현상

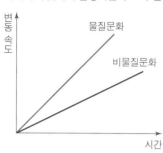

답 ❶ 무규범 ❷ 물질문화

핵심개념 06 사회 불평등 현상

1. **의미**: 사회적 자원이 차등적으로 분배되어 개인 및 집단이 **❶**   하는 현상

2. **관점**

기능론	사회 불평등 현상을 사회적 희소 자원이 개인의 능력과 노력, 사회에 기여하는 정도에 따라 **❷** (으)로 분배된 결과로 봄.
갈등론	사회 불평등 현상을 지배 집단이 자신의 기득권을 유지하기 위해 **❸** 을/를 불공정하게 분배한 결과로 봄.

답 ❶ 서열화 ❷ 합리적 ❸ 사회적 자원

핵심개념 07 사회 계층 구조의 유형

피라미드형 계층 구조	다이아몬드형 계층 구조
상 / 중 / 하	상 / 중 / 하
상층에서 하층으로 갈수록 구성원의 비율이 높아지는 구조	상층과 하층에 비해 **❶** 구성원의 비율이 가장 높은 구조

폐쇄적 계층 구조	개방적 계층 구조
상 / 중 / 하	상 / 중 / 하
계층 간 **❷** 이/가 제한된 경우	계층 간 **❷** 의 기회와 가능성이 열려 있는 경우

답 ❶ 중층 ❷ 수직 이동

핵심개념 08 사회 이동의 유형

이동 방향에 따라	수직 이동	어떤 계층에서 다른 계층으로 계층적 위치가 바뀌는 것
	수평 이동	동일한 계층 내에서 지위만 변하는 것
이동 원인에 따라	개인적 이동	개인의 능력이나 노력에 의해 계층적 위치가 변하는 것
	구조적 이동	급격한 **❶** (으)로 인해 계층적 위치가 변하는 것
세대 범위에 따라	세대 간 이동	세대를 가로질러 계층적 위치가 변하는 것
	세대 내 이동	한 개인의 일생 동안에 계층적 위치가 변하는 것

답 ❶ 사회 변동

예제 사회 불평등 현상을 바라보는 갑, 을의 관점을 바르게 연결한 것은?

> ○○기업, 업무 성과에 따른 성과급제 전면 도입

차등 분배는 구성원들의 성취동기를 자극하여 회사 발전에도 도움이 될 거야.

아니야. 결국 성과급제는 자본가가 노동자를 통제하는 수단일 뿐이야.

	갑	을		갑	을
①	기능론	갈등론	②	갈등론	기능론
③	기능론	계층론	④	갈등론	계급론
⑤	계층론	계급론			

답 ①

★기억해요!

☐ 은/는 사회적 자원이 차등적으로 분배되어 개인 및 집단이 서열화하는 현상이다.

답 사회 불평등 현상

예제 ⊙~② 중 문화 지체 현상에 해당하는 사례는?

> ⊙ 첨단 기술의 집약체인 스마트폰은 다양한 ⓒ 상징을 이용하여 정보를 전달하는 매체로, 그 편리함으로 인해 사용자가 빠르게 늘어나고 있다. 하지만 ⓒ 보행 중 스마트폰 사용의 위험성에 대한 인식 부족으로 안전사고가 급증하고 있다. 여러 나라에서 보행 중 스마트폰 사용을 규제하는 ② 법률을 마련하고 있지만 무엇보다 자신과 타인의 안전을 중시하는 문화 시민 의식을 갖추는 것이 중요하다.

답 ⓒ

★기억해요!

☐ 현상은 물질문화의 변동 속도를 비물질문화가 따라가지 못하여 발생하는 부조화 현상을 말한다.

답 문화 지체

예제 다음 자료에 대한 옳은 분석을 〈보기〉에서 모두 고르면?

> 갑국에서 A 시기의 계층 중 B 시기에도 계층을 유지한 비율은 상층 80%, 중층 70%, 하층 60%이며, 시기별 조사 대상은 동일하다.

〈시기별 계층 구성 비율〉

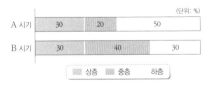

(단위: %)

	상층	중층	하층
A 시기	30	20	50
B 시기	30	40	30

● 보기 ●
ㄱ. 세대 내 상승 이동 비율은 26%이다.
ㄴ. 세대 내 하강 이동 비율은 6%이다.
ㄷ. 계층을 이동한 비율이 유지한 비율보다 많다.

① ㄱ　② ㄴ　③ ㄷ　④ ㄱ, ㄴ　⑤ ㄱ, ㄷ

답 ④

★기억해요!

☐ 은/는 한 개인의 일생 동안에 계층적 위치가 변하는 것이다.

답 세대 내 이동

예제 다음 자료에 대한 설명으로 옳은 것은?

> 갑국과 을국의 2000년 계층 구조는 모두 (가)에 해당하였다. 2020년 갑국의 계층 구조는 (나)로 변화하였고, 을국의 계층 구조는 (다)로 변화하였다.

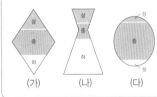

(가) (나) (다)

① (가)는 신분제 사회에서 주로 나타난다.
② (나)가 사회 통합에 가장 불리하다.
③ 저개발 국가에서는 주로 (다)가 나타난다.
④ 갑국은 수평 이동이 활발하게 일어난다.
⑤ 을국은 폐쇄적 계층 구조에서 개방적 계층 구조로 변화하였다.

답 ②

★기억해요!

☐ 은/는 중층이 완충 역할을 하므로 사회가 상대적으로 안정적이다.

답 다이아몬드형 계층 구조

핵심개념 09 사회적 소수자

1. **의미:** 신체적 또는 문화적 특성으로 인해 자기가 사는 사회의 다른 구성원들과 구별되어 불평등한 처우를 받는 사람들

2. **차별 개선 방안**

사회적 측면	차별 금지 ❶ [ ] 제정, 적극적 차별 시정 조치 도입
개인적 측면	차별적 인식 교정, 사회적 소수자 집단 스스로 차별 개선을 적극적으로 요구하는 노력 필요

답 ❶ 법

핵심개념 10 성 불평등

1. **의미:** 남녀의 생물학적 및 사회적 성별 차이를 이유로 사회적 지위, 권력, 위세 등에서 특정 성이 차별받는 현상

2. **차별 개선 방안:** ❶ [   ] 교육 강화, 성 평등 의식 함양, 성차별적 요소가 있는 법률 및 제도 개선, 평등한 근무 환경 및 승진 기회 보장

답 ❶ 성 평등

핵심개념 11 빈곤

1. **의미:** 인간의 기본적 욕구와 관련된 물질적 ❶ [   ] 이/가 만성적으로 지속되는 경제적 상태

2. **종류**

절대적 빈곤	소득이 인간다운 ❷ [ ] 을/를 유지하는 데 필요한 기준에 미치지 못하는 상태
상대적 빈곤	사회의 전반적인 소득 수준과 대비하여 소득 수준이 낮은 상태

우리나라의 절대적 빈곤율과 상대적 빈곤율 변화

(%)
- 상대적 빈곤율: 12.9 (2007), 13.0 (2009), 12.3 (2011), 11.7 (2013)
- 절대적 빈곤율: 7.0 (2007), 7.0 (2009), 6.3 (2011), 5.9 (2013)

○ 상대적 빈곤율
○ 절대적 빈곤율

2007 2009 2011 2013(년)

*농어가 가구 및 1인 제외, 전 가구, 경상 소득 기준(통계청, 2016.)

답 ❶ 결핍 ❷ 최저 생활

핵심개념 12 사회 복지의 유형

공공 부조	국가와 지방 자치 단체의 책임하에 생활을 유지할 능력이 없거나 생활이 어려운 국민의 ❶ [ ] 을/를 보장하고 자립을 지원하기 위해 금전적·물질적 급여를 제공하는 제도
사회 보험	국민에게 미래에 발생할 수 있는 사회적 위험을 ❷ [ ] 의 방식으로 대처함으로써 국민의 건강과 소득을 보장하는 제도
사회 서비스	국가·지방 자치 단체 및 민간 부문의 도움이 필요한 모든 국민에게 다양한 분야에서 인간다운 생활을 보장하고 상담, 재활, 돌봄 등을 통하여 국민의 삶의 질이 향상되도록 지원하는 제도

답 ❶ 최저 생활 ❷ 보험

예제 다음 기사에 나타난 불평등을 쓰시오.

△△신문

갑국은 남성 중심의 가부장적인 문화로 인해 경제 활동에서 여성들에 대한 차별이 심하다. 갑국 100대 기업의 임원 중 여성 비율은 20%에 불과하다. 같은 연도에 갑국 남성 근로자의 평균 근속 연수는 여성 근로자의 평균 근속 연수의 4배였다. 그리고 전체 남성 근로자 중 60%가 정규직으로 고용된 반면, 전체 여성 근로자 중 55%가 정규직으로 고용되었다.

답 성 불평등

★기억해요!

□□□은/는 남녀의 생물학적 및 사회적 성별 차이를 이유로 사회적 지위, 권력, 위세 등에서 특정 성이 차별받는 현상이다.

답 성 불평등

예제 밑줄 친 ㉠, ㉡에 대한 옳은 설명을 〈보기〉에서 모두 고르면?

㉠ 장애인 의무 고용 제도에 따라 국가와 지방 자치 단체의 장은 장애인을 소속 공무원의 일정 비율 이상 고용해야 한다. 이에 대해 일부는 그 비율이 과도하다며 제도의 ㉡ 부작용을 지적하고 있다.

● 보기 ●
ㄱ. ㉠은 사회적 약자를 보호하기 위한 제도이다.
ㄴ. ㉠은 사회적 약자에 대한 적극적 우대 조치에 해당한다.
ㄷ. ㉡의 예로 계층 간 소득 불평등 심화를 들 수 있다.

① ㄱ ② ㄴ ③ ㄷ ④ ㄱ, ㄴ ⑤ ㄱ, ㄷ

답 ④

★기억해요!

사회적 소수자에 대한 차별을 개선하여 기회의 평등을 제공하기 위해 □□□ 차별 시정 조치가 도입되었다.

답 적극적

예제 (가)~(다)에 해당하는 사회 복지 제도를 쓰시오.

그림은 우리나라 사회 보장 제도 유형 (가)~(다)의 사례입니다.

(가)의 사례
장애로 인해 거동이 불편하여 장애인 활동 지원 서비스를 신청했어요. 외출과 가사 활동 등을 도와주는 서비스를 받고 있지요.

(나)의 사례
직장에 다니던 동안 꾸준히 보험료를 납부한 덕에 매달 연금 급여를 받고 있어 은퇴 후의 생활 유지에 보탬이 됩니다.

(다)의 사례
생계가 어려워져 주민 센터에 지원 신청을 했어요. 소득 인정액 기준을 충족해서 주거 급여, 의료 급여 등을 받고 있지요.

답 (가) 사회 서비스, (나) 사회 보험, (다) 공공 부조

★기억해요!

의료 급여와 기초 연금, 노인 장기 요양 보험은 □□□, 국민 건강 보험, 고용 보험은 □□□에 해당한다.

답 공공 부조, 사회 보험

예제 다음 대화에 대한 설명으로 옳은 것은? (단, A와 B는 각각 절대적 빈곤과 상대적 빈곤 중 하나이다.)

교사: 빈곤의 유형 A, B에 대해 발표해 보세요.
갑: A는 인간이 최소한의 생활을 유지하는 데 필요한 소득이나 자원이 결핍된 상태입니다.
을: B는 A와 달리 　　　(가)　　　
교사: 두 학생 모두 옳게 발표하였습니다.

① A는 상대적 빈곤이다.
② B는 절대적 빈곤이다.
③ A는 B와 달리 상대적 박탈감의 원인이 된다.
④ A와 B는 모두 객관화된 기준에 의해 규정된다.
⑤ (가)에는 '소득 수준이 낮은 국가에서만 나타납니다.'가 들어갈 수 있다.

답 ④

★기억해요!

□□□ 빈곤은/는 사회의 전반적인 소득 수준과 대비하여 소득 수준이 낮은 상태를 의미한다.

답 상대적 빈곤

1. **의미**: 인간의 생활 방식, 의식 구조, 사회적 관계, 사회 구조 등이 ❶ [   ]으로 변화하는 현상

2. **요인**: 과학과 기술의 발달, 가치관이나 이념의 변화, 인구 변화, 자연환경의 변화, 사회 운동 등

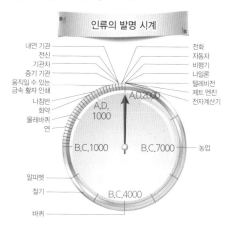

인류의 발명 시계

내연 기관
전신
기관차
증기 기관
움직일 수 있는
금속 활자 인쇄
나침반
화약
물레바퀴
연

전화
자동차
비행기
나일론
텔레비전
제트 엔진
전자계산기

A.D. 2000
A.D. 1000
B.C. 1000　B.C. 7000　농업

알파벳
철기　B.C. 4000
바퀴

🔖 ❶ 총체적

진화론	사회 변동이 일정한 방향을 가지고 있으며, 변동은 곧 ❶ [ ]을/를 의미한다고 보는 이론
순환론	생명을 가진 유기체와 마찬가지로 사회가 생성, 성장, 쇠퇴, 해체를 반복한다고 보는 이론
기능론	사회를 구성하는 부분들 간에 긴장이나 기능적 ❷ [ ]이/가 나타나면 전체적으로 이를 조정하는 과정에서 사회 변동이 발생한다고 보는 이론
갈등론	지배 집단이 기득권을 유지하려고 하지만 피지배 집단이 이에 도전하여 불평등한 구조를 변화시키려고 하는 과정에서 사회 변동이 발생한다고 보는 이론

🔖 ❶ 진보 ❷ 불균형

1. **의미**: 구체적인 사회 문제를 해결하거나 사회 체제를 근본적으로 변혁하기 위하여 대중이 ❶ [   ](으)로 하는 집단적이고 지속적인 행위

2. **특징**: 뚜렷한 목표와 이념, 목표 달성을 위한 활동 방법이 있음. 과거에 비해 사회 운동이 다양하게 전개되고 있음.

전력수급 위기상황
당신의 절전 참여가 꼭 필요합니

🔖 ❶ 자발적

저출산	❶ [ ]이/가 적정 수준보다 낮은 현상
고령화	전체 인구에서 노인 인구가 차지하는 비율이 증가하는 현상
세계화	국가 간에 인적, 물적 교류가 확대되면서 국가 간 ❷ [ ]이/가 커지고 지구촌 전체가 단일한 체계로 통합되는 현상
정보화	지식과 정보가 사회 활동 전반에서 차지하는 비중이 커지는 현상
전 지구적 수준의 문제	국제적 교류가 증가하면서 한 지역이나 한 국가의 문제가 다른 국가나 전 지구적 차원에까지 영향을 미치는 문제

🔖 ❶ 출산율 ❷ 상호 의존성

예제 사회 변동 이론 (가), (나)에 대한 설명으로 옳은 것을 〈보기〉에서 모두 고르면?

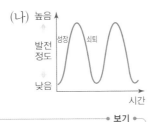

─── 보기 ───
ㄱ. (가)는 진화론이다.
ㄴ. (나)는 순환론이다.
ㄷ. (가), (나)는 사회 변동의 방향을 설명하는 이론이다.

① ㄱ ② ㄴ ③ ㄱ, ㄴ ④ ㄱ, ㄷ ⑤ ㄱ, ㄴ, ㄷ

답 ⑤

★기억해요!

구조적인 측면에서 사회 변동을 설명하는 이론은 기능론과 ☐☐이다.

답 갈등론

예제 다음에 나타난 사회 변동 요인은 무엇인지 쓰시오.

18세기 영국에서 발명된 증기 기관이 산업 생산에 사용되면서 대량 생산이 가능해졌다. 광산, 면직 공장, 제철소 등에서 증기 기관을 도입하면서 공장제 생산이 가능해진 것이다. 또 증기 기관은 교통과 운송 수단에도 적용되면서 상품의 편리한 수송에 도움을 주었다.

답 과학과 기술의 발달

★기억해요!

인간의 생활 방식, 의식 구조, 사회적 관계, 사회 구조 등이 총체적으로 변화하는 현상을 ☐☐☐(이)라고 한다.

답 사회 변동

예제 A, B의 특징을 비교한 그림이다. A, B에 해당하는 사회를 바르게 연결한 것은?

*0에서 멀수록 그 정도가 높거나 강함.

	A	B		A	B
①	산업 사회	정보 사회	②	정보 사회	산업 사회
③	산업 사회	농업 사회	④	정보 사회	농업 사회
⑤	농업 사회	정보 사회			

답 ①

★기억해요!

☐☐ 사회는 서비스업이 중심을 이루고, 다품종 소량 생산을 추구한다.

답 정보

예제 다음 글에 나타난 사회 운동에 대한 설명으로 옳은 것을 〈보기〉에서 모두 고르면?

1955년 한 흑인 여성이 백인 승객에게 자리를 양보하지 않아서 체포되었다. 흑인들은 이에 반발하여 집단 파업과 버스 승차 거부 운동을 벌였다. 이듬해 인종 분리법이 위헌이라는 판결이 났고 흑인들의 버스 승차 거부도 끝이 났다.

─── 보기 ───
ㄱ. 계급 철폐를 목적으로 하는 사회 운동이다.
ㄴ. 당시 사회의 정권을 교체한 사회 운동이다.
ㄷ. 사회적 소수자의 권리 보장을 목적으로 하는 사회 운동이다.

① ㄱ ② ㄴ ③ ㄷ ④ ㄱ, ㄴ ⑤ ㄱ, ㄷ

답 ③

★기억해요!

☐☐☐은/는 사회 문제를 해결하거나 사회 체제를 근본적으로 변혁하기 위하여 대중이 자발적으로 하는 집단적이고 지속적인 행위를 의미한다.

답 사회 운동

자르는 선

33 비교론적 관점

서로 다른 문화에 나타나는 유사성과 차이점을 비교하여 문화의 ❶ [_____]와/과 특수성을 파악하는 관점

친사촌, 외사촌, 고종사촌? 우리는 전부 사촌(cousin)인데.

답 ❶ 보편성

예1 비교론적 관점은 타문화와 비교하여 자문화의 특징을 파악하는 데 유용하다.

34 자문화 중심주의

자신의 문화를 ❶ [_____]한 것으로 여기면서, 그것을 기준으로 다른 문화를 수준이 낮거나 미개하다고 판단하는 태도

서양 사람들은 방에 들어갈 때도 신발을 신고 들어가는게 참으로 예의를 모르는 사람들이더군.

그러게 말일세. 우리 조선보다 문화적으로 한참 뒤떨어진 것 같네.

답 ❶ 우월

예1 자문화 중심주의는 집단 구성원 간의 결속력을 높인다.

예2 자문화 중심주의는 다른 문화에 대한 부정적인 편견을 갖게 한다.

35 문화 사대주의

다른 사회의 문화를 우월한 것으로 여기고 추종하면서 자신의 문화를 ❶ [_____]하다고 생각하는 태도

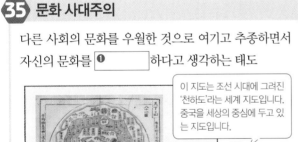

이 지도는 조선 시대에 그려진 '천하도'라는 세계 지도입니다. 중국을 세상의 중심에 두고 있는 지도입니다.

답 ❶ 열등

예1 문화 사대주의는 다른 문화의 좋은 점을 받아들여 자기 문화 발전의 계기를 만들기도 한다.

예2 문화 사대주의는 자기 문화의 정체성을 잃게 할 수 있다.

36 문화 상대주의

어떤 사회의 특수한 자연환경, 역사적 전통, 사회적 맥락 등을 고려하여 그 사회의 문화를 ❶ [_____]하려는 태도

건조 지역에서 돼지를 키우는 것은 어렵구나.

너무 불결해.

답 ❶ 이해

예1 문화 상대주의는 문화의 다양성 유지를 용이하게 한다.

배울 내용

❶ 하위문화
❷ 지역 문화
❸ 세대 문화

❹ 반문화
❺ 대중문화
❻ 대중 매체

Quiz (다수, 소수)의 사람이 즐기고 누리는 문화를 대중문화라고 한다.

과거에는 소수만 문화를 즐길 수 있었지만, 오늘날에는 사회 구성원 대다수가 문화를 누릴 수 있게 되었어. 이것을 대중문화라고 해.

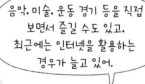

음악, 미술, 운동 경기 등을 직접 보면서 즐길 수도 있고, 최근에는 인터넷을 활용하는 경우가 늘고 있어.

답 다수

하위문화와 대중문화

청소년들은 자기들 사이에서만 통하는 말을 만들어서 사용하고 있어. 이런 것을 청소년 문화라고 해.

한 사회의 구성원들은 오랫동안 함께 생활하면서 대체로 같은 문화를 공유해. 한 사회의 구성원 대다수가 공유하는 문화를 주류 문화라고 하고, 청소년처럼 한 사회의 일부 구성원들이 공유하는 문화를 하위문화라고 해.

 답 하위문화

우리 학교 시험 범위 확인

교과서 단원		교재
Ⅰ. 사회·문화 현상의 탐구	1. 사회·문화 현상의 이해	☐ BOOK❶ 1일, 6일 1회, 7일
	2. 사회·문화 현상의 탐구 방법	☐ BOOK❶ 2일, 6일 1회, 7일
	3. 사회·문화 현상의 탐구 절차와 태도	☐ BOOK❶ 2일, 6일 1회, 7일
Ⅱ. 개인과 사회 구조	1. 인간의 사회화	☐ BOOK❶ 3일, 6일 1회, 7일
	2. 사회 집단과 사회 조직	☐ BOOK❶ 4일, 6일 1회, 7일
	3. 일탈 행동의 원인과 대책	☐ BOOK❶ 5일, 6일 2회, 7일
Ⅲ. 문화와 일상생활	1. 문화의 이해	☐ BOOK❶ 5일, 6일 2회, 7일
	2. 하위문화와 대중문화	☐ BOOK❷ 1일, 6일 2회, 7일
	3. 문화의 변동	☐ BOOK❷ 2일, 6일 2회, 7일
Ⅳ. 사회 계층과 불평등	1. 사회 불평등 현상과 계층	☐ BOOK❷ 3일, 6일 1회, 7일
	2. 다양한 사회 불평등 양상	☐ BOOK❷ 4일, 6일 1회, 7일
	3. 사회 복지와 복지 제도	☐ BOOK❷ 4일, 6일 1회, 7일
Ⅴ. 현대의 사회 변동	1. 사회 변동과 사회 운동	☐ BOOK❷ 5일, 6일 2회, 7일
	2. 저출산·고령화와 다문화적 변화	☐ BOOK❷ 5일, 6일 2회, 7일
	3. 세계화·정보화와 전 지구적 수준의 문제	☐ BOOK❷ 5일, 6일 2회, 7일

이 책의 차례

시험 공부 마무리

누구나 100점 테스트

앞에서 공부한 내용을 바탕으로 기초 이해력을 점검해 보세요.

서술형·사고력 테스트 / 창의·융합·코딩 테스트

서술형 문제를 집중적으로 풀고, 다양한 자료들을 활용한 문제를 풀며 사고력을 길러 보세요.

학교 시험 기본 테스트

시험 문제에 가까운 예상 문제를 풀며 실전에 대비해 보세요.

틈틈이·짬짬이 공부하기

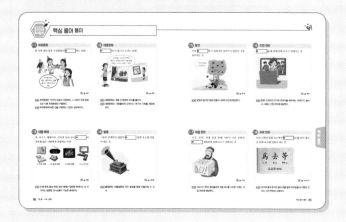

💎 핵심 용어 모아 보기

과목별 핵심 용어를 담은 핵심 용어 풀이를 보며 어휘력을 길러 보세요.

💎 핵심 개념 총집합 카드

카드를 휴대하며 이동할 때나 시험 직전에 활용해 보세요.

이 책의 구성과 활용

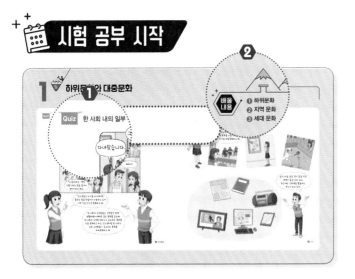

퀴즈로 생각 열기

공부할 내용을 만화로 가볍게 살펴보며 학습을 준비해 보세요.

❶ **생각 열기** | 만화 내용을 가볍게 보고 퀴즈를 풀면서 학습 목표를 떠올려 보세요.

❷ **배울 내용** | 공부할 내용을 살피며 핵심 학습 요소를 확인해 보세요.

교과서 핵심 정리 + 기초 확인 문제

꼭 알아야 할 교과서 핵심 내용을 익히고 기초 확인 문제를 풀며 제대로 이해했는지 확인해 보세요.

❶ 빈칸 문제를 채우며 교과서 핵심 내용을 다시 한 번 체크해 보세요.

❷ 교과서 핵심과 관련된 기초 확인 문제를 풀며 공부한 내용을 확인해 보세요.

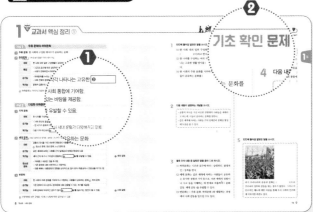

내신 기출 베스트

다양한 유형의 문제를 풀어 보며 공부한 내용을 점검해 보세요.

❶ 대표 예제 문제를 풀며 시험에 잘 나오는 문제를 확인 보세요.

❷ 개념 가이드를 보며 시험에 잘 나오는 용어나 개념을 익히거나 문제 해결의 힌트를 얻어 보세요.

7일 끝으로 끝내자!

7 고등 사회·문화

BOOK 2

Chunjae
Makes
Chunjae

▼

개발총괄	김덕유
편집개발	중등 사회팀
제작	황성진, 조규영

발행일	2021년 3월 15일 초판 2021년 3월 15일 1쇄
발행인	(주)천재교육
주소	서울시 금천구 가산로9길 54
신고번호	제2001-000018호
고객센터	1577-0902
교재 내용문의	(02)3282-1780

#시험대비
#핵심정복

7일 끝
중간고사
기말고사

언제나 만점이고 싶은 친구들

Welcome!

7일 끝

중간고사 기말고사

7일 끝으로 끝내자!

고등 사회·문화

BOOK 2

천재교육

book.chunjae.co.kr

교재 내용 문의	교재 홈페이지 ▶ 고등 ▶ 교재상담
교재 내용 외 문의	교재 홈페이지 ▶ 고객센터 ▶ 1:1문의
발간 후 발견되는 오류	교재 홈페이지 ▶ 고등 ▶ 학습지원 ▶ 학습자료실

중간·기말 대비, 7일이면 충분해!

7일 끝 시리즈

초단기 시험 대비

시험에 꼭 나오는 핵심만 콕콕!
학습량은 줄이고 효율은 높여
7일 안에 중간·기말고사 최적 대비!

중하위권 기초 다지기

시험이 두려운 중하위권들을 위해
쉽지만 꼭 풀어 봐야 할 문제들만 모아
기초를 확실하게 다져 주는 교재!

다양한 기출·예상 문제

학교 내신 빈출 문제는 물론,
창의·융합형, 서술형, 신유형 등
다양한 문제 수록으로 철저한 시험 대비!

내신 대비, 늦었다고 생각할 때가 제일 빠르다!

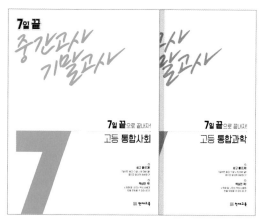

국어: 고1~3 / 저자별 총 6권(국어(상), 국어(하), 문학, 독서, 화법과 작문, 언어와 매체)

수학: 고1~2 / 총 4권(수학(상), 수학(하), 수학Ⅰ, 수학Ⅱ)

영어: 어법·구문 / 총 2권(내신 기반 다지기)

사회: 고1~3 / 총 5권(한국사, 통합사회, 사회·문화, 한국 지리, 생활과 윤리)

※한국사: 고1~2/2022년부터 고3 동일 적용

과학: 고1~3 / 총 5권(통합과학, 물리학Ⅰ, 화학Ⅰ, 생명과학Ⅰ, 지구과학Ⅰ)

예제 다음 글에 나타난 문화의 속성으로 가장 적절한 것은?

> 우리가 처음부터 지금과 같은 김치를 먹었던 것은 아니다. 문헌에 따르면, 본래 김치는 고춧가루가 들어가지 않은 백김치였다. 임진왜란 무렵에 고추가 전래되고 김치를 담그는 데 고춧가루가 양념으로 들어가면서, 지금처럼 빨간 김치를 먹게 되었다.

① 학습성   ② 공유성   ③ 변동성
④ 축적성   ⑤ 총체성

답 ③

★기억해요!

문화는 시간이 지나면서 끊임없이 변화한다는 것은 문화의 ☐☐☐이다.

답 변동성

예제 다음은 A, B 조직의 운영 방식을 평가한 결과이다. A 조직이 B 조직에 비해 환경 변화에 유명하게 대응할 수 있는 이유를 서술하시오.

(단위: 점)

평가 기준	평가 결과
• 부서 간 수평적 관계	45 / 85
• 한시적인 과업 중심의 부서 운영	40 / 95
• 실무 담당 구성원의 의사 결정 참여	35 / 90
• 업무 보고 체계의 위계화	15 / 82
• 문서화된 규칙에 대한 의존	10 / 89

■ A 조직   ■ B 조직

답 A 조직은 탈관료제 조직, B 조직은 관료제 조직의 특징을 가지고 있기 때문이다.

★기억해요!

☐☐☐ 조직은 관료제 조직의 전형적인 문제점을 극복하기 위해 대안적으로 나타난 새로운 조직 형태이다.

답 탈관료제

예제 다음 상소문에 나타난 문화 이해 태도에 대한 설명으로 옳은 것은?

> 우리나라가 이제 새로운 글자를 사용하는 것을 중국이 알면 대국을 섬기는 데 부끄러운 일입니다. 몽골, 서하, 여진 등은 각기 글자가 있지만 이들은 모두 오랑캐입니다. 이제 글자를 만든다는 것은 중국을 버리고 스스로 오랑캐와 같아지려는 것입니다.

① 문화적 주체성을 상실할 우려가 있다.
② 사회적 맥락을 고려하여 문화를 이해한다.
③ 각 사회의 문화가 가진 고유성을 인정한다.
④ 집단 내의 일체감과 자부심을 높일 수 있다.
⑤ 다른 문화에 대한 부정적 편견을 갖게 한다.

답 ①

★기억해요!

다른 사회의 문화를 우월한 것으로 여기고 추종하면서 자신의 문화를 열등하다고 생각하는 태도를 ☐☐☐☐☐(이)라고 한다.

답 문화 사대주의

예제 다음 글에 나타난 일탈 이론에서 강조하는 일탈 행동의 대책으로 적절한 것을 〈보기〉에서 고른 것은?

> 범죄자의 다수가 하류 계층 출신인 것은 하류 계층에 속한 사람들은 상류 계층에 속한 사람들에 비해 제도적 수단이 부족하여 불법적 수단을 더 많이 선택하기 때문이다.

보기

ㄱ. 새로운 규범의 정립
ㄴ. 공평한 기회의 제공을 위한 제도 개선
ㄷ. 일탈 집단 구성원과의 접촉 및 교류 차단
ㄹ. 일탈 행동을 신중하게 규정하려는 사회적 합의

① ㄱ, ㄴ   ② ㄱ, ㄷ   ③ ㄴ, ㄷ
④ ㄴ, ㄹ   ⑤ ㄷ, ㄹ

답 ③

핵심개념 13 사회 조직의 유형

공식 조직	특정 목적을 달성하기 위해 **❶**⬚⬚⬚⬚(으)로 만들어진 조직
비공식 조직	**❷**⬚⬚⬚⬚ 내에서 구성원들이 친밀한 인간관계를 바탕으로 서로 상호 작용을 하며 형성된 것
자발적 결사체	공동의 관심사나 이해관계를 가진 사람들이 공동의 목표를 달성하기 위하여 자발적으로 형성한 조직
관료제 조직	특정 목표를 달성하기 위해 구성원의 역할을 명확하게 구분하고 공식적인 규칙과 규정에 따라 운영하는 대규모 위계 조직
탈관료제 조직	관료제의 전형적인 문제점을 극복하기 위해 대안적으로 나타난 새로운 조직 형태

답 ❶ 의도적 ❷ 공식 조직

핵심개념 14 문화의 속성

1. **학습성**: 문화는 태어날 때부터 지니고 있는 것이 아니라 **❶**⬚⬚⬚⬚(으)로 습득됨.

2. **공유성**: 문화는 한 사회의 구성원들이 공통으로 가지고 있는 **❷**⬚⬚⬚⬚임.

3. **변동성**: 문화는 시간이 흐르면서 그 모습이나 내용, 의미 등이 변화함.

4. **축적성**: 문화는 한 세대에서 다음 세대로 전승되면서, 기존의 문화에 새로운 요소가 더해져 더욱 풍부해지고 다양해짐.

5. **총체성**: 문화는 여러 구성 요소가 상호 유기적인 관련을 맺으며, 부분이 아닌 하나의 전체로서 존재함.

답 ❶ 아노미 ❷ 일탈자

핵심개념 15 일탈 행동

1. **아노미 이론**: **❶**⬚⬚⬚⬚ 상태에서 일탈 행동이 일어난다고 설명하는 이론

2. **교제 이론**: 개인이 일탈에 우호적인 일탈자와 접촉하면서 그들의 문화와 행동을 학습하여 사회화한 결과가 일탈 행동이라고 보는 이론

3. **낙인 이론**: 특정 행동을 일탈 행동으로 규정한 후, 그러한 행동을 한 사람들을 **❷**⬚⬚⬚⬚(으)로 낙인찍었기 때문에 일탈 행동이 발생한다고 보는 이론

답 ❶ 후천적 ❷ 생활 양식

핵심개념 16 문화 이해 태도

1. **자문화 중심주의**: 자신의 문화를 우월한 것으로 여기면서, 그것을 기준으로 다른 문화를 수준이 낮거나 미개하다고 판단하는 태도

2. **문화 사대주의**: 다른 사회의 문화를 우월한 것으로 여기고 추종하면서 자신의 문화를 **❶**⬚⬚⬚⬚하다고 생각하는 태도

3. **문화 상대주의**: 어떤 사회의 특수한 자연환경, 역사적 전통, 사회적 맥락 등을 고려하여 그 사회의 문화를 이해하는 태도

답 ❶ 열등

[예제] 밑줄 친 ㉠~㉢ 중에서 귀속 지위를 모두 고르시오.

> ㉠ ○○ 고등학교의 학생인 갑은 ㉡ 학교 연극 동아리의 회장으로 활동하고 있고, 주말에는 ㉢ 시민 단체 회원으로서 자원 봉사 활동에 참여한다. 그리고 시간이 날 때마다 어린 동생과 놀아 주는 ㉣ 형이기도 하다.

답 ㉣

★기억해요!

[　　　]은/는 선천적으로 주어진 지위이고, [　　　]은/는 후천적으로 획득한 지위이다. **답** 귀속 지위, 성취 지위

[예제] 다음은 사회화 기관 A~C를 질문에 따라 구분한 것이다. A~C에 해당하는 사례를 옳게 연결한 것은?

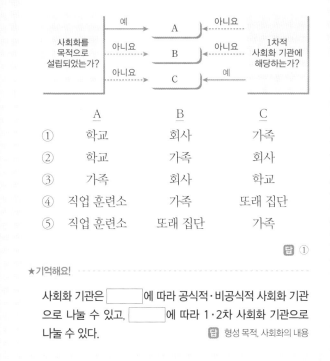

	A	B	C
①	학교	회사	가족
②	학교	가족	회사
③	가족	회사	학교
④	직업 훈련소	가족	또래 집단
⑤	직업 훈련소	또래 집단	가족

답 ①

★기억해요!

사회화 기관은 [　　　]에 따라 공식적·비공식적 사회화 기관으로 나눌 수 있고, [　　　]에 따라 1·2차 사회화 기관으로 나눌 수 있다. **답** 형성 목적, 사회화의 내용

[예제] 다음은 갑, 을이 자신이 속해 있던 사회 집단을 시기별로 각각 2개씩 작성한 것이다. 이에 대한 분석으로 옳지 않은 것은?

이름: 갑	
시기	소속 집단
A	㉠ 가족, ㉡ 유치원
B	학교, 게임 동호회
C	동창회, 대학교 학과 내 독서 소모임
D	회사, 출판인 협회

이름: 을	
시기	소속 집단
A	가족, ㉢ 영어 학원
B	교회, 지역 청소년 봉사 단체
C	㉣ 정당, 대학교 총학생회 합창단
D	종친회, 환경 운동 단체

① ㉠은 1차 집단이다.
② ㉡은 결사체이다.
③ ㉢은 2차 집단이다.
④ ㉣은 비공식 조직이다.
⑤ 갑의 D 시기에는 자발적 결사체의 수가 1개이다.

답 ④

[예제] 다음 사례에서 역할 갈등이 나타난 원인을 서술하시오.

> 현서는 친구 지민이와 함께 주말에 민속촌에 놀러 가기로 하고 약속 시각을 정했다. 그런데 부모님께서 사촌 언니의 결혼식에 가야 하니 약속을 미루라고 하신다. 지난번에도 동아리 모임 때문에 지민이와의 약속을 한 번 취소한 적이 있는 현서는 사촌 언니의 결혼식에 가야 할지, 지민이를 만나야 할지 고민이다.

답 개인이 두 가지 이상의 지위를 가지고 있는 상황에서, 각각의 지위에 따른 역할을 수행하고자 하여 역할 간에 충돌이 발생하였기 때문이다.

★기억해요!

한 개인이 동시에 두 가지 이상의 서로 다른 지위에 따른 역할을 수행하고자 할 때, 역할 간에 충돌이 발생하는 것을 [　　　](이)라고 한다. **답** 역할 갈등

핵심개념 09 사회화와 사회화 기관

1. **사회화**: 사회 속에서 성장하면서 자신이 속한 사회의 행동 방식과 사고방식을 **❶ [   ]** 하는 과정

2. **사회화 기관의 유형**

공식적 사회화 기관	사회화 자체를 목적으로 형성된 기관
비공식적 사회화 기관	사회화를 목적으로 형성된 것은 아니지만 사회화가 이루어지는 기관
1차적 사회화 기관	어린 시절 자아와 인성의 기본 틀을 형성하고 사회생활의 기초적인 **❷ [ ]** 을/를 습득하는 데 영향을 많이 미치는 기관
2차적 사회화 기관	전문적인 지식과 정보 등을 사회화하는 기관

답 ❶ 학습 ❷ 행동 양식

핵심개념 10 사회적 지위

1. **사회적 지위**: 개인이 사회 속에서 차지하는 위치

2. **귀속 지위**: 개인의 의지나 노력과 상관없이 **❶ [   ]** (으)로 수어진 것

3. **성취 지위**: 개인의 의지와 노력을 통해 **❷ [   ]** (으)로 획득한 것

답 ❶ 선천적 ❷ 후천적

핵심개념 11 역할 갈등

1. **역할**: **❶ [   ]** 에 따라 사회적으로 기대하는 행동 양식

2. **역할 행동**: 개인이 사회적 역할을 실제로 수행하는 방식

3. **역할 갈등**: 한 개인이 동시에 두 가지 이상의 서로 다른 지위에 따른 **❷ [   ]** 을/를 수행하고자 할 때, 역할 간에 충돌이 발생하는 것

답 ❶ 지위 ❷ 역할

핵심개념 12 사회 집단의 유형

1차 집단	구성원들이 장기간 직접 접촉하여 친밀한 관계를 형성하는 전인격적인 집단
2차 집단	구성원들이 간접적·부분적으로 접촉하며 상호 친밀감이 약한 집단
공동체	본질적이고 **❶ [ ]** (으)로 형성된 집단
결사체	합리적이고 선택적인 의지에 따라 특정 목적을 위해 의도적으로 만들어진 사회 집단
내집단	개인이 소속되어 있으면서 **❷ [ ]** 을/를 느끼는 집단
외집단	개인이 소속되어 있지 않으면서 **❷ [ ]** 을/를 느끼지 못하는 집단
준거 집단	다양한 집단 중에서 한 개인이 자신의 행동과 판단의 기준으로 삼는 집단

답 ❶ 자연 발생적 ❷ 소속감

예제 갑, 을 두 사람이 사회·문화 현상을 탐구할 때 취할 입장에 대한 설명으로 적절하지 않은 것은?

> 인간도 자연계의 일부를 이루고 있으므로, 자연 현상과 사회·문화 현상의 차이는 정도의 문제인지 본질적인 차이는 아니야.

> 자연 현상에는 가치가 개입되어 있지 않은 데 반해, 사회·문화 현상은 그 속에서 생활하고 있는 사람들에게 특수한 의미를 갖기 때문에 양자는 서로 질적으로 다른 현상이야.

갑   을

① 갑은 감정 이입적 이해를 중시할 것이다.
② 갑은 수량화된 자료에 대한 분석을 중시할 것이다.
③ 을은 개인들 간의 상호 작용을 중시할 것이다.
④ 을은 인간 행위의 동기 파악을 중시할 것이다.
⑤ 을은 감정 이입을 통한 심층적 이해를 중시할 것이다.

답 ①

예제 A, B에 해당하는 자료 수집 방법을 옳게 연결한 것은?

모둠별 연구 주제	교사 의견
분단 비용과 통일 비용에 대한 고등학생의 성별 인식 차이	계량화가 쉬운 방법인 A를 활용해 연구해 보세요.
고등학생이 생각하는 남북통일의 의미	언어적 상호 작용이 필수적인 B를 활용하세요. 이때, 정서적 교감을 형성하는 것이 중요해요.

	A	B
①	면접법	질문지법
②	면접법	참여 관찰법
③	질문지법	면접법
④	질문지법	참여 관찰법
⑤	참여 관찰법	면접법

답 ③

★기억해요!

사회·문화 현상에 대한 연구 결과를 도출하기 위해 연구 과정에서 활용하는 모든 정보가 ☐☐☐(이)다.   답 자료

예제 개인과 사회를 바라보는 갑, 을의 관점을 각각 쓰시오.

> 갑: 우리 반은 조직력도 뛰어나고 팀 분위기도 좋아서 우리 반이 이길 거야.
> 을: 아니야. 우리 반에는 실력이 쟁쟁한 선수들이 많아서 우리 반이 이길 거야.

답 갑: 사회 실재론, 을: 사회 명목론

★기억해요!

사회가 개인의 속성과는 구별되는 독립적인 실체라고 보는 관점은 ☐☐☐☐☐, 사회가 실제로 존재하지 않는다는 관점은 ☐☐☐☐☐이다.

답 사회 실재론, 사회 명목론

예제 다음 대화에서 을이 강조하고 있는 사회·문화 현상의 탐구 태도에 대한 진술로 가장 적절한 것은?

> A 학자의 주장이라면 믿음이 가. 그는 학계에서 가장 유명할뿐더러 그의 예측은 한 번도 틀린적이 없거든.

> 그렇다고 해도 그의 주장이 과학적 탐구 절차를 거쳐 검증되기 전까지는 하나의 가설로 여겨야 해.

갑   을

① 연구자는 개인적 가치를 가지면 안 된다.
② 현상의 이면에 담긴 의미를 살펴보아야 한다.
③ 연구 결과가 사회에 미칠 영향을 고려해야 한다.
④ 자신의 연구 결과에 대한 비판을 허용해야 한다.
⑤ 연구 주제를 선정할 때 중립적 입장을 지켜야 한다.

답 ④

★기억해요!

☐☐☐☐☐은/는 연구를 진행하면서 편협한 주장이나 이론에 빠지지 않고 비판을 허용하는 태도이다.   답 개방적 태도

핵심개념 05 자료 수집 방법

1. **문헌 연구법**: 기존 문헌에서 자료를 수집하는 방법

2. **실험법**: 계획적으로 어떤 조건을 만들어 변화를 주고 그에 따른 변화를 관찰하여 자료를 수집하는 방법

3. **질문지법**: 조사 내용을 **❶**　　　(으)로 구성한 후 연구 대상자에게 답변을 얻어 자료를 수집하는 방법

4. **❷**　　　: 연구자가 연구 대상자와 깊이 있는 대화를 통해 자료를 수집하는 방법

5. **참여 관찰법**: 연구자가 연구 대상과 함께 생활하거나 연구 대상의 활동에 참여하면서 현상을 직접 관찰하여 자료를 수집하는 방법

답 ❶ 질문 ❷ 면접법

핵심개념 06 양적 연구와 질적 연구

1. **양적 연구 방법**: 사회·문화 현상도 자연 현상 연구와 동일한 방법으로 연구할 수 있다는 **❶**　　　에 기초한 것

2. **질적 연구 방법**: 가치 함축적인 사회·문화 현상은 자연 현상과 본질적으로 다르기 때문에 다른 방법으로 연구해야 한다는 **❷**　　　에 기초한 것

답 ❶ 방법론적 일원론 ❷ 방법론적 이원론

핵심개념 07 사회·문화 현상 탐구 태도

1. **객관적 태도**: 제3자적 입장에서 있는 그대로 현상을 탐구하는 태도

2. **❶**　　　 **태도**: 편협한 주장, 이론에 빠지지 않고, 다른 연구자의 비판을 허용하는 태도

3. **상대주의적 태도**: 사회·문화 현상이 지닌 고유한 의미와 가치를 해당 사회 집단의 맥락이나 환경을 고려하여 이해하는 태도

4. **성찰적 태도**: 사회·문화 현상의 이면을 살펴보거나 연구 과정을 제대로 수행하고 있는지 되짚어 보는 태도

5. **가치 ❷**　　　 **태도**: 연구자의 주관적인 가치나 이해관계를 배제하는 태도

답 ❶ 개방적 ❷ 중립

핵심개념 08 사회 실재론과 사회 명목론

1. **사회 실재론**: 사회가 개인의 속성과는 구별되는 **❶**　　　 인 실체이며, 개인의 외부에 실제로 존재한다고 보는 관점

2. **사회 명목론**: 사회가 개인의 합에 이름을 붙인 것으로 실제로 존재하지 않는다는 관점

답 ❶ 독립적

02

예제 법에 대해 기능론적 입장을 가지고 있는 학생은?

> 윤지: 법은 권력층에게만 유리한 제도에 불과해.
> 지은: 법은 국민의 여론에 기초하여 만들어진 합의의 산물이야.
> 상진: 법이 있기 때문에 질서가 유지되고 사회가 안정적으로 운영되는 거야.
> 하연: 법은 권력 싸움에서 이긴 사람들이 자신의 지배를 정당화하기 위해 만든 것이야.

① 윤지, 지은   ② 윤지, 상진   ③ 윤지, 하연
④ 지은, 상진   ⑤ 상진, 하연

답 ④

★기억해요!

□□□은/는 사회 제도나 집단 등이 상호 연관성을 갖고 일정한 기능을 수행하면서 사회가 유지된다고 보는 관점이다.

답 기능론

01

예제 밑줄 친 ㉠~㉣ 중 자연 현상을 모두 고르시오.

> 이 다큐멘터리는 ㉠ 지형적 특성으로 물이 잘 빠지지 않고 오랜 시간 정체되면서 형성된 습지와 그곳의 독특한 생태계를 생동감 있게 그려 냈다. ㉡ 계절마다 빛깔을 달리하는 수풀의 환상적인 풍경, ㉢ 삵, 고니 등 평소에 보기 어려운 동물을 담아 낸 영상을 감상할 수 있다. 특히 ㉣ 개화가 잘 되지 않아 '백 년 만에 피는 꽃'이라고 불리는 가시연꽃의 모습은 감탄을 금할 수 없다.

답 ㉠, ㉡

★기억해요!

사람들이 사회적 관계를 맺고 사회적 상호 작용을 한 결과로 나타나는 인간의 모든 활동 및 이와 관련된 현상을 □□□(이)라고 한다.

답 사회·문화 현상

04

예제 다음과 같은 현상이 나타나는 이유를 상징적 상호 작용론의 관점에서 서술하시오.

> 시험에서 똑같이 80점을 받았어도 어떤 학생은 "고작 80이라니!"라며 크게 실망하는 반면, 또 어떤 학생은 "80점이나 받다니!"라며 크게 기뻐하기도 한다.

답 사람마다 상황 정의를 다르게 하기 때문이다.

★기억해요!

□□□은/는 개인들이 일상적으로 상호 작용하는 과정에서 나타나는 행위의 주관적인 동기와 의미의 해석에 초점을 두어 현상을 보는 관점이다.

답 상징적 상호 작용론

03

예제 다음 의견에서 스포츠를 바라보는 관점이 무엇인지 쓰시오.

> 스포츠는 젊은이들의 저항을 억제하고, 정치적 무관심을 고취하는 수단이 될 수 있습니다. 또한, 사회적 차별을 자연스러운 것으로 만드는 데에도 기여하며, 개인이 노력만 하면 현실은 언제나 변할 수 있다는 환상을 퍼뜨리기도 합니다.

답 갈등론

★기억해요!

□□□은/는 한 사회에서 희소가치를 많이 가진 집단과 그렇지 않은 집단이 지배와 피지배 관계를 이루고 있다고 보는 관점이다.

답 갈등론

핵심개념 01 자연 현상과 사회·문화 현상

구분	자연 현상	사회·문화 현상
가치	몰가치성	❶
법칙	존재, 필연	당위, 목적
인과관계	명확	불명확
법칙 발견과 예측	쉬움	어려움
특징	보편성, 필연성, 확실성	특수성, 개연성, 확률성

답 ❶ 가치 함축성

핵심개념 02 기능론

1. **기본 입장**: 사회를 하나의 유기적 통합 체계로 보고, 사회 제도나 집단 등이 상호 연관성을 갖고 일정한 기능을 수행하면서 사회가 유지된다고 보는 관점

2. **장점**: 질서와 통합이 나타나는 사회·문화 현상을 설명하기에 적합함

3. **한계**: 사회 갈등이나 ❶ 의 중요성을 간과함. 사회 변동을 설명하기 어려움.

답 ❶ 변동

핵심개념 03 갈등론

1. **기본 입장**: 한 사회에 ❶ 을/를 많이 가진 집단과 그렇지 않은 집단이 지배와 피지배 관계를 이루고 있다고 보는 관점

2. **장점**: 집단 간 지배와 억압이 나타나는 사회·문화 현상을 설명하기에 적합함.

3. **한계**: 사회가 안정적으로 유지되는 상황을 설명하기 어려움.

답 ❶ 희소가치

핵심개념 04 상징적 상호 작용론

1. **기본 입장**: 개인들이 일상적으로 ❶ 하는 과정에서 나타나는 행위의 주관적인 동기와 의미의 해석에 초점을 두어 현상을 보는 관점

2. **장점**: 인간의 ❷ 을/를 강조함.

3. **한계**: 사회 구조나 제도의 힘을 경시함.

답 ❶ 상호 작용 ❷ 능동성